P L A N K T O N

MARIUSZ

SIENIEWICZ

PLANKTON

WYDAWNICTWO ZNAK

KRAKÓW 2017

Projekt okładki
Agnieszka Kucharz-Gulis

Zdjęcia wykorzystane na okładce
Ihsan Gercelman (igercelman) / depositphotos
Eric Isselée (lifeonwhite) / depositphotos

Zdjęcie autora na skrzydełku
Bernard Wawrzyniewicz / MOK

Opieka redakcyjna
Dorota Gruszka

Redakcja
Marta Anna Zabłocka

Korekta
Barbara Gąsiorowska
Anastazja Oleśkiewicz

Łamanie
Piotra Poniedziałek

ISBN 978-83-240-4553-2

znak

Książki z dobrej strony: www.znak.com.pl
Więcej o naszych autorach i książkach: www.wydawnictwoznak.pl
Społeczny Instytut Wydawniczy Znak, 30-105 Kraków, ul. Kościuszki 37
Dział sprzedaży: tel. (12) 61 99 569, e-mail: czytelnicy@znak.com.pl
Wydanie I, Kraków 2017. Printed in EU

plankton (gr. *planktós* – błąkający się) – zespół organizmów żywych unoszących się w wodzie. Nawet jeśli mają narządy ruchu, to są one zbyt słabe, by organizmy te mogły się aktywnie przeciwstawić prądom wodnym i wiatrom, wystarczą natomiast do biernego utrzymywania się w stanie zawieszenia. Plankton stanowi pokarm dla organizmów wodnych i nie tylko.

ROZDZIAŁ I

Pędzimy przez miasto! Pędzimy aż strach. Christe, dimitte nobis... Ona i ja!

Pędzimy ścieżką, alejką, chodnikiem. Z górki pod górkę, po prostej i łukiem. Brzdąkają błotniki, skrzypi siodełko, łańcuch grzechocze jak młynek do pieprzu. Ona pierwsza, ja za nią! Uciekamy, choć nikt nie goni. Gonimy, choć nikt nie ucieka. Ona dzwonkiem wydzwania, ja dźwięcznie odzwaniam, że jestem tuż-tuż – o jeden świszczący oddech. O dwa! Nasze sygnały porywa wiatr i trąbką powietrzną śle prosto do nieba, wszczynając alarm u Piotrowych bram. Tam to się dopiero dzieje! Tam to dopiero rejwach i galimatias. Wyrwany z drzemki Pierwszy Apostoł upuszcza pęk kluczy i krzyczy w półprzytomnym amoku:

– Dajcie mi tego koguta. Dajcie mi go jeszcze raz! Niech zapieje choć pół podłej nuty! Już ja mu dam!

Nietrudno odgadnąć, jaka go prześladuje trauma.

Chóry anielskie ustawiają się wedle głosów, stroją schrypiałe gardła, wkładają maski. Zza świętych pleców Pierwszego słychać straceńczy pisk:

– Li-li-li, la-la-la... Gdzie moja maska?! – panikuje pierwszy sopran. – Bez maski nie mogę śpiewać duszy tułaczej! Nie mogę jej się pokazać!

– Co racja, to racja. Nigdy nie ma gwarancji, że dusza tułacza nie niesie zła – wtóruje bas, aż grzmi niebo i grozi burzą.

– Boże, na co nam przyszło?! – wtrąca się poirytowany alt. – Ani chwili spokoju. Dzwonią, łomocą, a my już na baczność! Tak żyć się nie da! Niebo to niebo, a ziemia to ziemia. Nie mieszajmy porządków. Kogo znów niesie?! Jakiego włóczęgę? – mówi na głos to, o czym myślą wszyscy chórzyści.

Uśmiecham się pod nosem. Anielski śpiew ma wprawić przybysza w zachwyt. Niech wie, gdzie trafił. Niech doceni.

A rzeczywistość zrodzona z naszego rowerowania? Rzeczywistość jest taka, że to burdel na kółkach, nie raj. Chaos narasta. Istne horrendum: kogut czy jednak dzwonek, naciskany palcem ziemskiego imigranta?... Jeden pies! I w którym: pierwszym, drugim czy siódmym niebie?... Jechał to pies!

Cherubini sprawdzają w popłochu każde wejście, lecz pusto, nikogo. Ani żywej duszy u bram. Deo gratias! Duże oczy ma strach. Rybak-Apostoł się uspokaja, na powrót zapada w drzemkę. Przez chóry przechodzi głębokie westchnięcie. Ulga. Żadnego włóczęgi. Brama zamknięta. Śpiewacy niebiescy zdejmują maski. Fałszywy alarm, to tylko wiatr. Choć warto by uszczelnić bramy, żeby nie gwizdał, nie dzwonił, nie niepokoił.

A klucze leżą przy nodze Pierwszego Ucznia. Czy ktoś to zauważył? Czy znajdzie się jeden odważny po tamtej stronie wiekuistego szczęścia, kto je podniesie i bramy otworzy na oścież? Dla strudzonego wędrowca. Dla dwóch, dla trzech, a nawet dla całego tłumu? Trudno powiedzieć.

Niebiosa pozostają bezpieczne. Niebiosa są zatrzaśnięte. A tutaj, na ziemi? My już daleko, za kolejnym zakrętem, skrzyżowaniem, ulicą – bezkarni uciekinierzy na dwóch kółkach. Wiatr zdążył zatrzeć po nas najmniejszy ślad. Taka frajda, taka zabawa – świat wertykalny pomieszany z horyzontalnym. Gdy trafia się kałuża lub piach, słychać syk i spod roweru dziewczynki wypełzają dwa splecione węże. Za siebie wolę się nie oglądać. Gnam!

Kto by pomyślał?... Mimo mych stu dwudziestu lat daję radę. Pochylony nisko nad kierownicą, udami boksuję brzuch, raz lewym, raz prawym kolanem prawie dosięgam podbródka. Cały jestem spocony. Skroń pulsuje, serce łomocze i rwie się oddech. A serce mam przecież wyjątkowe – konsekrowane łaską długowieczności. Ależ szybka ta pchełka dziecięca! Ależ zawzięta! Istne sreberko. Muszę kręcić ile sił w nogach, żeby dotrzymać jej koła.

Słońce raz po raz chowa się w chmurze, połyskujące szprychy tną czas na plasterki, więc trudno powiedzieć, ile trwa jazda. Godzinę, dwie? Może kwadrans? Straciłem rachubę, bo w ruchu kół czas traci znaczenie. Kolejny zjazd, kolejny zakręt i prosta są niewiadomą, zagadką – obietnicą nieznanej mi wcześniej formy nieskończoności. Mógłbym tak jechać przez całe lata, aż po horyzont ziemskiego czasu. Z nią, za nią i dla niej!

Najukochańszy Biedaczyno z Asyżu, przechodzą mnie dreszcze. Przypuszczam, że pomimo zadyszki na mojej twarzy maluje się uniesienie równe ekstazie świętego Teresa. Jego rzeźbę, dłuta Giovanniego Berniniego, miałem okazję podziwiać podczas dorocznej audiencji u arcybiskupa. W trakcie poczęstunku wikariusz biskupi odciągnął mnie oraz kilku innych braci od stołu i zaproponował wycieczkę po komnatach kurii. Nie wiedziałem, czy propozycja wynikała ze zwykłej gościnności, czy też wikariusz chciał nas dla zabawy podręczyć. To znana od wieków, bałamutna krotochwila hierarchów – wystawić na próbę franciszkańską cnotę ubóstwa. Nie mogliśmy jednak odmówić, wszak sam wikariusz biskupi proponował. Chwyciwszy po truflowym cukierku, ruszyliśmy gęsiego za duchownym.

Najpierw zwiedziliśmy metropolitalne spa, o którym krążyły w pełni uzasadnione legendy. Jego rozmach sparaliżował nam twarze, dotknięte nagłą rozdziawą... Było ono bowiem niczym ziemska wizualizacja biblijnego Edenu. Kilka chwil spędziliśmy na wodnych materacach pod drzewem poznania dobrego i złego. Gapiliśmy się w szkarłatne jabłko, a duży solar na szklanym sklepieniu promieniał przyjemnym ciepłem. Po spa przeszliśmy do basenu. Naszym oczom ukazała się wierna kopia jeziora Genezaret z Jordanem i nieodległą Tyberiadą, przedstawioną na glazurowych płytkach. Niech nie dożyję dwustu lat! – miejsce godne epickiego chorału. Wikariusz przechera zapytał mimochodem, czy ktoś ma ochotę na kąpiel. Zaoferował nawet kąpielówki z wyszywanym złotą nicią logo diecezji i takież same czepki. Odmówiliśmy delikatnie. Z basenu, sekretnym korytarzykiem, trafiliśmy do pokutnej izby samoudręczeń stylizowanej na jerozolimski gaj oliwny. W izbie wyświetlano projekcje nagiej Ewy i siedmiu jej wnuczek uosabiających siedem grzechów głównych. Nie wiedzieliśmy, gdzie oczy podziać. Zwłaszcza grzech drugi i szósty budziły grozę. Zaprawdę, Szatan w kobiecie ma upodobanie do przerażających i nader przekonujących konceptów... Brat Grzegorz nie wytrzymał – naciągnąwszy na głowę kaptur, zabuczał jak dziecko – jasna rzecz, stary kawaler, aż do ślubów zakonnych wychowywany przez matkę. Każdy pogryzał swoją truflę, nerwowo szeleścił papierkiem, mimochodem szukając konfesjonału. Myśli kotłowały się i grzeszne, i straszne, wybijały na twarzach wstydliwym pąsem.

Na koniec: crème de la crème wycieczki. Salonik kontemplacji, gdzie znajdowała się rzeźba świętego Teresa. Pod rzeźbą stał purpurowy szezlong. Na jego poręczy leżał czytnik e-booków z wyświetlonym brewiarzem. A na siedzisku jakiś zapóźniony wnuk Gutenberga, Matuzalem papieru pozostawił coś absolutnie rozczulającego!... Coś archaicznie ekskluzywnego!... Boże Najsłodszy: książka! Serce zabiło mi mocniej: uczucie, jakby człowiek spotkał dawną miłość, z którą rozstał się non consummatum. Zarzuciłem sieć chciwie tęsknego spojrzenia: to była *Pieśń o sobie* Walta Whitmana. Przywołałem z pamięci piękne frazy poety włóczęgi:

„Położyłeś głowę na moim łonie i delikatnie mościłeś się na mnie, I koszulę ściągnąłeś mi z piersi, i językiem dobrałeś się do mojego nagiego serca, I wreszcie namacałeś moją brodę, i wreszcie dotknąłeś moich stóp..."

A dalej, u stóp rozkoszy dwojga, toczył się obraz za obrazem. O, nie! Nie zapomniałem:

„I nagle pojawił się i rozpostarł wokół mnie spokój i wiedzę przewyższającą wszystko, co ziemskie, I wiem, że ręka Boga jest obietnicą mojej własnej ręki, I wiem, że duch Boga jest bratem mojego własnego ducha, Że wszyscy mężczyźni, kiedykolwiek zrodzeni, także są mymi braćmi, a kobiety moimi siostrami i kochankami, Że stępką stworzenia jest miłość, I niezliczone na polach są liście świeże i zwiędłe, I brązowe mrówki w malutkich bruzdach pod nimi, I omszałe strupy wijącego się płotu, stosy kamieni, czarny bez, dziewanna i szkarłatna".

Samo życie! Ludzkie i boskie. Czyż nie jest to apendyks Salomonowej Pieśni nad Pieśniami? Czyż takich strun nie mógł potrącić sam święty Franciszek, wielbiąc miłość i wszelkie stworzenie? Ktoś w kurii, może sam arcybiskup, miał wyrobiony gust. Ogarnęła mnie rzewność. Dyskretnie, tak aby nikt nie spostrzegł, opuszkiem palca musnąłem grzbiet książki.

Wikariusz skupił się jednak na dziele Berniniego. Zostało cudem uratowane w 2032 roku z plądrowanego przez muzułmanów Rzymu, papież ofiarował je naszej diecezji w wieczyste podziwianie. Nieco roztargniony – bo Whitman, książka, poezja – dołączyłem do wspólnego onieśmielenia. Patrzyliśmy na twarz świętego gotowego, by serafin zanurzył grot włóczni w jego pierś.

– Ból i ekstaza, drodzy bracia! Ból, ekstaza i nie mniej ważna uległość! – huknął wikariusz, wypluwając okruchy cynamonowego ciasteczka. – Te słowa wypisane w oczach świętego Teresa mówią więcej o naszej cywilizacji niż wszystkie dysertacje papug od Tomasza z Akwinu – oznajmił z wyraźnym niesmakiem.

Wikariusz sprzyjał augustiańskiemu stronnictwu w kurii. Jego niechęć do arystotelesowej spuścizny w łonie Kościoła była powszechnie znana. My, kapucyni, jak zwykle znajdowaliśmy się między młotem a kowadłem. Cała nasza polityczna biegłość w zakulisowych diecezjalnych grach na tym polegała, żeby młot nas nie roztrzaskał, żeby kowadło nie odkształciło. Trudna to sztuka, niebezpieczna, czasami zdaje się, że niewykonalna – tak wielkie siły działają w kurii. Każde słowo trzeba w myślach niczym monetę dokładnie oglądać, oceniać, gdzie rewers, gdzie awers i na jaką tacę trafi. Dopiero wtedy można je wypowiadać, dając pierwszeństwo roztropności przed szczerością. Na szczęście wikariusz nie oczekiwał żadnych deklaracji, zadowolił się naszym milczeniem. Do serca wzięliśmy pouczenie, a do kieszeni habitów kokosowe muffinki, trufle i marcepany, którymi obdarował nas na pożegnanie hierarcha.

Rzecz jasna, mój kilkuletni anioł nie przebija mnie włócznią. Mój serafinek jedzie na rowerze, dając wystarczający powód, bym smakował owoc duchowej ekstazy. A ból? Gdzie ból w tym wszystkim? On pojawia się ze świadomością, że – poza Wszechmocnym – nic nie trwa wiecznie, więc i rowerowanie z córką dobiegnie końca. Na razie staram się o tym nie myśleć, na razie gnam, korzystając z kilku niedzielnych godzin. One należą wyłącznie do nas. Łzy nabiegają mi do oczu i wypełniają brzegi powiek... Małgosia... Córeczka pierworodna... Krew z krwi mojej... Dziecię Bożej miłości... Jadę posłusznie. Nie pytam: gdzie i w jakim celu? Jest pięknie! Jest cudownie! Wiatr rozciera łzy, rysując pod oczami małe strumyki wzruszenia. Chyba tylko rezurekcyjne dzwony wywołują podobną ekscytację. Choć oczywiście to nie to samo.

Niech mnie diabli porwą, niech tłukę się po dantejskich kręgach bez mapy!... Ależ jazda szalona! Przez ostatnie półwiecze zakonnego żywota zdążyłem zapomnieć, że można tak gnać. Na rowerze, przez miasto, z wiatrem, pod wiatr, który zmienia resztkę włosów w postrzępiony gałgan babiego lata i sprawia, że kaptur wzdyma się jak napompowana żaba. Gnać, donikąd gnać! – bez mszy, pacierzy i rorat, bez żebrów na byle smarttacę i próśb o światłowodową jałmużnę, bez wycierania kolan przed arcybiskupem, od którego zależy rating zbawienia oferowanego przez nasz charyzmat, wreszcie – bez połajanek prowincjała, kończących się zawsze ojcowskim memento: dziękuj Bogu, że należysz do duchowej elity Polacji, ale też miej świadomość, że przy dwustuletnich mędrcach franciszkańskiej reguły jesteś li tylko gołowąsem. Nie musi tak łajać – przecież sam wiem, na czym polega łaska długowieczności i że nikczemność młodego wieku muszę nadrabiać pokorą.

Głęboka wiara i długowieczność odróżniają sługi Boże od reszty ludu, który – pomimo naszych usilnych starań – nie może wykaraskać się ze śmiertelnej doczesności, nierzadko tkwi jeszcze po uszy w mrokach prostackiej konsumpcji. I cóż z tego, że stawiamy pierwsze kościoły na Księżycu, skoro tu, na Ziemi, nie jesień, ale wiosna średniowiecza nastała, tyle że w ultramodernizującym się wciąż entourage'u. Nigdy nie byliśmy tak blisko Boga, a zarazem tak bardzo daleko. Już dwa wieki temu błogosławiony Bierdiajew, brat nasz w wierze prawosławnej, przestrzegał, że szczytowy rozwój cywilizacji kończy się barbarzyństwem... I co?... No i mamy!... Vanitas vanitatum, et omnia vanitas... Wołanie na puszczy, daremne napominanie... Wirtualne konfesjonały pękają w szwach, kontrabanda nihilistów zawirusowuje apokryficzne memy, lajfstajl-libertarianie zagnieździli się w telewizji federalnej... Tak, tak... trzeba być czujnym i nie zasypiać gruszek w popiele.

Pax! – powiadam sobie. Pax!... Szkoda każdej chwili. Teraz pragnę szybciej i dalej gnać. I niechaj dziewczynka beztrosko pędzi na przedzie. Tysiąc razy kładłem jej do głowy: ma jeszcze czas, żeby podobnie jak jej matka zostać siostrą zakonną. I będę powtarzał kolejny tysiąc: posługa nie zając, charyzmat poczeka. W perspektywie boskiej wieczności niewielka to przecież różnica, czy dziecko przyjmie śluby zakonne w wieku ośmiu czy dziesięciu, dwunastu lat.

Ale teraz mkniemy przez miasto z szybkością międzygalaktycznych aniołów, po których zostają świecące trajektorie. I jeśli listonosze niebiescy muszą uważać, żeby nie wytracić swej anielskości na kosmicznych wirażach, ja muszę pilnować, żeby habit nie wkręcił się w łańcuch. Dlatego połę sukni przytrzymuję kciukiem na kierownicy, odsłaniając trochę łydki. W zakonnym stanie to dopuszczalna ekshibicja. Szkaplerz faluje, płaszcz mam rozwiany. Pewnie wyglądam jak płaszczka.

Nasz pęd zmienia ulice i domy w wyślizganą taflę obrazów. Wiatr świszczy w uszach, zgłuszając patriotyczne pieśni, które niosą się z wielkich głośników na skrzyżowaniach ulic. Już dawno zostawiliśmy za sobą klasztor i katedrę wraz z siedzibą arcybiskupa. Przejeżdżamy wzdłuż laserowych ogrodzeń apartamentowców, mijamy grupki pątników-morsów. W ramach fitnesowego katojoggingu okrążają codziennie centrum, w pobliskiej rzece dokonują ablucji pod okiem jednego z sobowtórów Jana Chrzciciela. Śmigamy obok ledowych billboardów Chrystusa i reklam najnowszej nanotelefonii, obok kaznodziejów głoszących słowo w patetycznych pozach i ekranów, na których domowe kuchenne androidy zachwalają zdrową żywność, własne umiejętności, niskie zużycie wody i promocyjną cenę. Przejeżdżamy aleją drzew z liśćmi zaplecionymi w dizajnerskie różańce, prowadzącą do Galerii Świętego Marta. Jej drzwi mają kształt igielnego ucha, przez które zmieści się każdy, nawet ponadprzeciętnie wysoki człowiek. We wnętrzach Galerii, przed witrynami slow-gospód, biczują się bulimiści.

Mijamy pieszych i dywizje samochodów stacjonujące w korkach. Większość napędzana jest słońcem, gazem i prądem. Pojazdy spalinowe to toksyczna fanaberia milionerów i ich małżonek. Prosty lud zwany staroświecko klasą średnią korzysta z recyklingowanych akumulatorów, a biedota co tylko się da wyciska ze słońca, wiatru i własnych nóg. Choć muszę przyznać rację społecznym modernizatorom: biedoty nie widać na co dzień. Biedota jest dość dobrze pochowana, a jeśli ją widać, stara się wiernie odtwarzać teatr bogactwa. Wszyscy jesteśmy równi, konsumpcja coraz mniej wyróżnia nas przed Bogiem.

Suniemy wzdłuż dźwiękoszczelnych ekranów, na których rozsiadły się drony-wrony. Niewiele trzeba wyobraźni, żeby zamiast skrzydlatych kamer widzieć bieliźniane klipsy, wpięte w zesztywniałe płachty prześcieradeł. Im bliżej rogatek miasta, tym czarniej od szpiegowskich stad. Aż niebo staje się czarne i stanowczo za ciasne. Lecą ostentacyjnie wolno, przysiadają na dachach i drzewach, by po chwili znów wzbić się nad ulicami. W konarach drzew do złudzenia przypominają ciężkie kule jemioły. Wrony nie ustają w tropieniu najdrobniejszych przejawów herezji i rasowego zamętu. Wszystko dla naszego dobra, wszystko dla jedności owczarni Pańskiej, bo wciąż żywa jest pamięć dwóch wielkich wojen – włoskiej i wyszehradzkiej.

Kilka lat po pontyfikacie Franciszka I, ojca naszego Bergoglio – plotka watykańska mówiła, że został otruty – czarny dym wciąż unosił się nad kaplicą Sykstyńską. Wielu przebąkiwało, że Duch Święty opuścił konklawe i nadszedł kres chrześcijańskiej Europy. Bo też państwa naszego jednego Boga, nawet te anglikańskie i protestanckie, odwróciły się od siebie. Zaczęły śnić sny o potędze pojedynczo. Przypominały stadko ślimaków, które pozamykawszy się w skorupach własnych mitów i legend, wygrażały światu czułkami-piąstkami. Islamski potwór zaczął nadgryzać Stary Kontynent od południa. Czarny dym był jak proroctwo. Watykan znalazł się w poważnym niebezpieczeństwie. Nie wiadomo, czy to Duch Święty ulitował się nad uczniami Jezusa, czy też nadciągający wróg zmobilizował konklawe do zgody, faktem jest, że wybrano wreszcie następcę Piotra – jezuitę, który przybrał imię Adama I. Nowy papież wraz z Kurią Rzymską natychmiast opuścił Watykan i przeniósł się do Szwecji. Tam, pod Sztokholmem, założył Stolicę Apostolską. W ostatniej chwili, ponieważ Italia i Grecja wpadły w łapy innowierców, wróg przekroczył granice Austrii, Węgier, Słowacji i wciąż parł do przodu. Zapuszczał się partyzanckimi podchodami na ziemie dawnej Polski. Palił, gwałcił i stawiał fallusowe meczety. Turek zdążył obrosnąć w imperialne piórka, lecz zachowywał neutralność. Ba, zachowywał – kolejny raz musieliśmy Ankarze słono zapłacić, żeby przyglądała się z założonymi rękami.

Jezuici, którzy przez ostatnie czterysta lat popadli w lenistwo własnego pijaru, wreszcie się na coś przydali i zarządzili powszechną mobilizację wiary. Czarny papież Adam I stanął na czele Sojuszu Północnoatlantyckiego i porozumiał się z Cyrylem V, patriarchą moskiewskim i całej Rusi. Rządy Europy nie protestowały, bo też nie potrafiły wymyślić lepszego rozwiązania. Władza krzyża okazała się bardziej mobilizująca niż władza miecza. Stany Zjednoczone, od kiedy rządy konserwatystów zdały się dziedziczne, patrzyły bezczynnie zza Wielkiej Wody. Zaoferowały lotniskowiec i myśliwce F-22.

Straszne to były czasy, znaczone nekropoliami, zastępami świętych męczenników i duszorannymi, którymi zapełniły się purgatoria. Nikt nie żałował krwi, modlitw i datków, nawet wielkie koncerny pozbyły się węża z kieszeni, czując pewnie, że nie pobalują na muzułmańskim księżycu. Naszą wiarę na nowo musieliśmy wypalić ogniem. Gdybyśmy zbyt wcześnie nie pozbyli się pisarzy, skazując ich na los zamierających osobliwości, powstałaby polacyjna odpowiedź na *Iliadę*, na sarmacką *Wojnę chocimską*, a w najgorszym razie – jakiś wojenny kryminał noir. Nastał pokój, oparty, niestety, na bardzo wątłym rozejmie. Wojna pozostawiła po sobie wdowy i pomniki, a także wielką niepewność. Byliśmy w defensywie, bo rozejm sankcjonował zdobycze agresora. Jak jednak uczy historia, militarne konflikty chodzą parami, a islam pierwszy do bitki. Dziesięć lat później, w roku 2042, wybuchła II wojna wyszehradzka. Byłem już wtedy zakonnikiem, przygotowując się na przyjęcie łaski długowieczności. Wróg szturmował Karpaty, nad Węgrami i Czechami powiewały flagi kalifatu, „Allahu akbar" rozbrzmiewało nad Dunajem i Morawami. We Francji prezydent okazał się islamistą, choć wybrany w demokratycznych wyborach. Wdów znowu przybyło. Dzisiaj otrzymują sute emerytury po bohaterach i VIP-owskie loże w kościołach. Po dwóch latach wzajemnych kąsań – kolejny rozejm z deklaracjami, że nigdy więcej, choć między wierszami dawało się wyczytać, że to nie koniec.

W Najwyższym nadzieja, że wojny minęły bezpowrotnie. Panuje spokój, nie licząc pomniejszych incydentów na granicach. Włochy z Grecją, Bałkany i Wyszehrad są raczej nie do odzyskania, a Francja... ach, Francja to teraz takie nie wiadomo co.

No, ale starczy już geopolityki – ona nie na moją głowę. Pędzimy z córką, a jak! Pędzimy przez miasto, na pohybel! Na złamanie karku, wzbudzając w powietrzu czasoprzestrzenne fale!

Tylko te drony nie dają spokoju. Krążą i krążą, podobne bardziej do sępów niż wron. Połowa należy do Jego Ekscelencji, druga – do burmistrza miasta i rządzącej partii. Ludzie wreszcie pojęli, że Anioł Stróż to nie żadna metafizyczna figura czy też postać z dziecięcego paciorka. To bardzo konkretne i reglamentowane urządzenie. Objęte wyłączną licencją rządu i episkopatu, pozwala prostować ścieżki Panu – sprowadza ze złej drogi duszorannych i tych wszystkich, których wiara osłabła. Rano, wieczór, we dnie, w nocy, jest im zawsze ku pomocy.

Któraś z wron ma nas na oku. Już pewnie archiprezbiter sacrae invigilationis kręci pilotem drona wpatrzony bacznie w monitor. Jak nic, będzie mail suspensyjny do prowincjała. Jednak nie czuję strachu przed karą za samowolne oddalenie się od bram klasztoru. To przecież dzień widzenia z moją córką. Szczególny, jeden z nielicznych, od kiedy poczęła ją siostra Małgorzata. Śluby posłuszeństwa odkładam ad acta.

Gnamy, lecz wciąż mało nam świata! Jesteśmy złaknieni przestrzeni, przestrzenią rozochoceni! Trwa karnawał rowerowania. Przekraczamy granice miasta, pedałujemy dalej, przez całą diecezję, gdzie liściasto-zielone wygrywa z pleksbrukiem. Już cichną patriotyczne dźwięki, już w soczystych głębiach lasu odzywają się ptaki. Prawdziwe ptaki: ze śpiewu, kości i piór! To rzadkość w naszych czasach, bo byle zięba, byle trznadel, strzyżyk, rudzik to biały kruk! Dzięcioł rytmicznie wbija gwoździe, przedrzeźniany falsetem kukułki. Przemierzamy gęstą, łopoczącą Arcyprowincję Warmii. Leśną, lesistą, wilgotną – wdycham głęboko powietrze, starając się na długo zachować w pamięci jej smak i zapach. Jezioro po lewej, jezioro po prawej, jezioro na wprost, za plecami.

Gnamy i przeganiamy: muchy, ważki, komary, wszelkie mikroskopijne stworzenie, w które Bóg Ojciec tchnął życie. Jedna muszka, skrzydlate kamikadze, wpada mi prosto do ust. Lekko prycham, mlaskam ustami, lecz jest już za późno – przełykam twardawą goryczkę. Niechaj muszce moje trzewia lekkie będą.

Pamiętając o franciszkańskich naukach – staram się omijać wędrujące w poprzek ścieżki ślimaki. Zadanie niełatwe, bo raz, drugi słyszę trzask, drobne chrupnięcie pod kołami. Ufam, że to tylko zeschnięta gałązka, co najwyżej pusta skorupka bez domownika. Las ustępuje miejsca garbatej łące usianej kwiatami, zaraz za łąką pojawia się wioska. Wjeżdżamy między opłotki, słysząc w oddali basowe arie krów. Na dachach każdej chałupy – gniazdo z bocianami w przestarzałej technice 3D. Byleby szybciej, przed siebie! Dobywający się klekot dolby surround wskazuje kierunek. Kątem oka spostrzegam pogięty tekturowy traktor. I kaczki, i kury też są. Kaczki wypijają sztuczną kałużę, zaś mechaniczne kurze dzioby uderzają o ziemię, podobnie jak sztuczne jajka, znoszone gdzie popadnie. W otwartym oknie jednej z chałup majaczy postać drewnianej baby. Ma kwiecistą chustę na głowie, ruchomą w zawiasach ręką czyni znak krzyża. Powtarza go raz, drugi i trzeci. Na ganku przewrócony manekin chłopa w gumiakach. Chłop jest pijany albo powalony przez wiatr, z kolana lewej nogi wystaje elektroniczny panel niczym rozbabrana łękotka i pęk światłowodowych wiązek. Baba chyba do chłopa tą ręką, baba chyba chce, żeby pomimo wszystko chłop wstał. Monotonne, puszczone w pętlę szczekanie psa dowodzi, że dawno nikt nie przeprowadzał koniecznej aktualizacji. Przygnębiający widok, bo branża agroturystyczna upadła. Jak świat światem, wieś zawsze zostawała w tyle za miastem.

Opuszczamy miejsce, gdzie diabeł powiedział „dobranoc" i sam zasnął. Znowu szum drzew, malachitowe plastry mchów, dziuple waginalne, zapach ziół. Słowem: odurzenie i wolność! Po jednej stronie pole rzepaku, zaraz też połeć żółtego zboża, po drugiej – kolejny szmaragd wody z nieoszlifowaną falą. Żółci się i niebieszczy świat aż bolą oczy. Chcę wierzyć, że to wszystko prawdziwe, że zmysłami i sercem doświadczam realnego świata.

In nomine Patris... Zapierdalamy! – jakby powiedział brat Tomasz, który w młodości był ponoć biegunem. W takiej chwili Pan Bóg na pewno wybaczy grzech językowego wybryku. Zapierdalamy przez Krainę Nod, przez Atlantydę Polacji, przez wielkie dzieło Pana naszego – odnowioną w słowie i wierze ojczyznę. Małgosia i ja... siedmioletnia dziewczynka i ponadstuletni mnich, córka i ojciec...

Dwa warkoczyki. Zaplotłem je nieporadnie dzisiejszego ranka przy wrzaskach i pretensjach o barbarzyński brak delikatności. A kiedy i gdzie miałem opanować sztukę plecenia warkoczy? Na nieszporach?!... Klaryska Małgorzata nie uczesała dziecka przed widzeniem ze mną. Pewnie w swej matczynej mądrości pragnęła, bym nawiązał z córką bliższy kontakt. Najdelikatniej jak tylko można zgarniałem włosy grzebieniem, przekładałem w palcach, ściągałem z tyłu dziecięcej główki, truchlejąc, czy dobrze, czy nie za mocno. Kosmyk do kosmyka w gruby ścieg pasemka. Benedyktyńska robota. Córka kręciła główką we wszystkie strony i rzucała piskliwe uwagi:

– Tatusiu, ostrożniej! Bardziej z dołu. Teraz spinka. O-ła! Uważaj! Tatusiu, jesteś taki niezgrabny.

I miała rację, choć gdy tylko słyszałem słowo „tatuś", miękły mi nogi. Następnym razem pójdzie o wiele lepiej.

Dwa warkoczyki... Dwa warkoczyki spięte na rezolutnej główce siedmioletniego człowieka... Jestem szczęśliwy i zawstydzony. Dziewczynka, córka, kobieta... Dwa warkoczyki kołyszą się figlarnie i każą mi pedałować dalej. Pedałuję więc – miserere mei, Deus! – unoszę habit, brodząc po kostki w chłodzie powietrza. Aż dziw, że nie gubię kroksów, gdy tyłek podskakuje na kamienistej czkawce ziemi. Brat Andrzej, składając wieczorne całusy na kielichu, ma zwyczaj mawiać:

in vino veritas, i zaraz upija się w klasztornych domysłach: kto z kim, dla jakich zaszczytów. A ja twierdzę: in rower veritas! Jestem w siódmym niebie, bo jestem pewien, że to Bóg stworzył rower, nie Szatan! Dlatego więcej jazdy, pędu, więcej dziecka w człowieku! Mniej ślepej pokory! Mniej posłuszeństwa!... Czy to już herezja? Czy grozi mi anatema?... Do diabła z tym! Jestem pijany rowerem i widokiem dwóch warkoczyków.

Nagle – stop! Córka gwałtownie hamuje, więc i ja zaciskam szczypce hamulców, aż zarzuca mi tylne koło. Tego nie przewidziałem, brat Wojciech, operator wycieczki, chyba też nie. Zatrzymujemy się przy starej kapliczce z figurkami Maryi i małego Zbawcy bez noska. Małgosia coś zobaczyła. Zeskakuje z roweru, podchodzi bliżej, ja za nią – dyszący, nagle niepewny i zbity z tropu. Na schodku kapliczki, obok dwóch sztucznych chryzantem, leży czaszka. Biała fosforyzująca czaszka z czarnymi oczodołami. Ni to człowieka, ni to zwierzęcia, spod górnej szczęki wypełza glista, lecz zaraz chowa się z powrotem. Dziewczynka jest zaintrygowana, podnosi z ziemi patyk, trąca nim czerep. Czaszka spada ze schodka i turla się pod nasze stopy. Instynktownie odskakuję, córeczka wydaje z siebie głęboki okrzyk zdumienia. Niepodobieństwo! Z oczodołów wypływają... łzy... Czaszka boleściwa, czaszka płacząca?... Boży znak czy sprawka Szatana?... Łzy biegną po policzkowych kościach, docierają do szczęki, upadają na ziemię i przeistaczają się w perłowe kamyki! Cud przemienienia czy potępieńcze gusło? Kto i dlaczego cierpiał za życia tak, że po śmierci płacz nie ustaje i łzy twardnieją w kamienie? Jakiś Hiob lokalny? Jakiś nieszczęśnik na wieki przeklęty, który w zaświaty zabrał swą rozpacz?

Córeczka sięga po dwa kamyki, ja w odruchu obronnym czynię znak krzyża. Strzeżonego Pan Bóg strzeże. Kapliczka, Jezusik z obłupanym noskiem, nawet Maryja – jeśli dobrze się jej przyjrzeć – łypie na świat z ukosa, a w gipsowych ustach błąka się dziwnie wredny uśmieszek. Aż ciarki przechodzą po plecach. Czary diabelskie? Zapomniana herezja? Może wydarzyło się tu coś okropnego? Jest mi nieswojo, zaczynam żałować, że zajechaliśmy tak daleko. Tylko miasta są jako tako bezpieczne. Media wciąż donoszą o grasujących po lasach obcych, o rytualnych mordach, o innowiercach, którzy przenikają przez granice, by zapuszczać się w głąb Polacji i siać terror.

Tymczasem czaszka nadal łzawi. Dziecko obraca w palcach kamyki, po czym jeden chowa do kieszeni, drugi unosi otwartą dłonią w moim kierunku. W oczach dostrzegam prośbę o dyskrecję. Dobrze, dobrze, chowam pospiesznie stwardniałą łzę, choć jednocześnie wzdrygam się, czując jej nieodgadnioną gładkość. Nie chcę zrobić przykrości córeczce i nie mam siły jej się sprzeciwić. Tylko czy to roztropne zabierać dawno pogrzebaną rozpacz? Oby nie było z tego jakiegoś nieszczęścia – rozglądam się nerwowo na boki. Lepiej, żebyśmy zawrócili. Do domu, do miasta i jego bezpiecznych granic. Pal licho ze mną, ale córeczka! Nie wybaczyłbym sobie, gdyby wizualizacja wciągnęła ją w coś złego, ukazując brutalne, mordercze obrazy...

– Bracie Wojciechu! Wystarczy. Zawracamy! Bracie Wojciechu, jak najszybciej. Tą samą drogą, żeby nie pobłądzić – wołam w przestrzeń. – Chodź, Małgosiu, późno już, mama na pewno czeka – zwracam się łagodnie do dziewczynki. Ma lekko nadąsaną minkę. – Następnym razem pojeździmy dłużej, obiecuję.

Mnich operator mnie usłyszał: podróż powrotna jest filmem puszczonym od tyłu i błyskawicznie wracającym do początku. Jedziemy plecami do kierunku jazdy, cofając przestrzeń odwrotnym pedałowaniem. Tym razem ja pierwszy, dziewczynka za mną. Kapliczka, połeć zboża, szmaragd wody. Stwardniałe łzy nie dają mi jednak spokoju. Wioska, baba w chuście, kury dziobiące. Jedną z łez wiozę schowaną w kieszeni habitu. Las i jeziora – oczy świętych na powrót zapadających w sen. Drugą ma córeczka. Wrony-drony na rogatkach miasta, dźwiękoszczelne ekrany, Galeria Świętego Marta. Wieża katedry. Niepotrzebnie zabraliśmy te kamyki. Do czego mogą się przydać? Skrzypi brama klasztoru, obraz faluje i gaśnie. Wyjmuję dłonie z psychokinetycznych rękawic, wyłączają się sensory na kierownicy, ostre światło wypełnia salę.

W drzwiach czeka już grupka klarysek. Siostra Małgorzata podbiega do dziewczynki, pomaga jej wypiąć rękawice i zsiąść z roweru. Gestykuluje nad główką dziecka. Ach, znam te ruchy rąk i bezdźwięczne słowa w półotwartych ustach! Na mnie nawet nie patrzy. Jest mi ciężko, jest mi smutno na sercu. Siostra Małgorzata zarzuca płaszcz zakonny na ramiona dziewczynki. Klaryski otaczają matkę i dziecko, w milczeniu wyprowadzają je z sali. Przymykam oczy, by dwa warkoczyki zamienić w mocny powidok. Wiem, że będzie mi musiał wystarczyć na wiele dni, może nawet tygodni.

– No, ale jazda, bracie Arturze! Żeście się zapuścili! Kompletnie straciłem kontrolę, a was niosło i niosło! Poza wszelkimi prawami projekcji! – Brat Wojciech wyskakuje z kabiny projektora i suszy łobuzersko dwa przednie zęby zajęcze. – Ta kapliczka, czaszka, kamyki... Nie rozumiem. Nie było ich w zapisie... – szepcze mnich operator. – Nie powiem nikomu, jak mi Bóg miły. Sznuruję usta i zawiązuję na supeł! – Kiwa znacząco głową. Już się obwołał powiernikiem tajemnicy.

Zsiadam z roweru. Czuję drżenie rąk i kolan po anormalnej perturbacji. Moje ciało wciąż pedałuje siłą rozpędu. Przez miasto, przez las. I gdy brat Wojciech odstawia na bok rowery, dłonią muskam połę habitu. Dyskretnie, z największą delikatnością. W kieszeni wyczuwam perłowy kamyk. Jest!... Nie zniknął. Czyż to nie cud przemienienia i posłuszeństwa materii, która ulega pragnieniom ducha?! Wszak przynależał wyłącznie do świata obrazów. Świat projektowany miesza się z realnym! Perłowy kamyk łagodzi ból rozstania. Jest amuletem pamięci. Uśmiecham się na wspomnienie rowerowego szaleństwa. Kto nie jechał, nie pędził nigdy z córeczką rowerem, ten nie wie, jak wielka to męka.

Ekstaza, ból... i uległość! – przywołuję się do porządku słowami wikariusza. Klękam przed krucyfiksem, zawieszonym wysoko nad białym ekranem. Zmawiam dziękczynną modlitwę, poruszam ustami, jakbym przesiewał ziarenka maku. Znów jestem pokornym sługą, oddanym bez reszty Bogu i Polacji. Uległość zwycięża.

Brat Wojciech gasi światło. Wychodzimy w milczeniu na krużganek. W ułamku sekundy słyszę pospieszny tupot sandałów, urwany trzaśnięciem drzwi jednej z cel. Nie umiem odgadnąć której. Zapada cisza. Krzyżowe sklepienia żarzą się dogasającym niebem. Słońce już zaszło. Idziemy długim korytarzem, nasze dłonie i twarze mają cynobrowy odcień. Wrona-dron uderza skrzydłem o filar arkady, zaraz odlatuje z cichym pomrukiem. A kysz, a kysz! – czynię nieokreślony ruch ręką, lecz zaraz, zawstydzony swoim gestem, zapadam się po uszy w szkaplerzu i naciągam kaptur. Mój rozmazany cień skrada się przy kamiennej ścianie krużganka.

Oculi – trzecia niedziela Wielkiego Postu Anno Domini 2092 dobiega końca. Pragnę tylko silentium sacrum.

ROZDZIAŁ II

Zostałem wezwany. Na godzinę dwudziestą. Zaraz po lectio divina. Miałem się stawić w kapitularzu. Nie sam. Z bratem Wojciechem. Do tego czasu zabroniono nam jakiegokolwiek kontaktu. Żadnych twittów czy maili. Ani ze sobą, ani z resztą kapucynów, ani ze światem poza murami. Całkowita izolacja.

Wezwanie odebrałem o piątej trzydzieści przez Archannusa, gdy tylko skończyła się cisza sieciowa i uaktywniono smartbooki. Wiadomość wysłano jeszcze wczoraj, kwadrans przed północą. Szybka reakcja przełożonych, wręcz ekspresowa jak na klasztorny bieg spraw kancelaryjnych, nie wróżyła niczego dobrego.

Zostałem wezwany. Pierwsza myśl paniczna: napisać. Do brata Wojciecha napisać. Przypomnieć. Przypomnieć, że obiecał. Dyskrecję. W sprawie kamyka. Perłowego kamyka. Obiecał milczenie – wzięła mnie czkawka nerwowa, wewnętrzna. Ledwie przyłożyłem palce do wyświetlacza, zdjął mnie wstyd pomieszany z lękiem. Krzyżem padłem. Przed krucy-padłem. Pospiesznym *Ojcze nasz* starałem się myśl odczynić. Wcześniejszą. Myśl głupią. Myśl paniczną. Deus propitius! Deus propitius esto! Mihi peccatori esto! Byłem czkającym kłębkiem nerwów. Grzeszyłem nieposłuszeństwem. To raz. A dwa, dwa – chciałem brnąć w równie grzeszną nieroztropność? Gdzie ja mam gło! Gdzie ja mam wę?! Poczta przechodziła przez serwer. Przez serwer zakonnego listono! Listonosz każdy list czytał, analizował, doręczał. Analizował, ręczał i komu trzeba załączał! Wiadomo. Nasz Kościół ma oczy szeroko otwarte. Od ponad dwóch tysięcy lat. A uszy jego są czujne.

Zostałem wezwany. Chwalić Boga, nic by nie wyszło z maila do brata Wojciecha. Okazało się, że poczta jest zablokowana. Snapchat świętego Krzysztofa też nie działał, podobnie instagram Turyński, na którym zebrałem pokaźny zbiór zdjęć z pielgrzymek do Ostrej Bramy, Gietrzwałdu i Świętej Lipki. Wszelki duch Pana Boga chwali! Byłem wzięty w kajdany. Byłem sieciowo zaaresztowany... Mogłem tylko odbierać wiadomości i gapić się w judaszowe oko kamerki umieszczonej w poprzecznej belce krucyfiksu. Kamerka penetrowała celę – wideopanoptykon. Szczęście w nieszczęściu – przeszła mi czkawka. Uspokoiłem myśli pogodzony z sieciowym odcięciem.

Zostałem wezwany. Mam za swoje pedałowanie z córeczką za miasto... Doigrałem się. Ojcostwo jest jednak poświęceniem. Niebezpiecznym i pełnym wyrzeczeń, ale czegóż człowiek nie zrobi dla własnego dziecka... Nie powinienem reagować nazbyt emocjonalnie. Rower, rodzinna wycieczka, chwile niewinnego szaleństwa. Nie było w nich nic zdrożnego, nic, co zasmuciłoby Pana naszego – próbowałem nieco obłudnie się pocieszyć. Poza tym nikt mi nie będzie wbijać gwoździ pod paznokcie. To nie są metody naszego wieku.

Zostałem wezwany. List podpisał kustosz ojciec Stefan, co dawało jeszcze nadzieję. Gdyby wezwanie sygnował prowincjał, miałbym suspensę jak amen w pacierzu, gdyby – Mater Dei! – sam generał, zostałby mi tylko laikat. W moim wieku oznaczałoby to śmierć. I nie mam na myśli śmierci duchowej. Powszechnie wiadomo, że zakonnikom poddanym infamii odbierano nie tylko duchowne dystynkcje, ale przede wszystkim łaskę długowieczności. Z dnia na dzień stawali się zwykłymi śmiertelnikami. Starczy uwiąd działał w przyspieszonym tempie, sam w sobie był ekskomuniką z życia. W świeckim świecie potrafili oni przeżyć ledwie kilka miesięcy, nie więcej. Dopadały ich wszelkie możliwe choroby, przed którymi wcześniej byli chronieni.. Straciwszy zakonne imiona, tracili miejsce w klasztorze i lądowali w purgatoryjnym hospicjum. Rzecz jasna nie mogliśmy się z nimi widywać. Wegetowali, rozpamiętując swoją głupotę i wspominając dawną szczęśliwość. Ich niegdyś długowieczne serca biły coraz słabiej, aż ktoś w kurii, może sam arcybiskup, może jego sekretarz, naciskał przycisk ostatecznej agonii. Śmierć zabierała ich do kremacyjnego pieca, a zaraz później – prosto na cmentarz. Garsteczka prochu – nic więcej. W lichej urnie, czasami bez ostatniego namaszczenia. Wiem, bo dwa razy dane mi było odprowadzać nieposłusznych eks-braci na drugą stronę zgodnie z rygorystycznymi zaleceniami arcybiskupa: krzyż, kilka kropel święconej wody, krótka modlitwa – to wszystko. Requiescat in pace. Nasz Kościół wyrozumiały jest, ale i srogi. Wszyscy stąpamy po cienkiej linie jego wspaniałomyślności.

Zostałem wezwany. Istniały cztery potencjalne źródła denuncjacji. Primo: drony wykrakały archiprezbiterowi sacrae invigilationis. Secundo: klaryski pobiegły do ksieni na skargę, a przełożona zawiadomiła biskupa. Tertio: bratu Wojciechowi rozsznurowały się usta. Quatro: tupot sandałów był tupotem donosiciela. Być może grzeszę surowością sądów, ale niektórzy bracia nasi kochani mylą cnotę posłuszeństwa i franciszkańską ciekawość świata ze zwykłym kapusiostwem. Granica jest nieostra.

Ilekolwiek źródeł zadziałało, ojciec Stefan został zmuszony do natychmiastowej reakcji. Nie miał wyjścia. Nasz charyzmat cały czas musi odpierać zarzuty wpływowych hierarchów, że nie idzie z duchem czasu, że jest oporny w dziele technokatechizacji. Dodatkowo augustianie mają nam za złe, że patrzymy przez palce na ludzkie słabości i że na każdym posiedzeniu episkopatu generał naszego zakonu postuluje amnestię dla uwięzionych w śmiertelnych grzechach konsumpcji. W głowie im się nie mieści, że tam gdzie oni interweniowaliby ciężką, resocjalizacyjną pokutą, my zalecamy jedynie zdrowaśki oraz codzienną dawkę dobrotliwego uśmiechu. Podobno psujemy im rynek odpustów. Podobno lekceważymy sobie grozę eschatologii, a o nadchodzącej apokalipsie wypowiadamy się rzadko i bez właściwego zaangażowania. Salezjanie mówią wprost, że jesteśmy mięczakami i boimy się stanąć w awangardzie charyzmatów. Nic podobnego, broń Panie Boże! Po prostu, jak to obrazowo objaśnia brat Wojciech: nie spinamy pośladów. Nie chcemy być inkwizytorami. Jedni celują w Stary Testament, my wybieramy miłosiernego Boga. Zamiast Hobbesa wolimy Leibniza. I *Kwiatki świętego Franciszka*, i *Radosnego żebraka* de Wohla.

Doskonale rozumiem ojca Stefana. Na jego miejscu też wezwałbym braciszka, który bez pozwolenia opuścił granice miasta. W dodatku z dzieckiem. Czasy niespokojne, zło nie śpi, a przecież liczy się dobro zakonu, jego trwanie, to zaś wymaga całkowitego posłuszeństwa. Dlatego spodziewałem się każdej kary, poza najgorszą – odebraniem mi łaski długowieczności.

Zostałem wezwany. Lecz dopiero na wieczór. Miałem cały dzień, żeby oswoić fakt wezwania. Wziąłem prysznic w dwóch miarach przydzielonej wody, włożyłem bieliznę, wskoczyłem w habit i kroksy, przegub lewej ręki obwiązałem różańcem. Pamiętając o włączonej kamerce, dyskretnie sprawdziłem, czy w kieszeni habitu znajduje się perłowy kamyk.

Obejrzałem go sobie dokładnie nocą. Pod naciągniętą kołdrą, przy fluoroscencyjnym świetle figurki Najświętszej Panienki wpatrywałem się w jego kształt. Miał gładką, błyszczącą powierzchnię, a oświetlony z bliska, zmieniał perłową barwę na przygaszone odcienie karmazynu. Łza pomieszana z krwią stwardniała w kamienną kroplę.

Długo nie mogłem zasnąć. Zwinięty raz w kłębek, raz bezsenny znak zapytania, to znów rozciągnięty jak struna, zliczałem owieczki Pańskie i opuszkiem palca gładziłem perłową łzę. Aby bardziej wymęczyć umysł, zaganiałem je w stada. Pierwsze puściłem luzem na łąki niebieskie, żeby pogryzało sobie trawę. Drugie poprowadziłem nad urwisko i – owieczka po owieczce – strącałem w przepaść piekielną. Trzecie stado zagoniłem do czyśćca. W pierwszym stadzie było owieczek dwieście sześćdziesiąt jeden, w drugim – tysiąc siedem. W trzecim zdążyłem doliczyć się dwóch tysięcy. Rachunki odniosły skutek: poczułem, że ogarnia mnie sen.

To był jednak sen koszmar. Śniłem kościół wypełniony piętrzącymi się stosami czaszek. Przesłaniały ołtarz, wypełniały ławy, wysypywały się z konfesjonałów, gruchocząc po kamiennej posadzce. Z naw bocznych spoglądały na mnie trupie twarze aniołów i apostołów, migotliwy blask świec rozświetlał im oczodoły. Na głównym ołtarzu, w otwartym tabernakulum, zamiast monstrancji jaśniał pożółkły czerep. Ni to zwierzęcia, ni to człowieka. Pragnąłem jak najszybciej usunąć szkaradztwo ze świętego miejsca. Musiałem dojść do ołtarza, lecz nie dawałem rady. Czaszki sięgały mi do kolan i wyżej, zmieniały kościół w zapomniane przez Boga i ludzi składowisko kości. Bałem się, że mnie całkowicie pochłoną. A w tabernakulum czerep potężniał i błyszczał niczym ogromna gwiazda! Wyczuwałem pustkę. Pustkę kosmiczną! Bezradny i przerażony, zacząłem szlochać. Nie było Boga ani świętych, ani aniołów. Nie było nikogo...

Obudziłem się. Podniósłszy nieprzytomną od łez powiekę, podziękowałem Bogu za ofiarowaną jawę. Kamyk leżał przy uchu. Zmówiłem *Skład Apostolski*, a po nim trzecie *Napomnienie świętego Franciszka*. I Bogu, i sobie poprzysiągłem milczenie – istnieją sny, które należy zabrać do grobu. Dochodziła piąta trzydzieści. Świt odbarwiał w oknie grafitowe niebo. Pierwszy dron przeleciał bezszelestnie, rzucając na ścianie ptasi cień. Klasztor budził się powoli do życia. Dzwon zaczął przypominać o nadchodzącej jutrzni, uruchomiono smartbooki, Puchor z Popiołkiem zaczęły marcować po krużgankach.

Zostałem wezwany. Po toalecie porannej i próbie łączenia ze światem udałem się do kaplicy, by odmówić Laudesy. Perłowy kamyk zabrałem ze sobą. W kaplicy od razu spostrzegłem, że coś się zmieniło. W mojej ławie, gdzie zazwyczaj habit w habit ściskaliśmy się z braćmi

Wojciechem, Andrzejem i Tomaszem, zrobiło się luźno. Całą miałem dla siebie.

Laudesy płynnie przeszły w mszę świętą, a ja wciąż tkwiłem samotnie jak palec w dziurawej skarpecie. Ojciec Stefan ani razu nie spojrzał w moją stronę. Z wyrazu jego twarzy nie mogłem odgadnąć, co czeka mnie wieczorem. Nic, kompletnie nic, poza łagodnym uśmiechem. Słynął z niego w całym charyzmacie. Dzisiaj był uśmiechniętym sfinksem, który zjadł zęby na kamuflażu. Brat Wojciech nie pojawił się w kaplicy. Musiał mieć zgodę kustosza, bo w przeciwnym razie pogrążyłby się całkowicie.

Nie zszedł nawet do refektarza, a przy moim stole znów było pusto. Separacja postępowała. Nie jeden, ale trzech strudzonych wędrowców mogłoby się rozsiąść i najeść do syta. Bracia w wierze i wspólnym śniadaniu znaleźli sobie lepsze miejsca – byle dalej ode mnie. Ojciec Stefan zwolnił milczenie, refektarz wypełnił się lekkim gwarem, lecz ja mogłem gadać wyłącznie do talerza jak dziad do obrazu. Siedziałem samiuteńki nad pokruszonym twarogiem, parzyłem język gorącą pokrzywą. Jezusika na krzyżu brałem za świadka, żem ofiarą niesprawiedliwej infamii.

Zostałem wezwany. Wróciwszy do celi, raz jeszcze sprawdziłem Archannusa. Druga wiadomość przynosiła plan wyznaczonych zajęć. Poza standardową rozpiską modlitw i kontemplacji brat koordynator nakazywał mi trzy posługi, w tym jedną bardzo paskudną. Najpierw musiałem zrobić zakupy dla Grzegorza Wojerysty – do niedawna powszechnie szanowanej osobistości internetowej i telewizyjnej, o której chodziły słuchy, że schodzi na psy. Nic trudnego. Następnie – i tu lekko skoczyło mi ciśnienie – miałem udać się do emerytowanego biskupa Konstantego, aby masażem stóp i dłoni złagodzić zaawansowaną miażdżycę. Wiem, wiem, posłuszeństwo... Ale dlaczego stary rozpustnik upatrzył sobie akurat mnie? Dobry Ojcze, jeśli chcesz, zabierz ode mnie ten kielich! Jednak nie moja wola, lecz Twoja się stanie.

Ostatnią posługą miała być wizyta u samobójców z high class. W porze lunchu zbierali się przy starym torowisku na przedmieściach. Należało przypilnować empatią i dobrym słowem, żeby przypadkiem któryś nie targnął się na swoje życie. Żebym nie musiał chodzić ani korzystać z miejskiej komunikacji, brat koordynator oddawał mi do dyspozycji diecezjalny poduszkowiec.

Poza wezwaniem i dwuznaczną rolą masażysty poniedziałek zapowiadał się zwyczajnie.

Wychodząc z klasztoru, dla braci zakonnej pozostawałem niewidzialny. W ogródku pracowali bliźniacy Hubert i Rafał. Od pięciu lat daremnie próbowali uprawiać warzywa na modłę średniowiecznego wirydarza. Hubert pielił marchewkę, Rafał podwiązywał pędy groszku. Kilka metrów dalej, pod murem, rosły krzaki pomidorów przypominające bardziej jarzębinę, a w skibach ziemi, pod liśćmi, tu i ówdzie wyłaził ogórek wielkości palca. Wychowany na wsi, tłumaczyłem im wiele razy, że wyjałowiony nawóz z Ziemi Świętej nie nadaje się pod uprawę warzyw. To absurdalne. Ale byli uparci i nie upadali na duchu. Mimo że Bliski Wschód całkowicie w łapach Allaha, jakimś przemytniczym cudem i szemranymi kontaktami sprowadzali kompost z samego Betlejem.

Na dachu po przeciwnej stronie ogródka siedział brat Andrzej. Wkrętakiem grzebał w filtrze do uzdatniania deszczówki. Przedmuchiwał sito, wkładał do filtra, to znów wyjmował i wystawiał pod słońce. Słyszałem, jak podśpiewuje pod nosem:

– Kiedy ranne wstają zorze, Tobie ziemia, Tobie morze...

Ja wciąż niewidoczny, jakbym zamiast kaptura nosił czapkę niewidkę. Kochane pieski – Pimp, Cezar i Jodek – niemrawo zamerdały na mój widok. Nie raczyły nawet podbiec, jakby obcy był im gen Argosa. A Puchor i Popiołek, którym nieraz zmieniałem kuwetę, manifestacyjnie oddaliły się z ogonami postawionymi na sztorc. Ot, znaj wdzięczność zwierząt!

Za jakie grzechy ten ostracyzm? Za jedną wycieczkę z córką? Dzięki postanowieniom ostatniego soboru sztokholmskiego nasz Kościół obmyły fale przemian i wiatr nowoczesności przewietrzył alkowy starych dogmatów – zniesiony został celibat. W ramach aggiornamento duchownym pozwolono wchodzić w związki małżeńskie. Jednak po pierwszych euforycznych reakcjach księży rzadko który decydował się przyjąć dar rodzicielstwa. Statystycznie na dziesięć parafii ledwie jeden proboszcz posiadał dziecko lub był z żoną przy nadziei. Z dużej chmury mały deszcz – tak można by podsumować zniesienie celibatu wśród kapłanów. Co innego bracia zakonni. Wielu zostało ojcami, choć dzieci wychowywały się przy matkach aż do osiągnięcia pełnoletności. Musieli więc wiedzieć kapucyni moi kochani, że wczorajsze widzenie z Małgosią to żadne odstępstwo. To miłość. Ojcowska.

Przy wyjściu natknąłem się na brata Józefa. Wsadził głowę w rozbebeszony intencjomat, obliczał na głos zgodność próśb z wysokością datków. Jak zwykle wychodziło manko, bo ludzie wciskali do intencjomatu wszystko, co kształtem przypominało wotywną kartę. Oczywiście również brat Józef nie raczył mnie zauważyć. Byłem kupą powietrza wdmuchniętą w habit.

Widzialność odzyskałem dopiero na zewnątrz. Ledwie pojawiłem się za bramą, dopadł mnie dziki tłum domorosłych cudotwórców. Dniami i nocami koczowali pod klasztorem, żywiąc nadzieję, że zostaną włączeni w poczet kapucynów. Zwabiała ich łaska długowieczności. Co jeden to większy oryginał! Byli kloszardzi, którzy zmieniali glutenowy susz w bochenki chleba i kajzerki. Byli magowie świętych awatarów – siłą woli i z dyskretną pomocą kieszonkowych projektorów dokonywali personalizacji Boga w trzech osobach. Byli brodaci pątnicy, brudni i głodni, zaklinający się na wszystkie świętości, że właśnie wracają z czterdziestodniowej iluminacji za miastem i że z szatańskich pokus wyszli obronną ręką. Wokaliści od gregoriańskich śpiewów zadziwiali niebiańską skalą swych głosów, a ludzie gumy skutecznie przeciskali się przez ucha igielne. Ludzie anioły lewitowali kilka centymetrów nad ziemią, chowając w skrzydłach elektryczne silniczki. Zapewniali, że w każdej chwili mogą dokonać wniebowstąpienia lub zostać wniebowziętymi. Jednak największe wzruszenie wywoływali we mnie męczennicy i weterani wojen włoskiej i wyszehradzkiej. Niczym święte relikwie wystawiali kikuty amputowanych członków. Pod odwiniętymi, pokrwawionymi bandażami widać było rany. Nie chciały się zabliźnić. Miały moc stygmatów. Wciąż krwawiły, błyszczały ropą na dowód poświęcenia i niezłomności dawnych bohaterów. Od kiedy wprowadzono do armii androżołnierzy, odwaga i heroizm przestały być w cenie, bo wszystko stałą się kwestią ceny.

Darzę wielkim szacunkiem te ptaki niebieskie, ten mistyczny margines społeczny. Przecież przez wiele lat sam dobijałem się do bram klasztoru, zanim przywdziałem franciszkańskie szaty. Ojciec Stefan wyjawił mi niedawno w sekrecie, że ująłem zgromadzenie swoją miłością do literatury mistycznej. Gdy inni epatowali najróżniejszymi sztuczkami, stroili się w ezoteryczne i gnostyczne piórka, ja cytowałem z pamięci pisma Simone Weil oraz świętego Jana od Krzyża. Po tygodniu otrzymałem pismo, w którym informowano, że zostałem przyjęty i na farmakologicznej farmie wybierane jest dla mnie odpowiednie serce.

Gdybym mógł, przyjąłbym każdego. Niestety, jako żem brat najmniejszy z mniejszych, zarazem najmłodszy, nie leżało to w mojej mocy. Mogłem jedynie błogosławić ich wszystkich i utwierdzać w determinacji:

– Proście, a będzie wam dane. Kołaczcie, a otworzą wam. Zważcie też na to, że nie wejdą tu ludzie idealni, ale ludzie z ideami.

Liczyłem, że nie odbiorą moich słów jako wyniosłego sarkazmu – groźba linczu była całkiem realna. Doświadczył go rok temu brat Tomasz. Ledwie wyrwał się śmierci, bo zadął w zbyt kaznodziejskie trąby. Zaczął opowiadać o świecie szerokim, dalekim, który powinni poddawać gruntowej i radosnej eksploracji, zamiast przesiadywać całymi dniami pod bramą klasztoru. Przecież i Jezus schodził całą Judeę, i nasi Ojcowie Święci pielgrzymowali w najdalsze krańce ziemi. Ewangelizacja to słowo Boże w ruchu – przekonywał. Nie chcąc być gołosłownym, uruchomił aplikację RadarGabryel.24 w smartbooku. Ludzie wzięli jego słowa za jawną kpinę, ponieważ daleki świat – dalekim światem, ale ten najbliższy zakreślają przecież bardzo wyraźne granice. Granice miast i dzielnic, granice Arcyprowincji, granice Polacji i jej federacji, granice państw ościennych, granice Europy, granice chrześcijaństwa i granice islamu na koniec. Nie można sobie, ot tak, wyjechać. Chyba że palcem po aplikacji. Habit poszedł w strzępy, smartbook – w drzazgi. Do tego stłuczone żebro i złość tłumu wydrapana na twarzy.

Rozdając błogosławieństwa na lewo i prawo, zdołałem przecisnąć się do poduszkowca. Czekał przy chodniku, obok potężnego klimatyzatora, który schładzał marcowe powietrze. Dopiero ranek, a miasto przypominało rozgrzaną patelnię. Drzwi pojazdu oznaczone były wielkim logo diecezji. Kuria wypożycza zakonom poduszkowce, żeby misję posługi czynić szybszą i bezpieczniejszą. Skryłem się w przytulnym i chłodnym wnętrzu. W przeszklonej szafce stały dwa drinki – chyba Kana Galilejska i cholernie mocny, zdradliwy Iskariota. Wlepiłem wzrok w szybę, bo czego oczy nie widzą... Do Grzegorza Wojerysty poprowadziła mnie nawigacja autopilota o miłym głosie młodego chłopca.

Wojny strącają wielkie miasta w nikczemność powiatu, małe wynoszą do metropolitalnych godności. Powtarzam tę mądrość, ilekroć jadę przez Olsztyn i zachwycam się jego harmonią, nowoczesnym rozmachem, godnym najpiękniejszych miast świata. Tu Bóg udowadnia, że jest doskonałym planistą. Tu banki i biurowce ustępują miejsca świątyniom i znają swoje miejsce w szeregu. Tu drapacze chmur przechodzą łagodnie w osiedla niklowanych willi. Tu tramwaje rogate mijają się bezkolizyjnie z poduszkowcami i hybrydami, a błyszczące industriale oddychają zielenią pięknych ogrodów o barwach limonki, świeżej figi i awokado. Ogromne trójwymiarowe billboardy wychwalają zgodnie Boga i postęp. Dzięki szczepom ideonelli, umieszczonym w bakterioboxach i hodowanym na miejskich trawnikach, jest czysto, wręcz aseptycznie. Ideonella pożre każdy odpad – plastikowy talerzyk, ogryzek jabłka, a nawet zużytą baterię. Podobno niebawem będzie zamieniać je w wodę. Ludzie poruszają się po jasno zaplanowanych trasach pod okiem nadzorujących ich ptaków. W pozornym rozgwarze miasta, w jego ustawicznej dynamice tkwi podstawowa zasada: cel i porządek.

Rozpiera mnie duma dawnego prowincjusza, ponieważ pamiętam, jak jeszcze na początku naszego stulecia stolica Warmii i Mazur wiodła żywot umowny i rachityczny. Urbanistycznie – ni pies, ni wydra. Jednak po I wojnie włoskiej nastał złoty wiek dla Olsztyna. Został wybrany na stolicę federacji, choć episkopat wahał się, czy aby nie wskazać innego miasta. Na giełdzie kandydatów faworytem wydawała się oczywiście Częstochowa, ale nawet Suwałki zwietrzyły szansę. A także Słupsk i Koszalin, nie wspominając o Wrocławiu i Poznaniu. Jednak te dwa ostatnie miasta, zawsze pazerne na wielkie wydarzenia, przeszarżowały z lobbingiem. Wrocław pogrążał się w coraz większej nędzy, Poznań natomiast zmagał się z bolączkami miasta granicznego, leżącego między południem a północą Polacji. Oba w przeszłości zdobyły już prawie wszystkie tytuły, a chodziło o miasto dziewicze, gdzie episkopat nie będzie konkurował z kolejnymi Targami lub Stolicami Europejskiej Eucharystii. Słupsk jeszcze za mały, na dorobku, Koszalin prowincjonalny, religijnie niezbyt zasłużony, a i bliskość Bałtyku przemawiała przeciwko wyborowi. Ten sam argument pogrzebał szanse Szczecina. Suwałki – choć żarliwe i o umiarkowanym klimacie – za blisko Rosji, mimo że z Rosją od dłuższego czasu udawało się pozostawać w przyjaźni. Gdynia z kolei cieszyła się złą sławą portowego Jerycha, a poza tym przegrywała z żywiołem morza – Bałtyk coraz śmielej wdzierał się w jej granice, z tygodnia na tydzień zabierając kolejne ulice i domy. Miasto w każdej chwili mogło dołączyć do Sopotu i Gdańska, od których dzieliło je kilkanaście metrów różnicy nad poziomem morza. Sopot i Gdańsk kilka lat wcześniej zniknęły pod wodą, tworząc jedno urbinarium niedawnej świetności. Można je było zwiedzać w specjalnych wycieczkowych kapsułach. Podobnie jak Elbląg i całe Żuławy. Klimatyczne wody potopu były karą za niefrasobliwą dewastację Ziemi, choć jednocześnie nasza święta Warmia i ukochane Mazury uzyskały bezpośredni dostęp do morza. Zaraz za Pasłękiem rozpościerały się zadrzewione plaże polacyjnej Copacabany, na których wypoczywali turyści z Podlasia. Częstochowa – czarny koń z Czarną Madonną – też przestała się liczyć. Za blisko Tatr, a za Tatrami – Allah gnębił braci Czechów i było mu mało. Z powodu bliskości gór Kraków nawet nie złożył dokumentów.

Od południa zagrażali islamiści, od północy – Bałtyk wyciągał zachłanne, wzburzone łapy i metr po metrze kradł ziemię. Ostatecznie o zwycięstwie Olsztyna zadecydował pozornie mały szczegół emocjonalno-krajobrazowy. Arcybiskup Kawula, przewodniczący episkopatu i zawołany kajakarz, ponad wszystko na ziemi miłował jeziora, czemu wielokrotnie dawał wyraz podczas wakacji. A jak arcybiskup Kawula coś miłuje i jeszcze daje temu uczuciu wyraz, to słowo ciałem się staje. Decyzja zapadła przez aklamację: Olsztyn nową stolicą państwa! Administracja rządowa poszła w ślady episkopatu, przenosząc z Warszawy wszystkie służby i ministerstwa. Ktoś by powiedział: political fiction? Nie, to fakty, o których nie śniło się autochtonom z dziada pradziada. Imię arcybiskupa Kawuli zostanie zapisane w historii Warmii i Mazur złotymi literami. Większymi nawet niż imię Kopernika, bo cywilizacyjnie Olsztyn jest dzisiaj perłą w koronie Polacji. Pomnikowe plazmy na cześć Jego Ekscelencji stoją na każdym rogu ulicy. Są skromną formą wdzięczności mieszkańców dla dobrodzieja naszego, który niczym Mojżesz wyprowadził miasto z neoliberalnej i postpeerelowskiej niewoli.

Zanurzony w słodkich myślach i wygodnym wnętrzu poduszkowca ominąłem katedrę wraz z biskupimi posiadłościami Starego Miasta. Za ich murami znajdowało się najpilniej strzeżone miejsce: farma transplantologiczna. To w niej brała początek łaska naszej długowieczności. Przejechałem przez centrum ze skąpaną w słonecznym deszczu wieżą ratusza, przemknąłem obok finansowo-rządowego Oppidi i miejskiego parku, w którym dzieci bawiły się ze starczym laikatem w chowanego. Przy Galerii Warmińskiej skręciłem w lewo. Zielona fala dla diecezjalnych pojazdów działała bez zarzutu. Poduszkowiec zatrzymał się przed laserową czujką osiedla.

– Alleluja! – krzyknąłem, uchyliwszy szybę na widok androidalnego strażnika.

Nie jestem w stanie się przyzwyczaić. Te istoty, będące skrzyżowaniem ludzkiego manekina i sokowirówki, budzą we mnie rezerwę. Jakby tego było mało, strażnik trzymał na smyczy wyżłopodobnego robota, który chyba zaciął się, bo nie przestawał mnie obszczekiwać. I trudno zawsze rozstrzygnąć, kto kogo trzyma – czy strażnik psa, czy pies strażnika, co tylko wzmagało moją rezerwę. O tempora, o mores! To niepojęte, w dziedzinie ujarzmiania przestrzeni osiągnęliśmy wielką biegłość, ale jeśli idzie o wytwory cybercywilizacji, nie możemy przekroczyć konstrukcyjnego infantylizmu. Wyobraźnia architektów nie mieści się w przyciężkawych dłoniach inżynierów. Dlatego wytwory ludzkiego umysłu przybierają toporną formę.

Tłumaczę to sobie wojennym regresem – świat na nowo musiał uczyć się piękna i smaku. Dla przykładu: diecezjalny poduszkowiec przypomina łódź wiosłową z zamkniętą kabiną. W swoim zamyśle projektant odwoływał się do łodzi Piotrowej, którą zapragnął połączyć z namiotem Abrahama. Inżynierowie mieli dobre chęci, ale wyszło, jak wyszło. Estetyka przegrywa z funkcjonalnością. Pragmatyka zabija zmysłowość, a religijne odwołania są rażąco nachalne. Oto i owoce antropocenu – pierwszej w dziejach Ziemi ery, gdy wszystko, od początku do końca, regulowane jest wolą człowieka. Nawet żarłoczny Bałtyk, wchłaniający w siebie Żuławy, jest dowodem majstrowania przez ludzkość w mechanizmie Natury.

Strażnik zdjął akustyczny skan moich strun głosowych, wyżłopodobny ucichł i wjechałem na przestronne podwórko. Z trzech stron było zamknięte szklanymi taflami wieżowców. Pod jednym z nich, tym z lewej, znajdowało się podziemnie przejście, które prowadziło do następnego podwórka i kolejnych przejść raz pod lewym, raz pod prawym wieżowcem. Stamtąd do następnych, tworząc multiplikowaną sekwencję urbanistycznych powtórzeń. Osiedle oplatały pajęcze wiązki laserów. Świeciły na różowo i były słane z rozstawionych co kilka metrów słupków. Ogrodzenie przypominało surrealistyczny, bo surrealistyczny, ale jednak – drut kolczasty. Na słupkach rozsiadły się drony najnowszej generacji o hiperrealistycznie ptasich kształtach. Jedne z dziobami na zewnątrz osiedla, drugie – do środka. Nawet mysz nie przecisnęłaby się niezauważona. Co tam mysz! Pchła nawet, nawet i wesz.

Już na pierwszy rzut oka luksus bił po oczach. Wzdłuż laserowych wiązek rosły drzewka pomarańczy – tej samej wysokości i chyba o tej samej liczbie owoców, po cztery na każdej gałązce. Pośrodku stała polichromowana studnia z błyszczącą miedzianą pompą. Z pompy, kropla po kropli, ciekła woda na dowód ekstrawaganckiego i powolnego marnotrawstwa – przywileju bogatych. Studnię otaczały polichromowane ławeczki. Na ich oparciach zawieszone były gogle z czarnymi szkłami i słuchawkami – nigdy nie miałem śmiałości sprawdzić, co projektują. W ławeczkach wmontowano małe głośniki, z których dochodził ptasi śpiew. Na szklanych płaszczyznach wieżowców wyświetlały się panoramy gór i wodospadów, wschody i zachody słońca, komety, gwiazdy, całe konstelacje. Człowiekowi zapierało dech. Dziwne, ale jeszcze nigdy nie widziałem, żeby ktoś korzystał z uroków podwórka. Ono zawsze było wymarłe, nie licząc strażnika przy bramie, drepczącego z wyżłopodobnym w tę i z powrotem.

Podejrzewam, że przywilej bogatych na tym właśnie polega, żeby nie korzystać, gdy można do woli korzystać. Ta przewrotna cecha odróżnia dzisiejszą elitę od dawnych nowobogackich i nuworyszy – ojców założycieli konsumpcji. Nasze społeczeństwo wykształciło nowy model ascezy, niezwykle popularny w wyższych kręgach świeckich: móc, ale nie chcieć. Mieć, ale pokazywać, że się niczego nie ma. Kręgi kościelne są nastawione bardziej konserwatywnie – skromnie celują w Bizancjum.

W środkowym wieżowcu mieszkał Grzegorz Wojerysta. Na parterze znajdował się realmarket. Miały w nim swoje przedstawicielstwa sieciowe koncerny oferujące mydło i powidło. Można tu było dostać wszystko, co sprzedawał internet. Dzisiaj tylko gawiedź korzysta z jego dobrodziejstw. Bogaci trzymają się tradycyjnych sklepów, nie bacząc na wysokie prowizje. Rozwiązują papierowe krzyżówki, piekielnie drogie i wydawane w limitowanych edycjach. Piją kawę ze starych przelewowych ekspresów, a proste, staroświeckie Iphoidy przedkładają nad wielofunkcyjne smartglassy i exynosy. Gardzą technologicznym ageizmem – i ta pogarda ich nobilituje.

Listę zakupów znałem na pamięć, nie była długa. Wojerysta jako typowy przedstawiciel salonu lubował się w konsumpcyjnej dyscyplinie. Przy jego finansowym statusie nosiła znamiona perwersji. Czyniąc od wielu miesięcy aprowizacyjną posługę, towarzyszyłem jego słabościom do kuchni hiperonowej i science, jego afektom do diet wysokomagnezowych i niskosodowych. Obecnie królował lumpendish. Wziąłem chleb w sprasowanych pajdach, jajka od kur z areorustykalnego chowu, żółty ser krótko dojrzewający z otworami o średnicy pół centymetra oraz mleko „prosto od kozokrowy", o czym zapewniała reklama genomleczarskiego koncernu braci cystersów. Nie musiałem płacić, ponieważ rachunki za zakupy Wojerysta uiszczał ryczałtem. Zapakowałem wszystko do papierowej torby, kłaniając się równie androidalnej jak strażnik sprzedawczyni. Androidalna miała biust nieproporcjonalnie duży do całej sylwetki, podobnie jak usta – do twarzy. W jej słowach „zapraszam ponownie" zresetowaniu uległy zgłoski „r" i „n".

À propos cystersów: tylko dla nas, franciszkanów, arcybiskup nie wyznaczył konkretnego miejsca w polityce i gospodarce Polacji. Benedyktyni, wiadomo, opanowali archiwa, poligrafię i wszelkie formy multiplikacji: od cyfrowych po ekskluzywny papier. Jezuici, co równie tautologiczne, działają w ministerstwach i tajnych służbach. Mogą po świecku się nosić i dla większych efektów działań świata do woli używać. Wspomniani cystersi przodują w rolnictwie, kontrolują rynek spożywczy i handel, pomnażając kościelne PKB. Dominikanie przejęli edukację, wykładają na uniwersytetach, niejeden bryluje w dyplomacji. Augustianie mają swoich przedstawicieli w sądach: od Trybunału Polacji po kolegia wykroczeń. Są oczkiem w głowie arcybiskupa. Gdziekolwiek spojrzeć, tam mnich. Tyle że nie franciszkanin. Pełnimy nieokreśloną posługę opiekunów społecznych i streetworkerów. Działamy w branży, którą od biedy można by nazwać public relations, choć i tak wszystko w rękach biskupów. Jesteśmy chłopcami na posyłki nie tylko dla hierarchów, ale i dla byle wikariusza. Nawet diakonat próbuje wejść nam na głowę. Nakaz posłuszeństwa niszczy w nas wszelką kreatywność. Jezusie Najpokorniejszy, nie skarżę się na swój los, tylko czasami mi się ulewa. Wybacz tę drzazgę zazdrości, która rani ambicję. W Dniu Sądu ostatni będą pierwszymi – tego staram się trzymać, ale czasem to aż... Silentium! Silentium, rebelles animae!

Winda zawiozła mnie na ostatnie, czterdzieste czwarte piętro, zajmowane w całości przez Wojerystę. Co logiczne, kapryśność gastronomiczna gwiazdy internetowej i telewizyjnej znajdowała odbicie w równie zmiennej aranżacji apartamentowca. Pamiętam, że kuchni hiperonowej towarzyszyły bauhausowe przestrzenie, diecie wysokomagnezowej – postindustrialne, kanciaste konstrukcje mebli z wywalonymi na ścianach rurami wyciągów i kanalizacji. Tym razem, zgodnie z logiką lumpendishu, Wojerysta urządził się w duchu dwudziestowiecznej, socjalistycznej aranżacji. Musiało go to nieźle kosztować, zważywszy na doskonale kopie meblościanek, tapczanów, puf i kredensów, na obowiązkową tapetę w róże oraz zieloną lamperię biegnącą przez część kuchenną. Stanąłem jak wryty. Poczułem motyle w brzuchu – odezwał się późny Gierek, złamany wczesnym Glempem, moje zamierzchłe dzieciństwo. Brakowało tylko plakatów Limahla i Modern Talking.

Wojerystę zastałem przy biurku błyszczącego segmentu Alik. Nie zauważył mnie. Szczerze powiedziawszy, i ja musiałem wyostrzyć wzrok, żeby dostrzec coś więcej niż koszulę i brązowe sztruksy rozłożone na krześle. Gwiazdę internetową i telewizyjną cechowała bowiem właściwa tej profesji przezroczystość. Bez kamer, bez łączy online lub telewizyjnego studia Wojerysta odbarwiał się. Tracił fizyczną konsystencję i substancjalność. Podszedłem bliżej. Jego biaława skóra, poprzecinana niebieskimi żyłkami, domagała się ożywczego makeupu. Poza wizją, w offlinie, był bardziej podobny do człekokształtnego obłoku niż do człowieka z krwi i kości. W realnym świecie Wojerysta nie istniał, w realnym świecie on się wyłącznie przejawiał. Co innego przed kamerami. W Wojerystę wstępował światłowodowy duch, zamiast krwi żyłami płynął sygnał „on air".

– Panie Grzegorzu, to ja, brat Artur. Niech będzie pochwalony Jezus Chrystus i Polacja! Przyniosłem zakupy – przywitałem się, kładąc torbę na pikowanym pufie ze skaju. W tym samym momencie, mój Boże!, mój Boże!, do moich uszu doszło – wieki całe niesłyszane – tu-ti-tu-ti pikanie!

Wojerysta nie odpowiedział. Był bardzo zajęty. I znów to pikanie, przechodzące w skoczną, choć niezgrabną melodyjkę. Ostrożnie zajrzałem mu przez chude ramię, które – jak całe ciało – cierpiało na atrofię namacalności. Aż chciało się go dotknąć, uszczypnąć, potarmosić na dowód, że gwiazda internetowa i telewizyjna jest bytem fizycznym, nie zjawą.

– Wszelki duch Pana Boga chwali i Polację! Panie Grzegorzu, nie może być! – krzyknąłem z emfazą.

Na biurku stał monitor o zielonkawym ekranie i wydatnym zadzie. Przed nim – klawiatura, chluba brodatych stenotypistek, po bokach – myszka godna największych elektronicznych mutantów i równie stary aparat telefoniczny. Między monitorem a klawiaturą leżało to poczciwe, to rozbrajające, to kpiące z wszelkiej modernizacji ustrojstwo zwane modemem!... Machinalnie spuściłem wzrok – a jakże, tak, tak! W nogach Wojerysty dostrzegłem... to rubensowskie... to blaszane... to charkoczące... pudło komputerowej maszyny noszącej onegdaj dumne miano personal computer! Porzućcie wszelką nadzieję, wy, co chwalicie miniaturyzację. Duszę zaprzedaliście diabłu mikro- i miniświatów. Tutaj rządziła skala makro. Bezwstydna, świadoma swoich rozmiarów!

Wojerysta wpatrywał się pilnie w monitor. Mnie też całkowicie zassał jego obraz. Nasłuchując pikania, zacząłem obserwować strzałkę, która biegła po linii od ikonki modemu do komputera. Czekałem w napięciu: zaskoczy, ergo – połączy, czy nie zaskoczy, ergo – nie połączy. Do stu tysięcy bitopersekund! Emocje większe niż przy wywoływaniu ducha podczas spirytystycznego seansu. Tam talerzyk, tu mrugające diody modemu i melodyjka: tu-ti-tu-ti-tałd-tałd-ti. Niestety nie chciało zaskoczyć. Nie chciało połączyć. Pikanie ustało, strzałka zmieniła się w czerwony krzyżyk. Wielkie rozczarowanie.

– Ja wiem, ja wiem! – krzyknąłem zaaferowany. Pochłonęła mnie ta podróż w czasy dinozaurów, gdy impuls miał swój słony przelicznik w złotówkach. – Trzeba jeszcze raz, panie Grzegorzu. Trzeba numer dokładnie wystukać... Zaraz, zaraz, jak to szło... – cyfry miałem już na końcu języka.

– Zero-dwa, zero-dwa, sto dwadzieścia dwa – ubiegł mnie Wojerysta. Flegma w jego głosie dowodziła, że nie raz i nie dwa próbował się połączyć. Pewnie ze sto dwadzieścia dwa razy.

Przezroczysta dłoń gwiazdy internetowej i telewizyjnej niczym anorektyczny kot powoli zakradła się do myszki. Lewym przyciskiem wyklikała rząd cyfr w oknie dial-upu.

I znów psychologiczny thriller: napięcie i skoczna, prosta melodyjka. Czekaliśmy na archaiczny online, płynący kablem z modemu, jakbyśmy próbowali nawiązać kontakt z obcą cywilizacją. Aż się spociłem, aż z nerwów wgniotłem w nadgarstek paciorki różańca. Wojerysta z kolei – skała. Choć anemiczny, przeświecający, był niewzruszony. Nie zdziwił go krzyżyk i urwane pikanie. A we mnie urósł jeszcze większy zawód. I zaraz opadł jak zakalec.

– Może już brat sobie iść? Po-pro-szę! – wycedził groźnie Wojerysta, z miejsca studząc mój zapał.

– Chciałem pomóc – wyjaśniłem nieśmiało. – Zaraz sobie pójdę, proszę mi tylko powiedzieć: skąd taki pomysł? Skąd taka retrokomunikacja? I z kim? Czy jest ktoś po drugiej stronie?

– Łączę się z zaświatami. Ale co tam braciszek może wiedzieć. Do widzenia – uciął Wojerysta i ponowił próbę połączenia.

Nawet teraz nie odwrócił głowy. Najwyraźniej w jego mniemaniu nie zasługiwałem na uwagę. Bo cóż ja?... Ot, every-monk, mnich pionek, jeden z wielu tysięcy. A on, było nie było – wielka gwiazda internetowa i telewizyjna. Zielonkawy monitor, telefon i modem starczały mu za cały świat. Zebrałem się do wyjścia, słysząc kolejne tu-ti-pikanie.

Chyba o to chodziło w plotkach, że Wojerysta schodzi na psy, że się zwyczajnie kończy. A miał przecież wszystko: najlepsze emisje, najlepszą klikalność i odtwarzalność autorskich programów. Hologramami jego postaci bawiło się każde dziecko, a niejedna niewiasta od niego zaczynała i na nim kończyła swoją spowiedź. Do niego arcybiskup wysyłał najzdolniejszych alumnów na naukę, to on wyznaczał standardy, obmyślał z rządem reklamowe narracje, wskazywał ruchy popkulturowych trendów. Jeszcze całkiem niedawno pracował nad czasoprzestrzenną figuracją idei, a teraz? Teraz odrzucał to wszystko lekką ręką. Wybierał ryzykowny eskapizm, staczając się w przepaść analogu i czasów, o których większość chciała zapomnieć, a wielu ich istnienie podawało w wątpliwość. Odcięty od bluetoothowej wolności, gardzący szóstym wymiarem futuro-konfabuły, z własnej, nieprzymuszonej woli pętał się w kablach. Na odruch nostalgii był zbyt młody. I jeszcze te sztruksy, ta koszula, biureczko, segmencik... Bida z nędzą – konsumpcja bogaczy to sadomasochizm.

Nawet nie przypuszczał, jak bardzo mu zazdrościłem. Sekundowałem jego wysiłkom w połączeniu się z czymś, co nazwał „zaświatami", choć kierowały mną zupełnie inne powody. Motyle w brzuchu – archeologia obumarłej pamięci. A jednak wciąż pamiętałem... Zadziwiająco dużo pamiętałem. Zjawy ludzi, pulsujące emanacje obrazów, migotliwe kadry. Moje sto dwadzieścia lat odsyłało myśli tam, gdzie on chciał się połączyć za pomocą impulsów. Życie a bitopersekunda to jednak inne miary przestrzeni i czasu – zasunąłem w myślach frazesem, wzywając windę.

Na dworze słoneczna patelnia zdążyła zmienić się w słoneczny piekarnik. Pod habitem – sauna z basenem. Posmutniały i współczujący wsiadłem do poduszkowca. Znowu zaczęło łupać mnie w krzyżu – długowieczność nie uwalnia od niedostatków starości.

Raptem poczułem w sercu arytmiczny stukot. Zatęskniłem do córeczki. Pragnąłem ją natychmiast chwycić mocno w ramiona. I tulić bez końca, i głaskać, zaplatać warkocze i całować, i szeptać, jak bardzo ją kocham. To moje wszystko, wszystko, wszystko na ziemi. Jeszcze bardziej samotny niż podczas Laudesów zacząłem gmerać w programatorze autopilota. Chciałem zajechać do klaryskowego przedszkola i chociaż przez okno popatrzeć na Małgosię. Pomachać, dać znak, że jestem. Niestety autopilot miał blokadę, a ja byłem ignorantem w hakerskim dziele. Młodzieńczy głos powtarzał w kółko adres arcybiskupiego ogrodu, w którym mieszkał emeryt Konstanty. Podszept ojcowski kusił, żeby rzucić ten pojazd w diabły i pieszo pognać do córeczki. Stchórzyłem jednak... Przecież zostałem wezwany! Sięgnąłem po perłową łezkę. Pocierałem ją palcami, aby pocieszyć się, zapomnieć. Aby ulżyć dotkliwej tęsknocie.

Mało co, a od nadmiaru wrażeń i gwałtownego przypływu tęsknoty walnąłbym iskariotę. Na szczęście Opatrzność czuwała – zwalczyłem pokusę, odmawiając kolejne paciorki różańca. Ileż to razy, w podobnych do tej chwilach smuty, dawniej traciłem trzeźwość i dyscyplinę ducha. Terapia neurogenowa była na nic, chip z disulfiramem niewiele pomagał, nawet i abstynencki awatar świętego Jana Chrzciciela. Dopiero przyjęcie ślubów zakonnych okazało się skuteczną terapią... Ale czasami tak człowieka chwyci, że rąbnąłby setę. Bez zastanowienia. Jak za dawnych pijackich lat w „zaświatach", z którymi chciał połączyć się Wojerysta.

Strażnik wyłączył czujkę, wyżłopodobny szczeknął, pierwsza posługa dobiegła końca. Jeden z dronów szklanym okiem odprowadził mój pojazd na ulicę. Teraz musiałem zmierzyć się z drugą posługą. Zmierzyć, a mówiąc verbatim – wystawić na próbę swoją pokorę i poczucie smaku.

Biskup Konstanty pewnie już na mnie czekał.

ROZDZIAŁ III

Ogień i woda, nos i pięść.

Jeśli dobro, to tylko ze złem.

Jeśli biel, to wyłącznie na czarnym tle.

Jeśli popkultura, to w cieniu Chrystusowej Męki.

Jeśli półpromienne, prymitywne tachiony, to jako fizyczny dowód Bożej doskonałości. Sanctum principium contradictionis.

Walt Whitman przypomina o sobie: „Z mroku wyłaniają się przeciwieństwa, zawsze substancja i przyrost, zawsze płeć. Odwieczny związek tożsamości, zawsze różnica, zawsze to płodne życie".

Ma rację poeta. Żadnych złotych środków, żadnych statystycznych uśrednień, poza jednym – elementarnym zabezpieczeniem, żeby nikt nie umarł z głodu. W szczęśliwym społeczeństwie Jezusowe rozmnożenie chleba przyjęliśmy za warunek sine qua non. Kto nie miał nic, ma tyle, żeby uwierzyć, że więcej nie może już mieć. Kto dużo miał, ma jeszcze więcej, żeby uwierzyć, że boska szczodrość jest niezmierzona. Poza tym przestaliśmy wierzyć, że powszechne szczęście można osiągnąć poprzez rozwój i niwelowanie społecznych różnic. Wojny, ten trzeźwiący regres, pozbawiły nas złudzeń. Tylko skrajności utrzymują świat w równowadze. Tylko przeciwieństwa budują przyszłość. Wystarczy spojrzeć na nasze miasto: wiara mieszkańców pozostaje w jawnym konflikcie z ich genetycznym materializmem. Bogactwo zżera biedę w ten sposób, że bogatych widać, a biednych – nie, co nie oznacza, że nie istnieją. Są obecni doskonałą formą nieobecności w miejscach publicznych. Cuda ingerują w przyczynowo-skutkową konieczność, dziurawiąc naukowe wykładnie świata, które wszak ciągle cieszą się powszechnym szacunkiem. Idea Boga rozsadza egzystencję, egzystencja nie może obejść się bez transcendencji. Ład miasta umożliwia bezkolizyjny, niczym niewstrzymywany ruch, lecz w wyraźnie zakreślonych granicach i pod okiem dronów. Cywilizację współtworzą dzieło postępu i dzieło zniszczenia. Fundamentem utopii jest lęk. Cudowny, idealny constans: niewidzialność przeciwieństw.

Porównanie pierwszej posługi z posługą drugą potwierdzało wszechobecną logikę przeciwieństw. Poduszkowiec zawrócił mnie z nowoczesnego osiedla pod diecezjalne posiadłości Starego Miasta. I jeśli do Wojerysty można było dostać się wyłącznie windą, czyli ruchem wertykalnym, tak emeryt Konstanty rezydował w pałacyku, do którego prowadziła horyzontalna ścieżka. Należało iść cały czas prosto za siostrą furtową przez ogród arcybiskupa. Ogród mieścił się w ogromnym szklanym terrarium – wysokim na kilka pięter. Sztuczne słońce bryzgało światłem, sunęło powolnym ruchem odwróconego wahadła. Jego tarcza przesłaniała słońce na zewnątrz terrarium. Nieco niżej zakradał się księżyc, ledwo widzialną poświatą zapowiadał nadejście nocy.

Kolejne furty dzieliły ogród na klimatyczne kwartały. Był więc kwartał wiosenny, pełen trzaskających pąków i pierwszych kwiatów. Był letni – istny karnawał barw i zapachów, z jeziorkiem w kształcie kielicha i rybią płetwą, wyskakującą co chwila na jego powierzchnię. Był jesienny – ze złotymi drzewkami i krzewami, na których pyszniły się a to jędrna cytryna, a to reneta, a to banan, pigwa, jeżyna. Na końcu ogrodu rozpościerał się ekstraordynaryjny i równie legendarny jak metropolitalne spa kwartał zimowy. Wszystko za sprawą śniegu, którego – poza tym miejscem – nikt dawno nie widział. Zaraz za furtą prószył nieustannie, białymi czapkami zdobił jałowce i świerki, ścielił ziemię alabastrowym prześcieradłem. Stąpałem ostrożnie, spod kroksów dobywało się skrzypienie. Ściskał mróz, przepocony habit sztywniał, zacząłem podzwaniać zębami. Musiało być z dziesięć stopni poniżej zera – zjawisko niespotykane pod żadną szerokością geograficzną. Oddech zamieniał się w obłoki pary.

Wystrój kwartału zimowego potwierdzał wielkie poczucie humoru i jednoczesną ostrożność arcybiskupa: pod drzewami stały ogrodowe krasnale. Wszystkie w sutannach i ornatach, z ośnieżonymi piuskami zamiast czapek. To podobno drony, w ich oczach zamontowano noktowizory. Wieść diecezjalna niesie, że wieczorami krasnale ożywają. Unoszą się powoli nad ziemią i omiatają strażniczym wzrokiem kolejne kwartały. Oczy im świecą pomarańczowo. Sprawdzają, czy do ogrodu nie wtargnął nieproszony gość. Siostry dyżurne z nocnej zmiany zapewniają, za każdym razem kategorycznie migając rękami, że z piusek wysuwają się antenki. Krasnale prowadzą całonocny nasłuch i dopiero o świcie wracają na swoje miejsca.

Nie było mi spieszno, a i siostra furtowa nie poganiała. Zostawiliśmy za sobą wiosnę, przeszliśmy przez lato i jesień, aż nastała zima. Jakbyśmy cały długi rok wędrowali. Ja – płaszczka, ona – krąglutka nietoperzyca. Zdążyłem przemarznąć na kość. Ledwie pomiędzy świerkami zamajaczył pałacyk, w jego środkowym oknie na piętrze rozpoznałem sylwetkę biskupa Konstantego. Machał mi na powitanie. Udawałem, że go nie widzę, kryjąc się za plecami furtowej. Znałem aż nadto dobrze tę twarz kwadratową, czerwoną, te oczka osadzone w żabich powiekach, ten zdublowany podbródek. Długie siwe włosy i taka sama broda przywoływały na myśl Boga Ojca z dziecięcych notebooków.

Dotarliśmy do celu. Ostukałem kroksy, zgrabiałą dłonią zsunąłem kaptur i strząsnąłem śnieg z peleryny. Zakonnica nacisnęła przycisk domofonu i zrobiła mi miejsce, abym wypowiedział zwyczajowe powitanie.

– Memento mori – rzuciłem w głośnik przez jej ramię.

– Ad maiorem Dei gloriam – odpowiedział głos automatycznego sekretarza.

Drzwi odskoczyły. Ciężkim krokiem wszedłem do środka. Siostra furtowa została na dworze. Po skończonym masażu wyprowadzi mnie z terrarium.

W pałacyku przeciwieństw ciąg dalszy. Podczas gdy Wojerysta mieszkał sam, zdany na własną, znikomą substancjalność, wokół biskupa Konstantego kręciło się mnóstwo mniszek. Przewijały go, myły, karmiły – były na każde skinienie i pokornie całowały biskupi pierścień. Jako franciszkanin – nieprzywykły do luksusów i gołym okiem widocznych oznak poddaństwa – uznaję posługę sióstr zakonnych za niezbyt chwalebną restytucję patriarchatu. Ale cóż mogę ja, mnich prosty i najniżej stojący w hierarchii. Dwie wielkie wojny odnowiły dawne obyczaje. Do łask wróciła tradycyjna rodzina, demograficzne słupki skoczyły. Zapanował spokój. A siostry zakonne wszystkich reguł przyjęły śluby milczenia – dosłownie, co znajdowało swój wyraz w rytuale ciszy.

Dostojnik emeryt przyjmował poświęcenie zakonnic z widocznym dąsem. Jak mi niedawno objaśniła na kartce siostra Rozalia, starzec wypogadzał się dopiero, gdy przychodziłem zrobić mu masaż. Całymi dniami przesiadywał z nosem w oknie i powtarzał mantrę mojej absencji: A gdzie Arturek? A kiedy przyjdzie Arturek? Wołajcie natychmiast Arturka! Od wielu miesięcy tylko ja mogłem łagodzić objawy jego miażdżycy, co stało się źródłem niewybrednych żartów wśród braci. Żartów bezpodstawnych. Skonfundowany, Boga wzywam na świadka: to nieporozumienie. Sto razy przysięgałem ojcu kustoszowi, żem czysty w uczuciach do kapłańskiej części Kościoła. W lędźwiach noszę niewzruszony aksjomat, że Bóg po to stworzył kobietę, aby mężczyzna nie szukał szczęścia w lędźwiach brata swego.

Na tym nie koniec różnic między Wojerystą a czcigodnym starcem. Pierwszego cechował fizyczny niedostatek, natomiast drugi celował w cielesny nadmiar. Nie mieścił się na kanapie. Ciało miał galaretowate i napęczniałe, ledwie okryte kusym szlafrokiem. Biskup in statu immobili sapał bez ustanku, a teraz, ujrzawszy mnie w drzwiach, zasapał się jeszcze bardziej.

– Dobrze, że przyszedłeś mój Arturku. Nareszcie, mój Arturku. Tyle dni bez ciebie, mój Arturku – seria zdrobniałych wołaczy miała coś z powitalnych całusów. – Skaranie boskie z tymi siostrami. Muszę się opędzać jak od much – emeryt strzelił figlarnego foszka, a w jego głosie zakwiliła pisklęca skarga.

Ostatni pierwszymi będą! – uzbroiłem się w myślach. Za obronną strategię przyjąłem milczenie. Nie odzywać się, nie prowokować, nie dolewać oliwy do ognia. Jednak biskup wchodził w samozapłon. Boże, wybacz porównanie – jak krzew gorejący. Miałem mu wymasować jedynie ręce i stopy, lecz episcopus emeritus zaraz zaproponował, aby zdjąć mu szlafrok.

– Rękawy szlafroka takie wąskie, Arturku. Może zdejmiesz go dla większej okrężności twych dłoni, Arturku? Zrób, o co Kostek ładnie prosi! – odezwał się w nim duch Hedone.

Kostek prosi, Arturek robi, bo Kostek ma Arturka w garści. Nie dla Kostka Arturek to robi – wszystko dla pomyślności franciszkańskiego zakonu, dla corocznych dotacji przyznawanych przez kurię.

Zdjąłem różaniec i odłożyłem na stolik. Nie chciałem go bezcześcić.

– Och, Arturku, powoli. Jakie masz zimne dłonie! Daj, Kostek ociepli, ochucha paluszki Arturka. – Galareta zatrzęsła się, ledwie ją dotknąłem.

Zawiesiłem swą dumę mężczyzny... Zbliżyłem dłonie do ust staruszka, uważając żeby palce nie zacisnęły się w pięści. Ten zaczął dmuchać i chuchać.

– Mówiłem już, że Arturek ma ładne paluszki? – świergolił przy tym.

Głowa uciekała mi w bok, bo nie dość, że sytuacja dwuznaczna, to jeszcze pojawiła się halitoza. Biskup cacanił dalej:

– Oj, nie napracowały się paluszki Arturka. Oj, chyba nieprzywykłe do ciężkiej pracy paluszki Arturka. Oj, alc kto by tam kazał takim paluszkom tyrać i za jakie grzechy? Chyba tylko nieposłuszeństwa? Ale przecież posłuszny Arturek jest, prawda? – dręczył mnie swoim chuchaniem, w którym tężały gastryczny opar i szantaż. – No, już cieplutkie paluszki Arturka. Kostek dobrze się sprawił.

Biskup Konstanty komplementował, podsuwał aluzje, w których tkwiły groźby. Ściągnąłem więc mu szlafrok. Na kanapie leżała biała pieczarka, z krechami brzusznych rozstępów, z brunatnosinymi stemplami sutków, okalanymi koronką siwych włosków.

– Najpierw Arturek wymasuje Kostkowi rączusie. Później poproszę stópeczki, łydeczki, udeczka – poinstruował emeryt. Jego słabość do zdrobnień i spieszczeń tworzyła z cielesnym rozdęciem jeszcze jedną sprzeczność.

Ostatni będą primi!– zaczerpnąwszy powietrza, oddałem się posłudze masażu.

Wpłynąłem na tłustego przestwór oceanu. Już dłoń jedna i druga nurza się w biskupich puszystościach i jak łódka brodzi. Śród fali fałd owalnych, śród wałeczków powodzi. Omijam twardą szorstkość łokci, spływając ku udom – dwóm półwyspom chabaninowym. Zanurzam się cały, prawie cały znikam w rozlewisku głębokich i grząskich okrągłości. Aż dech tracę, więc wypływam na moment przy siwej głowie, czując bliskość warg gorących. I znów daję nura – w brzuch rozkołysany, to zwarty w sobie, to porowato rozlazły. Powoli wypuszczając powietrze, docieram żabką do zrogowaciałych przylądków piętowych. Przytrzymuję się paznokcia lewej stopy, uspokajam oddech i zawracam raz jeszcze, zmieniając styl żabki na motylka. Miętolę zapotniały rozstęp, daję się wciągnąć w wir spiętrzeń gąbczastych i pulsujących od pępka. Koziołkuję przez odmęt gorejącego podbrzusza, aż siła nurtu wyrzuca mnie de profundis słonecznego splotu, hen, przy lewym sutku. Ocean tłuszczu jest bardzo kontent, w jego głębinach tłucze się stwór podwodny – dychawiczne serce. Ja jestem nie mniej zdyszany, lecz i zawstydzony jestem tą eksploracją światów cielistych, lepkich, nieprzeniknionych. Chyba wystarczy – chcę dobić do lądu, by jak najszybciej poczuć twardy grunt pod stopami. Zastygłem w nienaturalnej, zgarbionej pozycji. Nagi Konstanty na kanapie, ja pochylony nad nim, bez możliwości, by się poruszyć – cóż za pieta szkaradna!

– Ach, Arturku, wracasz mi życie Co słychać na mieście, Arturku, co porabia nasz umiłowany w Panu lud? – zagaił. – Wciąż nosi pewność, że mocą indywidualnej woli jest w stanie pokierować swoim losem? Ech, sam widzisz, Arturku, odstawili mnie na boczny tor, zamknęli w tym terrarium jak w złotej klatce. Mogę mówić otwarcie. A arcybiskup to zdrajca! – wykrzyknął dramatycznie, by w jednej chwili znowu się rozmarzyć. – Nic nie wywołuje większej rozkoszy niż wzmacnianie ułudy zbawienia. Wszyscy oni to eschatologiczni głupcy – wyszeptał ponuro i naraz wrzasnął: – Agnostycy najgorsi! – zmrużył oczy, a kwadratowa twarz wykrzywiła się w romb.

Plecy zaczynały mi drętwieć.

– Jeszcze bym pospowiadał – ciągnął biskup Konstanty – jeszcze bym pokoncelebrował jakąś mszę i zasunął kazanie o nieskończonej łasce Pana. Jak za dawnych lat, jak przed wojną. Spijali słowa z moich ust. Łaknęli wszystkiego, co oferowała nasza religia. Całą sytość, bogactwo i bezpieczeństwo. Katolicyzm stał się dla nich polisą na życie. Już wtedy wielu z nas nabierało pewności, że istnieje pierwsza w dziejach ludzkości możliwość koabitacji wiary i nihilizmu. Rozumiesz mnie, Arturku? Religijny nihilizm. A nie nihilizm religii. Po co z czymś walczyć, skoro można to wchłonąć. Oni nam posłuszeństwo, my im możliwość grzechu. Przed wiekami wchłanialiśmy pogaństwo, dzisiaj udało się egzorcyzmować postęp i cywilizację. Oczywiście w kwestii dogmatów musieliśmy być bardziej elastyczni.

Jakoś nie mogłem skupić się na losach ludzkości, ja – wciąż w pozie trzciny złamanej, zmrowiałej. Ból pleców zaognił się. Czułem, że dłużej już nie wytrzymam.

I wtedy: hosanna! – do pokoju, bez żadnego pardonu alias pukania wkroczyła siostra Rozalia. Za nią jeszcze dwie krępe mniszki. Wyprostowałem się natychmiast. Zakonnica niosła nostalgram – niewielki przyrząd do układania wspomnień w zgodną z zasadami wiary opowieść. Mniszki miały podwinięte rękawy, co samo w sobie odbierało im kobiecą łagodność i świadczyło o radykalnych intencjach.

– Precz stąd! Kategorycznie zabraniam! Pedicabo ego vos et irrumabo! – rozdarł się biskup Konstanty, lżąc siostry wulgarną pieśnią Katullusa – Arturku, ratuj! Arturku, nie pozwól! – uczepił się mojej ręki.

Wszystko trwało nie dłużej niż mrugnięcie powieką. Pierwsza z mniszek zerwała ze mnie uścisk biskupa i przywarła do jego klatki piersiowej, druga całym ciałem przygniotła mu nogi. Odskoczyłem pełen podziwu dla ich sprawności. Siostra Rozalia przyłożyła nostalgram do biskupiej głowy.

– Arturku!... – wierzgnął raz, drugi biskup Konstanty.

Z jego ciała zaczęło uchodzić powietrze. Zapadał się w pościeli, marniał, a raczej odlatywał do starych czasów. Po dwóch, może trzech minutach urządzenie piknęło na znak skończonego zabiegu. Siostra Rozalia wyjęła z habitu aplikator z xanaxem. Skinęła głową w moim kierunku na znak, że Jego Ekscelencja musi odpocząć, a ja mam iść z Bogiem.

Dałem posłuch siostrze Rozalii. Zabrałem różaniec i rakiem zacząłem opuszczać pokój. Podany xanax sprawił, że biskupa ogarniała senność. Jeszcze walczył, lecz powieki stawały się coraz cięższe.

– Arturku! – powtórzył cicho. Jego dłoń uniosła się, chcąc mnie chyba pobłogosławić, ale zaraz opadła.

W drzwiach przepuściłem trzy siostry. Niosły świeżą piżamę i pieluchy. Przy drugiej posłudze mogłem postawić ptaszka.

Minęło południe. Sztuczne słońce powoli zaczęło osuwać się po zachodniej ścianie terrarium. Padał śnieg. Ponad słoneczną tarczą, koroną do dołu, wisiała rozłożysta lodowa magnolia. Drzewo osypywało się miliardem białych płatków. Jego korzeń wrósł w sufit i rozchodził się po nim zygzakowymi pędami. Piękne meteorologiczne zjawisko.

Siostra furtowa ruszyła ścieżką, ja za nią. I tak jak wcześniej, tak i teraz, w drodze powrotnej, nie obejrzała się ani razu, żeby sprawdzić, czy idę. Przez moment dopadła mnie wątpliwość: owszem, może to i siostra furtowa, ale może też siostra androidalna? A gdyby ją tak uszczypnąć, a gdyby tak... wyprzedzić i... co mi tam... pocałować w usta?... Kusząca z początku myśl zaraz osłabła. Nie miałem odwagi sprawdzić. Bo jeśli robot, to cóż po całowaniu robota? Cóż po szczypaniu silikonowego kauczuku nafaszerowanego elektroniką?... Nie sądzę, aby androidalnych wyposażano w poczucie zgorszenia lub namiętności. Jeśli siostra furtowa była androidem, to o wiele nowszej generacji niż cytata ekspedientka z realmarketu. Kościół inwestował w najnowsze technologie, czego nie można było powiedzieć o sieciówkach, które, tnąc koszty, sadzały na kasie tanie niedoróbki.

I pomyśleć, że jeszcze pół wieku temu ludzie nie mieli większych problemów, jak tylko zachodzić w głowę: kto homo, kto trans, bi, kto hetero. Bagatela! Było nie było, wszystko zostawało w wielkiej rodzinie ludzkiej. A dzisiaj, bądź tu mądry, człowieku, przysięgnij, że na sto procent masz do czynienia z człowiekiem. Z człowiekiem o choćby najbardziej zwodniczej, miękkiej tożsamości, a nie z jego androidalnym kuzynem.

Wypuszczony przez furtową z terrarium, postanowiłem nie wracać do klasztoru. Posilę się na mieście. Zostałem wezwany – bardziej i tak już nie mogłem sobie zaszkodzić. Wciąż miałem judaszowym braciom za złe, że potraktowali mnie jak powietrze. Skoro padłem ofiarą zakonnej infamii, pojadę do centrum, nie oglądając się na tachograf poduszkowca ani na szpiegujące wrony. Posilę się, oko ludźmi nacieszę, pospaceruję alejką obok pomnika arcybiskupa Kawuli, może w kawiarnianym ogródku wypiję latte macchiato i oddam się niespiesznej kontemplacji. Później pojadę do samobójców. Miałem już nawet gotowe wytłumaczenie swojego, skądinąd drobnego, odstępstwa: aby stawić czoła samobójcy, trzeba najpierw dobrze najeść się życia.

Toutes proportions gardées: Jezus miał swojego osiołka, ja mam swój poduszkowiec. Nowy Testament nie mówi nic o Chrystusowym wierzchowcu, poza drobną wzmianką, że bez oporów wwiózł Zbawiciela do Jerozolimy. O poduszkowcu wiedziałem jedno: był uparty jak osioł. Kierował nim wkodowany zew autopilota, dlatego mój plan spalił na panewce. Zamiast do centrum, osioł karmiony powietrzem pognał do katedry – rzut biretem od diecezjalnego terrarium. Tu stanął i ani metr dalej – wentylator ucichł, śmigła przestały się kręcić. Miałem do wyboru: klasztor, który mieścił się nieopodal, albo katedra. A centrum daleko. Wybrałem kościół.

Katedra, jak wszystkie świątynie, została poddana posoborowej reformie w duchu indywidualnych potrzeb wiernych. Jest sakralnym multipleksem, w którym każdy może coś znaleźć dla siebie. Oferta przedstawia się imponująco: od zwykłej mszy świętej, przez interaktywną drogę krzyżową, kręcenie trybularzem, psychologiczne testy z trzykrotnym pianiem koguta, po degustację mszalnego wina. Promocyjne odpusty, rabaty na chrzest i pochówek zadowolą każdą duszę. Sporą kruchtę wypełniają automaty ekspiacyjne i gastronomiczne. Pierwsze dzielą grzechy na lekkie, ciężkie, śmiertelne, wskazują rodzaj pokuty oraz najbardziej efektywne warianty zadośćuczynienia Bogu i bliźnim. Elektroniczna procedura spowiedzi kończy się przesłaniem raportu na tablet księdza selekcjonera, który ocenia wagę grzechów, odznacza właściwy rodzaj ekspiacji, dopasowany do mentalności grzesznika. Następnie decyduje, czy wierny może wziąć udział w sakramencie komunii, czy musi jeszcze nad sobą popracować z indywidualnym coachem od autokonfesji.

Automaty gastronomiczne oferują lekkostrawne posiłki, cydr oraz wodę z gietrzwałdzkich źródeł. Są do dyspozycji wiernych podczas przerw w przedłużających się zazwyczaj nabożeństwach. To jeszcze jeden efekt posoborowych zmian. Msze trwają po kilka godzin, ale z wieloma antraktami. Można wyjść co nieco przekąsić albo w ogóle nie wracać i dokończyć mszę online dzięki liturgicznej aplikacji.

Zważywszy na Wielki Post, dzisiaj królował sandacz oraz pierożki z warzywnym farszem. Wierni tłoczyli się przy automatach. Spostrzegłszy mnie, zaczęli szturchać się i szeptać, żeby przejść na bok, zrobić miejsce dla świątobliwej osoby. Podziękowałem zdawkowym znakiem błogosławieństwa – te nieco wyuczone dowody szacunku przyjmuję zawsze ze skrępowaniem.

Z kościelnych automatów korzystam od wielkiego dzwonu – jedzenie zanadto zalatuje kadzidłem i mirrą. No, ale odezwał się we mnie dzwon głodu. Za obiad musiał wystarczyć czips suszonej ryby, brokułowy pierożek i kubek źródlanej wody. Posiliłem się w kąciku kruchty, czując na sobie ukradkiem rzucane spojrzenia. Wiem dobrze, co im tam chodziło po głowach. Chcieli, abym ściągnął habit i ukazał święty stygmat – przebijające przez skórę długowieczne serce. Przecież po takie serca przyszli tutaj dla siebie. Wytrzymałem ich wzrok do ostatnich kęsów sandacza. Szkielecikiem ryby podkarmiłem ideonellę rosnącą w donicy przy automatach i – podziękowawszy Bogu za dar sytości – bocznymi drzwiami wyszedłem z katedry.

Poduszkowiec wciąż miał wyłączoną dmuchawę, więc i ja wciąż miałem czas. Skoro nie latte macchiato, to może jej darmowy substytut? Po drugiej stronie ulicy, obok prowadzonego przez cystersów Domu Pielgrzyma i Kwarantanny, mieściła się jadłodajnia z małym kawiarnianym ogródkiem. Dostałem się do niej podziemnym przejściem. Usiadłem w ogródku i przegoniwszy ze stolika małego drona – ni to sroczkę, ni to wróbla – poprosiłem o cykorię z miodem. Zamówienie przyjęła trzpiotliwa urszulanka.

W ogródku było pusto, nie licząc mnie i równie młodziutkiego jak urszulanka kleryka. Kilka stolików dalej studiował notatki, może nawet swoje pierwsze w życiu kazanie, o czym mogły świadczyć ruchy rąk – raz koliście łagodne, raz tnące powietrze wskazującym palcem jak szpadą. Jednak kleryk nie mógł się skupić, po kilku minutach tracił koncentrację. Zły na siebie, skrolował tablet, a następnie prostował się w krześle i ponawiał gesty. Trapiło go typowe dla młodych ludzi schorzenie – cyfrowa demencja.

Umieszczony w blacie mojego stolika ekran wyświetlał najnowsze wiadomości. Omiotłem spojrzeniem niewielki akapit, zilustrowany kosmonautą ze stułą dryfującą wokół kombinezonu. Na Księżycu poświęcono kamień węgielny pod kolejny kościół pod wezwaniem Jana Pawła II. Drugiej wiadomości towarzyszył obraz tira obrabowanego tuż przy południowej granicy Polacji. Kierowca zabity, brak świadków, a jedynym śladem była sztuczna szczęka, pewnie któregoś z szabrowników. Trzecia ogłaszała powstanie nowego programu telewizyjnego: *Wieża Babel*, wzorowanego na retro reality show w typie *Big Fathera*, w którym reprezentanci różnych nacji i wyznań mieli spędzić miesiąc pod jednym dachem.

Ostatnia wiadomość podawała obiecujące statystyki o spadku spożycia paracetamolu. Tylko dwadzieścia procent respondentów przyznawało się do codziennego zażywania. Trzydzieści robiło to raz w tygodniu, ale aż dziesięć procent zaczęło stosować naturalne metody radzenia sobie z bólem. To znaczący progres od ostatniego miesiąca. Środki przeciwbólowe, których lud Boży żre wciąż za dużo, są dla nas, duchownych, wielkim problemem. Jak bowiem udowodniły ponad wszelką wątpliwość naukowe badania, uśmierzając ból, ludzie jednocześnie znieczulają ośrodki mózgu odpowiedzialne za empatię i współodczuwanie z bliźnim jego cierpienia. Kilka razy, w posłudze skupionej na empatycznej konwersacji, miałem duży dyskomfort rozmowy z grzesznikiem, który o świństwie wyrządzonym drugiemu mówił z taką skruchą, jakby pacnął muchę. Podane statystyki dawały jednak nadzieję.

Urszulanka przyniosła cykorię i – wskazując na stojącą przy wejściu skarbonę – wystawiła znany od stuleci rachunek: co łaska. Pouczyłem ją, że noszę dystynkcje żebraczego zakonu. Siorbnąłem napój i odesłałem kelnerkę na twitter do naszego skarbnika.

Komunikacyjny układ miasta jest bliski ideałowi. Nawet tu, na Starym Mieście, gdzie – zdawałoby się, zabytkowa architektura samą swoją naturą stawi opór modernizacji. W przestrzeń między średniowiecznymi budowlami udało się wkomponować panoramiczne ekrany i oszklone centra modlitewne, połączone siecią pomostów. Jezdnią suną bezkolizyjnie pojazdy, nad nimi drony układają się w ptasie klucze. Pleksbrukiem płynie rzeka sutann i grafitowych garniturów, a po drugiej stronie biegnie jej bliźniacza siostra, tyle że w przeciwnym kierunku. Nikt nikogo nie trąca, nikt na nikogo nie wpada. Przejeżdża tramwaj, jego poroże krzesi elektryczne iskry, za szybą widać uśmiechnięte twarze.

Schowany w cieniu parasola, sączyłem cykorię i mantrycznie odmawiałem różaniec. Chłonąłem życie ulicy. Szczególnie intrygowały mnie twarze przechodniów. Wszechobecność ekranów, wyświetlaczy, monitorów. Ten zmasowany atak lamp i ledów sprawiał, że niezależnie od pory dnia na twarzach odciskały się fragmenty obrazów, rozbłyski zdjęć, filmów, jaskrawych reklam. Czoła i policzki przechodzących obok ludzi nosiły piętno nieustających wizualizacji, świeciły ich odbitym światłem. Przechodnie przypominali wojownicze plemię. Każda twarz nosiła migotliwą, barwną opowieść, nakładającą się na wcześniejsze. Dopiero noc zmywała je wszystkie niczym zbyt grubo nałożony makijaż, ale chyba nie do końca i niezbyt starannie. Z moją twarzą musiało być podobnie.

Wśród sutann i garniturów, w ulewie słonecznych promieni, dostrzegłem kobietę około czwartego krzyżyka. Szła ostentacyjnie wolno, dając się wyprzedzać przechodniom. Przez jej policzki i nos przebiegał fluoroscencyjny zygzak. Kobieta ubrana była w różowy połyskliwy kostium. Chyba żelowy, jeśli zdać się na moje kapucyńskie wyczucie mody. Miała tapirowane włosy w kolorze poziomki, malinowy makijaż i pink-paznokcie. Aż mi poróżowiało w oczach. Ekscentryczna piękność prowadziła charta afgańskiego o długiej i równie różowej sierści, zaplecionej w strąkowate dredy. Nos charta wilgotniał ciemnoróżowo. Nad skórzaną obrożą w kolorze róż sterczał wysięgnik z ekskluzywnym cudeńkiem – aparatem fotograficznym Smiena. Pani i jej pies uwieczniali spacer wspólnym selfie.

Trudno odgadnąć: żona miejskiego dygnitarza czy kontrkulturowa performerka? Pies zatrzymał się przy bakterioboxie, uniósł nogę i zaczął sikać na jasnoburaczkowo. Kobieta odczekała jego potrzebę, wpatrując się w zegarek o barwie lilaróż. Różowy chart skończył i nagle stanął na tylnych łapach! Przednią objął kobietę w talii, coś szczeknął jej do ucha. Kobieta roześmiała się głośno. Koniuszki ich różowych języków spotkały się w pół drogi. Pies i jego pani ruszyli dalej, objęci, zadurzeni w sobie, może i zakochani. Psia łapa osuwała się na żelowy pośladek, ogon sterczał równie sztywno jak wysięgnik...

Nie, nie, oczy nie płatają mi figli na starość. Oto i zgubne skutki antropomorficznej genetyki. Nie jestem entuzjastą tych naukowych kuglarstw. Zaczynają ocierać się o szaleństwo, wyposażając Bogu ducha winne zwierzęta w człowiecze instynkty. Należę do tradycjonalistów. Pies powinien być psem i chwalić Stwórcę w swej psiej wyjątkowości. Tymczasem antropomorfizacja stała się relatywnie tanią zabawą. Tydzień temu pod bramę naszego klasztoru przywędrował kot. Stanąwszy na tylnych łapach, przednimi uczynił znak krzyża i poprosił o jałmużnę, a w jego miauczeniu dawało się usłyszeć całkiem wyraźne słowa: „Bóg wam wynagrodzi, bracia". Podobnie rzecz wygląda z rozmnażaniem wegetatywnym. Istnieją całe aleje markowych butików, w których można kupić sklonowane zwierzęta sławnych osobistości świata show-biznesu. Jeśli mnie pamięć nie myli, nawet Wojerysta wystawił na sprzedaż trzydzieści kopii swojego ukochanego żółwia. Rozeszły się w okamgnieniu. Tutaj nasz Kościół poszedł na kompromis z ludem. Klonowanie, owszem, ale w zamian – całkowity zakaz aborcji i in vitro.

Pod Dom Pielgrzyma i Kwarantanny zajechał elektrokar. Syknęły automatyczne drzwi, wypuszczając kolejno migrantów. Że to migranci, można było poznać po brudnych, przepoconych ubraniach, po plecakach i walizach wyjmowanych kolejno z bagażnika. Przyjechali z miasteczek i wiosek południowej Polacji. Pomimo zapewnień rządu, że sytuacja już dawno została opanowana, że przygraniczne wojska i łańcuch Karpat gwarantują bezpieczeństwo, nie dawało się powstrzymać migracji.

Z Domu Pielgrzyma wyszło dwóch zakonników: dominikanin i cysters. Pierwszy powitał przesiedleńców i zaprosił ich do wspólnego *Ojcze nasz*. Drugi, ledwie wybrzmiało „amen", zaczął odczytywać nazwiska z listy. Wywołani znikali w drzwiach Domu, taszcząc ze sobą bagaże. Nie było widać, co się dzieje w środku, ponieważ okna powlekała mleczna osłona. Otwierane na moment drzwi ukazywały jedynie kawałek recepcyjnego holu. Minie wiele miesięcy, czasem nawet i lat, zanim wyjdą na miasto. Kwarantanna była długotrwałą procedurą. W sumie to nie wiem, jak takie rzesze ludzi, dzień w dzień przywożone autokarami, mieściły się w tym stosunkowo niedużym budynku. Brat Andrzej słyszał od brata Tomasza, który zasięgnął języka od znajomego jezuity, bo ten miał swoje ucho u cystersów, że w podziemiach Domu Pielgrzyma i Kwarantanny rozrasta się ogromne przeciwmiasto. Oczekujący na wyjście przesiedleńcy prowadzą tam życie równoległe do naszego. Niektórzy rodzą się w podziemnych salach, inni w nich umierają. Myślę, że to zwykła plotka, choć z drugiej strony dopełniałaby ona logikę przeciwieństw. Skoro jest miasto, musi być i przeciwmiasto. Jego nieudany, niewykształcony dostatecznie... klon.

Elektrokar odjechał. Żadnego z przesiedleńców nie zawrócono.

No, dobrze, chociaż przed sobą mógłbym już dłużej nie udawać. Zostałem wezwany, i z tego powodu każdą chwilę pragnąłem przeciągnąć w nieskończoność. Zostałem wezwany na wieczór, dlatego szukałem pętli czasowej, jakiejś mielizny w teraźniejszości. Dzień nigdy nie jest ani za długi, ani za krótki, to opis rozciąga go albo przeciwnie – kurczy. Nazywałem już po wielekroć nazwane, celebrowałem znajomy świat, jakbym go pierwszy raz widział na oczy albo – co gorsza – jakbym go widział po raz ostatni. Tonący chwyta się brzytwy, wezwany na wieczór – pękających w szwach retardacji, grząskich dygresji, pauz i opowieści.

Za siedmioma kościołami, za siedmioma galeriami i siedmioma strzeżonymi osiedlami, które łypią źrenicą wszechwidzących dronów, tam gdzie promocje tracą swą ważność, a wiatr wygwizduje puste wyprzedaże, jest stare torowisko. Z roku na rok zarasta trawą i coraz bardziej zwartą kurtyną zdziczałych mirabelek. W powietrzu czuć rdzą, szczyną, zbutwiałym liściem. Szyny pobłyskują niczym naciągnięte struny i każą myśleć o ziemi jako o wielkiej mandolinie, która wygrywa gwiazdom funeralną melodię.

Torowisko stanowi przestrogę, jest przykładem dawnego chaosu, gdy ludzi nosiło po świecie, a przekraczanie granic prowadziło do katastrofy. Na szczęście to już przeszłość, zamknięte miasta mają charakter plemiennych monad. Ludziom przeszła ochota na podróżnicze eksploracje.

Trudno o lepsze miejsce dla bezpiecznych prób samobójczych. Skoro pociągów brak, są one wyłącznie teatrem. To rodzaj mody, która zapanowała wśród dobrze sytuowanych frustratów – przedstawicieli biznesu, gwiazd polityki i mediów. Niektórzy przychodzą tutaj od wielu lat, znajdując wytchnienie, a czasem i radość. Wystarczy upaść na kolana i przyłożyć skroń do chłodnej szyny.

Ledwie nastaje popołudnie, samobójcy, tknięci hipnotycznym impulsem, zjeżdżają się ku torowisku. Czasem spotykam jednego desperata, czasem dwóch, ale zdarza się, że i kilkanaście osób tuli głowy do szyn. Zdaje się, jakby w głębokim pokłonie, pośród rozlewiska zachodzącego powoli słońca, oddawali cześć bogowi śmierci. Wtedy wkraczam ja ze swoją miłosierną posługą.

Dzisiaj spotkałem trzech samobójców: VIP-a redemptorystę, wiceprezesa agencji reklamowej „Jutrznia" oraz profesora prawa kanonicznego. Znałem ich straceńcze historie. VIP marzył o papieskich szatach, wiceprezes agencji chciał zostać dożywotnim prezydentem Polacji, profesor pragnął stworzyć nowy kodeks, który dorównałby Mojżeszowym tablicom. Nierealność tych marzeń odbierała im jakąkolwiek chęć życia, a brak chęci życia tym bardziej oddalał ich od możliwość spełnienia marzeń. Typowy paradoks ludzi o wielkich ambicjach.

Do roboty! – nachyliłem się nad przyklejonym do szyny redemptorystą i pogładziłem go po włosach. VIP ani drgnął. Zwróciwszy oczy do nieba, odmówiłem modlitwę za samobójców:

> Ojcze nas wszystkich, nie przyjmuj do siebie nieszczęśnika,
> który chce targnąć się na swoje życie.
> Pomóż mu lepiej zrozumieć ogrom narcyzmu,
> Za jego to sprawą kładzie na szali życie jak głowę na szynie.
> Niech ufnie odda się w opiekę ojców naszej wspólnoty.
> Dopomóż mu w znalezieniu choćby jednej boskiej kropli pokory,
> Która na zawsze zmyje jego iluzje, a z iluzjami – umysłu kłopoty.

W połowie modlitwy musiałem podnieść głos, ponieważ redemptorysta zaczął wydawać z siebie niezdrowy chichot, jakby bardziej od pocieszenia potrzebował planktocyzmu, który nie tylko odwiedzie go od samobójczych myśli, ale zawróci do ludzi, do pełnego uczestnictwa w życiu wspólnoty.

– Synu Kościoła, tak się nie godzi. Żyć musi, kto papieżem chce zostać. Bądź skałą, na której wznosić się będzie Kościół twoich marzeń – zapewniałem zakonnika recytacją kanonicznych parafraz.

Dałem mu czas, żeby się wychichotał, i przeszedłem do dwóch pozostałych samobójców. Modlitwa, kilka słów pocieszenia, znak krzyża nad jednym, znak krzyża nad drugim. Wiceprezes miotał się na szynach, profesor rzucał jakimiś paragrafami niczym największymi bluźnierstwami. Byłem konsekwentny w łagodnym napominaniu, że tak nie wolno, że zasmucają naszego Pana. Wszyscy jesteśmy dziećmi Bożymi, a czego nie otrzymamy na ziemi, w niebiosach się spełni.

Po godzinie zjawił się jeszcze biznesmen w stroju do joggingu. Ten wielokrotny samobójca stoi na czele korporacji produkującej drony. Powziął plan, aby założyć Europę Dronów – stara idea, choć miał ponoć kilka nowych pomysłów na jej realizację. Chodziłem po linii czworokąta, błogosławiłem i wypełniałem franciszkańskim słowem otuchy to theatrum mortis. Byłem koniecznym elementem symulacji.

Żyjemy w świecie, który nie dopuszcza samowolnych aktów. Tylko Bóg decyduje, kogo zabrać do siebic – nawet jeśli to wybuch bomby lub wojna. Los każdego człowieka zapisany jest w liniach papilarnych Bożej dłoni. Innej śmierci nie ma.

Zostałem wezwany. Już tylko to jedno czekało mnie przed nadejściem nocy. Upał nieco zelżał, horyzont połykał czerwieniejącą hostię słońca. Wydłużyły się cienie mirabelek i samobójców, mój też urósł, jakbym chodził po torowisku na szczudłach.

ROZDZIAŁ IV

Brat Wojciech wyg. Wyg... Wygląda jak kup, kupa nieszczęścia. Ja też ze strachu zaraz narobię w haaabit. Ja też, bo stres, taki jeż! Nerw, erw.

Stawiliśmy się punkt, punktualnie. Klęczymy. Na korytarzu. Już drug. Drugą godzinęęę. Przed kapitularzem. Brat koordynator zaoordynował: na kolana i czekać, aż zawezwie do środka. Czkamy więc. Czekamy. Męczy mnie wewnętrzna czkawka. Czka-wka jąkalska. Łapią mnie, kurcze, skurczc. Coraz częstsze. Bole-sne. Sięgam do kieszeni i ściskam zastygłą łzę. Nie wiem, czy dobrze zrobiłem, mo-że lepiej byłoby zostawić kamyk w celi. A jak będą chcie-li odebrać? Nie oddam-dam. To mój amulet, moja łączność z córeczką.

Strach ma wielkie ooo. A niewielki – w obliczu okropieństw tego świata – grzech nieposłuszeeeństwa urasta do rozmiarów zbrodni albo frezji-frenezji-herezji. Domine Deus, nie dajmy się zwariować, to tylko zwykła uucieczka z córką za miasto! – próbuję nabrać krzepiącego dystansu, usta zakrywam dłonią i zja-dam powie-trze. Na próżno. Strach nie daje się odpędzić, moje ciało wpada w turbulencje, poddane cyklicznym grzmotom – pustym wymiotom – zgagowym torsjom. Bo myślę „wycieczka", a wychodzi „ucieczka" i jest jeszcze podlej. Nie mogę uspokoić rżenia – drżenia! Nad czym komisja tak długo deliberuje? Im dłużej, tym gorzej dla nas, as. Wywalą na zbity pysk! Jak nic, jak nic! Zaglądam pod szkaplerz. Jeszcze bije transcendentne ser-serce, jeszcze skóra emanuje jego energią. Ach, a jak w łasce długowieczności nie dotrwam do Wielkanocy?... Ocy, oczy brata Wojciecha podobne są do oczu przesiedleńczego dziecka. Dwa ogromne i załzawione zera. Żadna to dla mnie pociecha. Przeciwnie. Brat Wojciech łka-cka cichutko. Z jego ust wypływają maziaje płaczu.

– Na rany Chrystusa. Weź się w garść, arść! A co ja mam zrobić w mojej sytuacji. W końcu to ja pedałow... ałem – strofuję go czkaw-ą.

– Ale ja programowałem... – Twarz brata Wojciecha przypomina bobra. Już nie łka-ca, już ryczy jak bóbr.

Trzęsie, telepie – psychosomatyczna pulpa ze mnie, nie człowiek. Czkająkam. O, Mater Dolorosa! Natychmiast potrzebny astrolog! Stop, stop! – Ga! Gastrolog! Albo lepiej – spowiedolog, brat Andrzej, brat. Bo ja – kłąb nerwów, gałgan. Czkawka kopie. Czkawka wbija w gardło gumowe gwoździe. Przepona jest żabą skaczącą. Męczy, dręczy, rechocze. Wypu. Szcza bąble. Ble! Co słowo, co myśl, to kość, to ość albo przeciwnie – balonik, bąbel. Mało tego, czuję, że niżej, na wodach trawiennych żołądka unosi się niezatapialny spławik. Jakby strach łowił i w dyby haczyka zakuwał ryby. Dość, już wystarczy, naprawdę. Napraw! Skupiam się w sobie, w swojej dygo-osobie i robię, co mo-gę, masując przy tym zdrętwiałą no-gę – skurcz wiąże sto-pę z podudziem stalową liną. Boli. Ściska, skręca, lina-sprężyna. Łapię powietrze, przełykam w ustach gwóźdź z żabą i bąblem. Czekam jak nurek, który zszedł kilka metrów pod wodę. Następuje wybuch. Czka-hydrobomba, grzyb atomowy wyrasta na dnie żołądka. Jest lep. Zdecydowanie lepiej. Ulga.

Całe szczęście, bo zza drzwi kapitularza wyjrzała głowa brata koordynatora:

– Bracie Arturze, bracie Wojciechu! Zapraszamy – powiedział ze śliskim uśmiechem.

Dźwignęliśmy się z klęczek i na patyczakowych nogach weszliśmy do środka. Brat Wojciech otarł łzy i jako tako doszedł do siebie. Jesu, in Te confido! Jeszcze raz nabrałem powietrza. Bo co ma wydarzyć się – wydarzy się. Co ma być – będzie. Najwyżej wrócę do świata świeckich.

Pod baldachimami kamiennych sklepień, w półmroku energooszczędnych świec, na tle krucyfiksu obradowała komisja zakonna. Musiałem zadrzeć głowę i mocno wytężyć wzrok, ponieważ jej członkowie ginęli w gigantycznych krzesłach tronowych. Jedno z nich było puste. Do krzeseł prowadziły ustawione po bokach drabiny. Duchowni szeroko rozstawionymi rękoma trzymali się poręczy, lecz ich nogi wisiały w powietrzu, nadając dostojnym sylwetkom nieco dziecięcości. Nie wiem, jakim cudem i kiedy udało się wnieść tak wielkie krzesła. Drzwi i okna kapitularza były stanowczo za wąskie.

Komisję tworzyli wiekowi, pięknie długowieczni starcy: kustosz ojciec Stefan, brat koordynator, nasi spowiedolodzy: bracia Andrzej i Tomasz, oraz dwaj nieznani mi księża – najpewniej wysłannicy kurii i promotorzy sprawiedliwości, których świecka palestra określa mianem prokuratorów. Jeden w sutannie, drugi – w dobrze skrojonym garniturze. O jego duchownym stanie świadczyła jedynie koloratka. Tajemniczy wysłannik kurii stał nieruchomo przy oknie i nawet nie zareagował, gdy weszliśmy.

Obecność księży źle nam wróżyła – komisja zakonna zmieniła się w sąd. Tym bardziej że po przeciwnej stronie okien telebim wyświetlał zatrzymamy w kadrze obraz: corpus delicti mojego przestępstwa. Widać było, jak zziajany schodzę z roweru, a w tle brat Wojciech wybiega z kabiny projektora.

– Pax et Bonum! – powitał nas kustosz. – Podejdźcie bliżej, bracia umiłowani – poprosił.

Prześliznął się pod poręczą i zaczął schodzić tyłem, stawiając ostrożnie stopy na kolejnych szczeblach drabiny.

Wyściskaliśmy się serdecznie z ojcem Stefanem. To dodało nam nieco otuchy. Brat Wojciech chciał przyklęknąć, by ucałować dłoń przełożonego, lecz kustosz cofnął rękę wyraźnie zawstydzony. Wyszeptał:

– Tyle razy wam mówiłem, w Jezusie wszyscy jesteśmy równi...

– Może wystarczy tych serdeczności – przywołał nas do porządku ksiądz przy oknie. – Nie zebraliśmy się tutaj, by polerować pierścienie powitań. – Wciąż stał do nas plecami.

– Och, tak, tak, przepraszam. Kocham tych nieroztropnych braciszków jak synów. – Ojciec Stefan spąsowiał. – Zaczynajcie, drodzy promotorzy sprawiedliwości. Niech Duch Święty sprzyja naszym decyzjom. – Zawrócił do drabiny i zaczął gramolić się na krzesło. Przy jego dwustu latach poruszał się nader dziarsko. Usiadłszy, przyłożył dłoń do skroni i zastygł.

Brat koordynator włączył trzymany na kolanach laptop i zwrócił twarz do siedzącego księdza. Ten zapytał:

– Brat Artur i brat Wojciech, tak? – i nie oczekując od nas potwierdzenia, ciągnął dalej: – Byliśmy przed chwilą świadkami zarejestrowanej niesubordynacji braci. Dowody są bezdyskusyjne i nie do podważenia, prawda? – Retoryka była tu oczywista, dlatego w odruchu skruchy pochyliliśmy głowy, a promotor kontynuował. – Kościół rozumie: córka i miłość ojcowska. Kościół rozumie: natura i jej uroki. Kościół docenia, że brat bratu przychodzi z pomocą. – Spojrzał wymownie na nieszczęsnego operatora rowerowej wycieczki. – Ale nie raz i nie dwa tłumaczyliśmy ojcu Stefanowi, że reguła franciszkańska nie może stawiać siebie wyżej nad nakazy arcybiskupa. Zwłaszcza w tak niespokojnym, złym czasie. Nie wolno opuszczać granic miasta, chyba że na wyraźne życzenie Jego Ekscelencji.

– Skoro kustosz sobie nie radzi, przychodzimy z pomocą – znów odezwał się duchowny w garniturze. Jego palec powędrował do szyby i zakreślił coś w rodzaju znaku nieskończoności. A może klepsydry albo – co gorsza – pętli?

Powiało chłodem, poczułem, jakby ktoś smyrnął mnie kostką lodu po kręgosłupie. Wysłannika kurii wciąż bardziej interesował widok za oknem niż nasza obecność.

To nie był nawet sąd, zdążyłem się zorientować, to była pokazówka, mecz do jednej bramki – jak zawsze, gdy do gry wkraczają czarni.

Jezusie Najświętszy, wybacz ten przytyk pod adresem sutann, których wyższość nad habitami jest zadekretowana Wielkim Czwartkiem. Ksiądz siedzący na krześle wskazał na laptop:

– Z akt personalnych wynika, że wasza dotychczasowa posługa jest zadowalająca i miła arcybiskupowi, a i jego wikariusz bardzo dobrze ocenia ostatnie spotkanie na dorocznej audiencji – obdarzył nas pochwałą, ale z miną, jakby przegryzał ziarnko pieprzu. – Wprawdzie słabość brata Wojciecha do technologicznych nowinek może czasami niepokoić, zaś brat Artur to łazik i drony zbyt często robią mu zdjęcia w różnych częściach miasta, nie do końca pokrywających się z posługą, jednak – nolens volens – wczorajszy wybryk można uznać za pierwsze tak ostentacyjne odstępstwo. Wasi spowiedolodzy to potwierdzają. – Skłonił się w ich kierunku.

Ci uciekli wzrokiem w podłogę. A ja pomyślałem: lojalni zdrajcy, ale jednak zdrajcy!

Ksiądz udał szczere wahanie:

– Bracia kochani, trapi mnie wątpliwość, czy jesteście dostatecznie zdeterminowani, by dalej pełnić posługę na łonie Kościoła. Czy nie będziecie już więcej ważyć sobie lekce słów arcybiskupa? Nosi was, jak widać w zapisie monitoringu. Za ciasno, tak? Miasta wam mało? Mało wam grzechów jego mieszkańców? Przygód szukacie, nie dając spokoju zmarłym?

Dobrze wiedziałem, że prokuratorskie kluczenie, czyli mizianie pochwałą, połączone z lekkim smaganiem występku, jest sprawdzoną metodą od czasów Torquemady. Może zaraz jeszcze zapyta, czy lubię czarne koty i czy nie trzymam jakiegoś w celi!... Nie było sensu odpierać zarzutów ani na lep pochwał lecieć jak mucha do... Jezusie Najsłodszy, którego cierpliwość faryzeusze wystawiali na próbę! – wybacz mi wulgarne porównanie. Roma locuta, causa finita. Wyrok już zapadł i nie tutaj, nie w klasztornych murach. Brat Wojciech chyba myślał podobnie, więc staliśmy jak dwa słupy soli. Chyba nie o ukaranie tutaj chodziło, lecz o coś więcej. Przecież promotorzy nie patyczkowaliby się tak z dwoma zwykłymi kapucynami.

– Podejdźcie tutaj – rzucił ksiądz przy oknie.

Posłusznie spełniliśmy polecenie, stając tuż za nim. Zauważyłem, że nad koloratką od jego szyi aż po kark biegł gruby bliznowiec. Jakby obły robal przykleił się do skóry. O ile duchowny w sutannie zdawał się typowym urzędnikiem kościelnym o powierzchowności biurokraty, którego kariera była bardziej wynikiem uporu niż talentów umysłu, o tyle ten wyglądał niepokojąco. Wychyliłem się nieco, by z największą dyskrecją przyjrzeć mu się dokładniej. Był to starzec o nader bladym, prawie przezroczystym obliczu, o rzadkich włosach, zaczesanych do tyłu, wielkich niebieskich oczach i ustach zadziwiająco czerwonych, które to barwy kontrastowały z bladością skóry. Dłonie miał białe, długie i szczupłe, bardzo kobiece, i takie same paznokcie. Złudzenie przezroczystości, innego jednak rodzaju niż u Wojerysty, nadawało skórze pozór cienkiej, delikatnej błonki, opinającej kości policzkowe i podbródek. Wyglądał jak człowiek na wpół żywy i na wpół żyjący w zaświatach. Tę delikatność psuła przy szyi gruba pręga blizny.

Ksiądz patrzył na miasto, przez które płynęły strumienie przechodniów i pojazdów. Mimo wieczoru ruch nie słabł. Rozbłyski świateł nadawały mu pulsujący rytm. Pojazdy posuwały się jak po nitce ku odległym osiedlom, wianuszki ludzi okalały wejścia do kościołów, restauracji i nocnych klubów. Ekrany emitowały popołudniowe modlitwy, reklamy lekarstw na samotność i psychologiczne porady dotyczące estetyki czasu. Drony o połyskliwych czarnych piórach przelatywały nad głowami przechodniów. Choć każdy z nich miał swoje życie, jakieś plany, lęki, nadzieje, choćby każdy tulił w sobie poczucie wyjątkowości własnego „ja", razem tworzyli wielką masę, podległą pulsowaniu miasta.

– Przypatrzcie się dobrze, jakie dusze musimy wyciągać za uszy ku dobru – polecił ksiądz w zamyśleniu, choć ja wciąż przeskakiwałem wzrokiem na jego bliznowiec. – Oto i nasz homo planctus, który rodzi się bez najważniejszego imperatywu: transcendencji. Wie, że jest skazany na doczesność, że nigdy nie będzie mógł sięgnąć wyżej ponad swoją zmysłowość. Czysta biologia. Jest przypisany historii, podległy narzuconym prawom, którym ulega, nawet jeśli skrycie przeciwko nim się buntuje. To coś potwornego i jednocześnie niezmiernie dla nas cennego. – Ksiądz przeciągnął palcem po szybie, rysując tym razem trójkąt z kropką w środku. – Ten konformizm głęboko tkwi w Polacjanach. Dawny feudalizm, dawne chłoporobotnicze marzenia udało się przenieść na współczesne zachowania, na dzisiejszy konsumeryzm. Pęd ku posiadaniu nie jest w Polacjanach niczym nowym. To gen mentalności feudalnej. Ludzie to jedno mają na uwadze: gromadzić dobra i jednocześnie stawiać ołtarze Bogu, bo nigdy nie wiadomo, co się wydarzy. Ale w gruncie rzeczy nic nie wiedzą o swoim Bogu. Gdyby stołek przemówił i obiecał im życie wieczne, modliliby się do stołka.

Zafrapowała mnie mowa kapłana, jej szczerość, wykraczająca daleko poza polityczną poprawność. Z ambon i rządowych ław rozbrzmiewał przecież wielki pean na cześć indywidualizmu i wolnej woli, a i między sobą nigdy nie mówiliśmy prawdy. Wielkie „Ja", odmieniane na wszystkie możliwe sposoby, niosło się od świtu do nocy. Wielkie „Ja" – na obraz i podobieństwa Boga.

Kapłan wciąż mówił tym samym, beznamiętnym głosem:

– W nicość, która jest fundamentem Polacji, wmurowany został kamień również z naszymi imionami. Podczas ostatnich wojen nie nazwaliśmy zbrodniarzami zbrodniarzy, którzy znaczyli karty narodu i praw, brali więc śmiało, bez obaw, stokrotnie hołdy Polacjan, a my do nich dołączyliśmy. Pobłogosławiliśmy ten okręt państwa, którym przepływamy przez zamęt Europy. Fundamentem jest nicość. Wokół nicości wzniesiono mury Polacji, nad nicością rozpięto stropy świątyń i doczesnych przybytków bogactwa. I teraz ze wszystkich stron ciągną do naszych miast konwoje biedy, imigranci walczą między sobą o skrawek nicości, żądają dostępu do morza nicości. Ale nic nie dzieje się naprawdę. Czy Chrystus na pewno zmartwychwstał?...

Zamilkł. Zapanowała długa, dojmująca cisza. Nikt nie miał śmiałości się odezwać. Kapłan wolnym krokiem podszedł do drabiny i wspiął się na krzesło. Jego biała twarz jaśniała w półmroku sklepienia, a oczy płonęły zimnym niebieskim płomieniem.

Głos zabrał milczący dotąd ojciec Stefan. Napomknął, że my tylko prości franciszkanie jesteśmy, że daleko nam do georeligii i nie na nasze siły kamienie węgielne Polacji. Czynimy swoją posługę w najlepszej wierze i z najlepszą intencją. Ludzie może i nie są idealni, ale lepszych Bóg nie stworzył. Nieśmiało zasugerował, żeby kontynuować posiedzenie, bo bracia – rozchylił ku nam dłonie – dostatecznie już są przestraszeni niechybną pokutą.

– Miłosierdzie Kościoła jest wielkie, ale i jego sprawiedliwość wielka jest – skwitował sugestię kustosza drugi ksiądz i uderzył w dzwon patosu: – Bracia franciszkanie, wczorajszej nocy dotarła do nas przerażająca wiadomość. Pan doświadczył naszą federację wielkim nieszczęściem: Kraków, dawna stolica Polacji, legł w gruzach... Seria terrorystycznych ataków, o wiele większa niż wszystkie wcześniejsze, zmiotła całe osiedla. Wawel, Stare Miasto wraz z Kazimierzem i Podgórzem zniknęły z powierzchni ziemi. Kamień na kamieniu nie został, zło podniosło głowę. Setki tysięcy ofiar, wielkie wzburzenie, fala uchodźców ruszyła na północ. Bracia, umiłowani w Chrystusie, czas dojrzał do kolejnej bellum iustum. Przelała się czara ustępstw wobec kalifatu. Arcybiskup dłużej nie może wstrzymywać mediów, jutro dowie się o tym cały kraj.

Byliśmy wstrząśnięci! Jak to! Nie może być! To niesprawdzona na pewno wiadomość! Po naszych twarzach, z oczu do oczu, wędrowało przerażenie. Usta rozchylały się w niemych wykrzyknikach. Bo zdążyliśmy już dawno przywyknąć do pojedynczych ataków, do wybuchów pomniejszych, które nasze uszy i oczy odbierały ledwie jako niegroźne race świetlne i fajerwerki szatana. Ale całe miasto?! W dodatku Kraków, gdzie spoczywały prochy monarchów i prezydentów?! Całe miasto za jednym zamachem?! Owszem, podupadł na politycznym znaczeniu, lecz zyskał na szali UNESCO. Wciąż widzieliśmy w nim mit założycielski Polacji. Nie bacząc na protokolarny bieg posiedzenia, kustosz i bracia spowiedolodzy zeszli z krzeseł. Wspólnie utworzyliśmy krąg i zaczęliśmy się modlić za dusze zmarłych. Na miejscach zostali tylko dwaj kapłani z bratem koordynatorem.

– A skoro brat Artur nie może usiedzieć w mieście – ksiądz nie zważał na naszą modlitwę, podniósł nawet głos z wysokości krzesła – skoro klasztoru mu mało, a brat Wojciech dopomaga mu w samowolnych wycieczkach, z woli arcybiskupa wysyłamy ich na miejsce tragedii. To najlepsza pokuta za grzech nieposłuszeństwa. Tam będą mogli się wykazać misyjną posługą. Jedźcie, bracia, a ja was rozgrzeszam w imię Ojca i Syna, i Ducha Świętego. Trzeba uspokoić lud i zawrócić uciekających. Miejscowej władzy należy dopomóc w odbudowaniu wiary. Odpowiednie instrukcje zostały już przygotowane. Brat koordynator prześle je na Archannusa. Wyjazd jutro. To wszystko, możecie wyjść. Niechaj was Bóg prowadzi – zakończył ów dziwny sąd nad naszymi duszami.

Opuściliśmy kapitularz. Nie wiem, co bardziej mnie przygnębiło: nakaz wyjazdu czy niewinne ofiary zamachów. Jeśli prawdą było to, o czym mówił ksiądz, pokój wisiał na włosku, a kolejna wojna – w powietrzu.

Czas komplety spędziliśmy w kaplicy na czuwaniu. Zebrała się cała wspólnota. Dawno już z taką trwogą nie oczekiwaliśmy Wielkiej Nocy. Nie wiedzieliśmy, dlaczego wysłannik podał w wątpliwość zmartwychwstanie Jezusa. Jeśli istnieje nicość, to tylko nicość pustego grobu. Dawno też Sub Tuum Praesidium, antyfona niosąca się z ulicznych głośników, nie napełniła mej duszy tak wielkim przejęciem.

Małgosiu! Córeczko moja! – wołałem w duchu do najdroższej istoty na świecie. Tutaj, w mieście, objęta opieką klarysek, była w miarę bezpieczna, lecz widmo rozłąki stało się boleśnie realne. Serce tłukło się jak chomik w ciasnym kołowrotku. Mało co starłbym w dłoni perłowy kamyk na proch. Dobrze, że nikt o niego nie zapytał. Nie zauważyli? Uznali za mało istotne?

Wróciłem do celi i skryłem się w jej kącie, za łóżkiem. Kamyk położyłem na podłodze. Ogarnął mnie trudny do nazwania lęk. Zacząłem kiwać się w przód i w tył, jakby tknięty sierocą chorobą – tym skarlałym pokłonem samotnych, oddawanym własnej rozpaczy. Gregoriański śpiew wypełniał wieczorną przestrzeń, unosił się nad dachami, spowalniał przyśpieszony dotychczas puls miasta. W jego melodii pustoszały ulice i place. Miejska straż wyganiała z klubów ostatnich gości, w hipermarketach cichły kasy, drony przełączały się na tryb noktowizyjny.

– Domina nostra, Mediatrix nostra, Advocata nostra – śpiewałem cichutko, nie odrywając rąk od twarzy. – Consolatrix nostra. Tuo Filio nos reconcilia, tuo Filio nos commenda, tuo Filio nos repraesenta – przyzywałem Najświętszą Panienkę.

Noc zasuwała czarne wieko nad gasnącą łuną świateł.

ROZDZIAŁ V

Istnieje radykalny odłam sióstr zakonnych, które traktują każdy zapis prawa, każdy jego paragraf, jakby był kolejnym Przykazaniem Bożym. Siostra Zdzisława należała do tego odłamu – przestrzegała regulaminu przedszkola w sposób kompletny, stuprocentowy i gdyby sam Jezus chciał go naruszyć, dostałby chwostem po głowie. Pozornie – zwykła opiekunka przedszkolna, można by rzec: poczciwa starowinka, co to podzieli się swoim pakietem startowym IOD – Internet of Death – i weźmie dla wnuczka kredyt. W rzeczywistości – imam biurokracji! Nieczuły, odmierzający świat precyzyjną pipetą paragrafu. Gdyby Zbawiciel zapragnął na przykład zmartwychwstać dzień wcześniej, siostra Zdzisława sama zaparłaby głaz plecami i strzegła wyjścia. Bo w Ewangelii Świętego Mateusza, w rozdziale dwunastym, werset czterdziesty, jak byk stoi: „Syn Człowieczy będzie trzy dni i trzy noce w sercu ziemi". Powstanie z grobu nie może nastąpić ani wcześniej, ani później. Kropka.

Miałem pecha, że trafiłem akurat na jej dyżur. Wszystko przez zbyt długie pożegnanie z braćmi i kochanymi zwierzątkami. Jeszcze wczoraj ani jedni, ani drudzy mnie nie zauważali, dzisiaj – do rany przyłóż, nie chcieli wypuścić. Były łzy, uściski i zapewnienia o modlitwie, były mruczanda rzewne, stawanie na tylnych łapach, lizanie po policzkach. Za bramą klasztorną usłyszałem przejmujące wycie piesków, a koty pojękiwały donośnie, choć nie z powodów, jakim sprzyja marzec. Aż ludzie zaczęli się oglądać. Ze smutku kilka razy siąknąłem w habit.

Gdybym wcześniej przyszedł do przedszkola, może zastałbym bardziej życzliwą siostrę. Niestety zderzyłem się z siostrą Zdzisławą, więc sytuacja wyglądała beznadziejnie: ja – Syzyf, jej wola niczym wielka, mityczna góra. Wtaczałem więc głaz próśb, lamentów i błagań. Odwoływałem się do najgłębszych pokładów kobiecej empatii, wskazywałem na list, który kierował mnie na krakowską placówkę, zapewniając jednocześnie, że mam zgodę ojca Stefana. I już, już myślałem, że zobaczę aprobatywne skinienie głową, lecz opiekunka powtarzała ten sam gest – dłoń cięła powietrze na wysokości mojej szyi. W jej spojrzeniu pływała zimna makrela.

– Siostro Zdzisławo, może jednak? Na minutkę. Wyjeżdżam i nie wiem, kiedy znowu zobaczę córeczkę. Mogę? – pytałem tonem, w którym uczeń łączył się z petentem.

Była nieugięta. Więcej empatii można spodziewać się po androidzie. Musiałem wtaczać głaz próśb od nowa, ale czas grał na moją korzyść... Bo powolutku, bo coraz wyraźniej w oczach siostry Zdzisławy zaczęło pojawiać się zniecierpliwienie. A jednak! Uczepiłem się go jak orczyka i dalejże zdobywać górę. W końcu mój trud się opłacił. Przedszkolna opiekunka pozwoliła popatrzeć na salę przez elektronicznego judasza. W drodze wyjątku i nie dłużej niż kwadrans.

Przywarłem całym ciałem do ściany i kręciłem manetką, kierując oko wizjera na postać córeczki. Myślałem, że serce mi pęknie. Od razu ją wypatrzyłem wśród wielu dziewczynek, ubranych w identyczne kwieciste sukienki i – podobnie jak inne dziewczynki – siedzącą tyłem do mnie za konsoletą pokręteł. Tworzyła właśnie skomplikowaną matrycę świętego Kunegunda – postać mężczyzny powoli wyłaniała się na monitorze. Moja córa! Tych warkoczyków, tej główki kochanej nie pomyliłbym z żadnym innym dzieckiem. Chłonąłem każdy ruch jej drobnych ramionek i plecków, figlarnych warkoczyków, spiętych żółtymi gumkami. W pewnym momencie nie wytrzymałem – uderzywszy dłonią w ścianę, krzyknąłem:

– Małgosiu. Słoneczko, to ja, tatuś!

Wszystkie główki drgnęły i zwróciły się w stronę drzwi. Małgosi również. Zaraz jednak dzieci wróciły do zajęć.

– Małgosiu! Tatuś musi wyjechać, ale wróci, wróci na pewno! Nie zapominaj o mnie. Perłowy kamyk! Perłowy kamyk! – powołałem się na zdobycz znalezioną przy leśnej kapliczce.

Poczułem mocne szarpnięcie. Cerber w ciele siostry Zdzisławy wyrósł jak spod ziemi. Zaczęła pohukiwać groźnie i miotać spojrzenia w kierunku zegara. Pokazała najpierw jeden palec, a zaraz wszystkie pięć i znów dłoń wykonała kilka ostrych cięć, wypychając mnie ku wyjściu. Nie będę się przecież szarpać z kobietą. Wyszedłem z przedszkola szybciej, niż wszedłem.

Sprawdziły się słowa promotora sprawiedliwości: od rana wszystkie telebimy, billboardy, rzutniki krzyczały o krakowskim zamachu. Z gruzów, ze szkieletów zawalonych domów bez końca wynoszono skrwawione zwłoki – pogruchotane, kanciaste, a czasem lecące przez palce ratowników jak zszarzałe mokre prześcieradła. Jedne z urwaną nogą lub ręką, inne bez głowy – kadłubkowe kształty. Ludzie poruszeni tragedią południowej Polacji przystawali przed ekranami.

Na pasku informacyjnym wyczytałem krótkie zdanie: „Wczorajszej nocy w swoim apartamentowcu zmarł Grzegorz Wojerysta, słynny kreator sztuk medialnych. R.I.P.” Zmówiłem *Ojcze nasz* za duszę samobójcy. Bo że to samobójstwo, byłem pewien na sto procent. Nieszczęśnik. Wreszcie połączył się z zaświatami, udowadniając swym fanom, że rzeczywiste samobójstwo jest jednak możliwe... Informacja o jego śmierci przeszła bez echa – zginęła pod natłokiem newsów o śmierci zwielokrotnionej, liczonej w setkach tysięcy urn.

Dużo, zbyt dużo złych emocji jak na jednego człowieka, jak na jeden poranek. Powietrze zdążyło zgęstnieć, pot spływał po plecach, miałem wrażenie, że słońce wypala mi dziurę w kapturze. Pod przezroczystą taflą pleksbruku, spod kożuszka sztucznego śniegu wyrastały pierwsze krokusy – znak, że nadchodziła wiosna. Ich widok działał kojąco. W gruncie rzeczy tutaj, w mieście, tylko po pleksbruku dawało się rozpoznać dawne pory roku. Żeby mieszkańcy nie zapomnieli o zegarze natury, Miejski Zarząd Utylizacji i Aury uprawiał w tym połączeniu chodnika i szklarni rośliny typowe dla kolejnych sezonów. Krokusy i przebiśniegi pojawiały się wiosną. Stokrotki i bratki ze wspinającymi się po łodyżkach biedronkami dawały sygnał letnim miesiącom. Jesienią chodnik mienił się kolorami wrzosów, chryzantem i aksamitek. Pod pleksbrukiem zachodziły dynamiczne procesy, w przeciwieństwie do statycznych zawiesin nieba: tylko słońce i słońce, zszarzały błękit, tu i ówdzie kilka zagubionych obłoczków, które nijak nie mogły połączyć się w jednego chociaż cumulonimbusa. Od dawna prognozy były przewidywalne i nudne. Pogodynki robiły, co mogły – na opisanie słonecznej aury znajdowały tysiące zniuansowanych porównań i metafor. Barokowe poematy powstawały zwłaszcza, gdy temperatura przekraczała czterdzieści stopni.

Stąpając po rozkwitających krokusach, mocno spocony i zgarbiony tęsknotą za córką, dotarłem pod katedrę. Czekali już tylko na mnie, co odgadłem po ponaglających gestach kierowcy – ryżego kościstego klaretyna. Wsiadłem do gazobusa. Zakonnik mocnym pchnięciem zasunął za mną drzwi. Ten łoskot zapamiętam do końca życia – jakby dotychczasowy świat zatrzasnął się nieodwołalnie, jakby zamknął się ostatni rozdział mojego życia w Olsztynie. Ruszyliśmy na lotnisko.

W pojeździe, poza mną i bratem Wojciechem, były jeszcze trzy osoby duchowne. Cysters, pochłonięty jakimiś rachunkami w noteboxie, jezuita, który drzemał lub oddawał się kontemplacji, oraz znany mi już ksiądz z bliznowcem. Byłem zaskoczony jego obecnością. Rzadkie to zjawisko, gdy promotor sprawiedliwości bierze na siebie misyjną karę wraz ze skazanym. Dzisiaj zamiast garnituru przywdział prostą, znoszoną sutannę.

Gazobus pędził w szczelnym szpalerze katastroficznych obrazów, pośród panoramicznej apokalipsy wyświetlanej w high definition. Nasze twarze odbijały transmisję śmierci. Jak mówił promotor: kamień na kamieniu nie pozostał. Tylko długie warkocze czarnego dymu, jakże różne od warkoczyków mojej Małgosi, tworzyły liny, po których dusze uciekały do nieba.

Klaretyn zawiózł nas prosto na płytę lotniska. Zbliżając się do kolejnych bram terminala, przytykał do szyby jakiś glejt – szlabany natychmiast dawały wolną drogę. Byliśmy piątką misyjną, ratunkową, więc w tak dramatycznej chwili – piątką VIP-owską. Na płycie stał tylko jeden samolot, inne pochowały skrzydła w hangarach. Jedynie od czasu do czasu nieboskłon przecinała turkusowa strzała: wojskowy G-12. Po niebie rozszedł się donośny grzmot.

Czekał na nas pasażerski Sky Whale – przezroczysta tuba o zagiętych skrzydłach, rzeczywiście podobna do wieloryba, któremu technologiczna ewolucja powiększyła płetwy poziome. Schodkami weszliśmy na pokład niczym nieświadomi swego losu Jonasze. Nie pozwolono nam zabrać nawet parafernaliów. Podobno wszystko, co niezbędne do życia, czekało już w Krakowie. Poza tym, jak obwieszczał mail w Archannusie, nie mogliśmy kłuć żadnymi dobrami w oczy ludzi, którym wszystko zabrały bomby.

Nie miałem dość siły, by odwrócić się w drzwiach samolotu i ostatni raz spojrzeć na moje ukochane miasto. Za godzinę, góra półtorej będę już daleko od niego, daleko od mojej córeczki. Kiedy ją znowu zobaczę? Kiedy ucałuję, przytulę do piersi? Nie wiedziałem. Podobnie jak nie wiedziałem, i chyba już nigdy się nie dowiem, do kogo należał tupot sandałów, gdy szliśmy krużgankiem z bratem Wojciechem. Donosiciel mógł czuć się bezpiecznie. Niechaj Bóg mu wybaczy.

Powitała nas blond stewardessa. Usiedliśmy z bratem Wojciechem obok siebie, reszta zajęła oddzielne miejsca. W zagłówkach siedzeń przed nami małe monitory wyświetlały niezwykle popularny serial *Białe skrzydła odwagi*. Sky Whale zaczął kołować na pas startowy, a stewardessa zaświergotała sztucznym narzeczem marketingowca:

– Witam na pokładzie Sky Whale'a 333, należącego do linii lotniczych Air Papa. Jest wtorek 4 marca 2092 roku. Rozpoczynamy procedurę startu specjalnego lotu 001 z Olsztyna do Krakowa. Korzystamy z klimatyzacji firmy FreshWind. Utrzymuje się wyż pogodowy, więc na pokładzie proponujemy nawadniać organizm sokiem lub winem. Jak wszystkim wiadomo, Jezus rozmnożył wino w Kanie Galilejskiej i wielce je sobie cenił. A jeśli wino, to tylko Imperial Vin w promocyjnych cenach. – Dygnęła nóżką i rozdała nam próbki napoju. Swoją oddałem natychmiast bratu Wojciechowi. Następnie, językiem migowo-słownym, stewardessa zaprezentowała możliwe sposoby ratunku na wypadek katastrofy lotniczej. Całość wywodu zwieńczyła szerokim uśmiechem bielutkich implantów. Sprawdziwszy, czy mamy dobrze zapięte pasy, zniknęła za granatową zasłonką.

Pospieszyliśmy z Litanią loretańską w intencji bezpiecznego lotu. Wciąż mówiło się o tym, że obcy – pochowani w lasach i bagiennych ostępach – notorycznie urządzają sobie polowania: strzelają do samolotów jak do kaczek. I wcale nie śrutem. Tylko ksiądz z bliznowcem nie odmawiał litanii. Zatopił się w lekturze e-booka, jego długie i białe, jakby wymoczone w mleku palce muskały krawędź łokietnika.

Wieloryb ruszył ostro po pasie i po chwili uniósł się lekko, tym razem przecząc swej nazwie. Poczułem ostry ból w uszach, które zaraz się zatkały. Jakbym wypchał je sobie watą.

Przezroczysty brzuch samolotu czynił ziemię widzialną. Mało tego, szklana podłoga miała właściwości powiększające. Odwróciliśmy wzrok od monitorów i podciągnąwszy nieco sutanny, między rozchylonymi szeroko nogami podziwialiśmy krajobrazy. Olsztyn, niczym pobłyskująca tafelka paznokcia, zniknął z pola widzenia. Pojawiły się jeziora, gęste gobeliny zbrązowiałych lasów, piaskowe liszaje pagórowatych pól i – gdzieniegdzie – opuszczone wioski i małe miasteczka, w których człowieka ze świecą szukać. Powiększająca ziemię podłoga dawała szczegółowy obraz. My oczywiście wypatrywaliśmy kształtu, który przypominałby rakietowy wyrzutnik. Aby dodać sobie odwagi, brat Wojciech skorzystał z mocy imperiala. Mnie aż skręciło! Jednak przemogłem pokusę.

Krajobraz spłaszczył się, lecieliśmy już nad Mazowszem. W przejściu pojawiła się stewardessa. Nie można było oderwać oczu od jej implantów:

– Szanowni pasażerowie, zbliżamy się do Warszawy. Przed I wojną włoską, czyli do roku 2032, Warszawa była stolicą Polski – potoczyście wypowiadane zdania zdradzały po wielekroć powtarzaną prezentację. – Obecnie Warszawa ma status powiatu. Jej ludność szacuje się na pięćdziesiąt tysięcy. Temperatura w mieście wynosi trzydzieści cztery stopnie i rośnie. Zapraszam do podziwiania muzealnych walorów dawnej metropolii. Jeśli ktoś z państwa chciałby skorzystać z wycieczki do Warszawy, firma Eliasz-Holiday Travel oferuje atrakcyjne zniżki w ofercie all inclusive, specjalną mszę świętą z arcybiskupem oraz najwyższej klasy przewodników – wyrecytowała i znowu skryła się za zasłonką.

Po *Białych skrzydłach odwagi* pojawił się sponsorowany reportaż o botoksowaniu ciał świętych, która to technika zastąpiła dawne balsamowanie. My wciąż pochylaliśmy głowy. Boże mój... Gdzieś na dnie pamięci skrywałem wspomnienia lat świetności Warszawy. Jej niepowstrzymaną, urbanistyczną żarłoczność i neoliberalne szaleństwo pod koniec XX wieku, jej krnąbrny gen chaosu, który skutkował niepowtarzalnym rodzajem architektonicznego palimpsestu. Jeśli miasta cierpią na podobne do ludzkich choroby, to Warszawę trapił w tamtych czasach zespół Aspergera, objawiający się osobliwym rodzajem autystycznej ekscentryczności.

Dzisiaj dawna stolica była rozcięta na pół szarawą pręgą po wyschniętej Wiśle i sprawiała niemiłe wrażenie miasta widma. Gdzieniegdzie można było dostrzec jakąś zagubioną wśród ulic wycieczkę z przewodnikiem na przedzie. Ulicami sunęły pojedyncze meleksy – niezdarnie powolne żuki z dwoma, trzema turystami. Tu i ówdzie tłukły się grupy rekonstrukcyjne, choć ich liczba była większa od zebranych widzów. Miasto muzeum, miasto skansem, miasto-cmentarz. Kikuty krzyży i obelisków wygrażały niebu jak małe, poczerniałe piąstki. Nawet z tysiąca metrów nad ziemią dawało się dostrzec muzealne barierki okalające Zamek Królewski, kurhany powstańczych przyczółków, egzekucyjne place z kaskadami podświetlanej krwi, taśmy znaczące teren getta sprzed prawie dwóch wieków. Wieczny, niezniszczalny Pałac Wiary i Nauki przyozdobiony był czarnym, powiewającym kirem. Każdy budynek posiadał ogromne tablice wotywne, na każdym skrzyżowaniu stał pomnik z wieloma rzędami ław i klęczników. Dwie, trzy ludzkie mrówki składały pod nimi kwiaty. I wszędzie budki z biletowymi kasami, mnóstwo biletowych kas.

Nekropolia uciekła nam spod nóg. Niewiele było do oglądania. Dominował krajobraz ścierniska, w którym Radom i Kielce zdały się zgarniętymi w kupkę kamyczkami. Choć nie, moją uwagę przykuła na moment łaciata łódeczka – krowa. Nie wiadomo, skąd się tam wzięła. W pobliżu nie było widać żadnej wsi ani gospodarstwa. Stała w szczerym polu, strasznie zabiedzona niczym wypluty przez ewolucję kościsty dinozaur. Nie miała siły się ruszyć. Pochylała łeb, szukając choćby źdźbła świeżej trawy. Przejęła mnie samotność zwierzęcia, jego nieme, beznadziejne trwanie pośród rdzawych wysuszonych pól.

Płetwoskrzydły wieloryb parł prosto w słońce, zbliżaliśmy się do Krakowa. Ziemia zaczęła układać się w plisy i fałdy, znaczone serpentynami dróg i coraz liczniejszymi wioskami. W korycie Wisły pojawiła się woda. Między piaszczystymi mierzejami rzeka wiła się powoli. Im dalej na południe, tym było jej więcej.

Monitory zgasły. W podsufitce zapaliła się kontrolka pasów i rozbrzmiał dźwięk gongu. Ten, wedle prawideł przyczyny i skutku, wywołał zza zasłonki blond stewardessę.

– Szanowni podróżni, zbliżamy się Krakowa. W mieście temperatura wynosi czterdzieści dwa stopnie. W naszej ofercie znajdą państwo parasolki, sandały, wonne olejki ułatwiające oddychanie i okulary przeciwsłoneczne. Zważywszy na niedogodności związane z wczorajszym incydentem – przy słowie „niedogodności" nawet brew jej nie drgnęła – port w Balicach jest chwilo nieczynny. Pilot skieruje maszynę na rezerwowe pole niedaleko lotniska. Dziękujemy za skorzystanie z usług linii lotniczych Air Papa. Życzymy miłego pobytu w grodzie Kraka. Niech was Bóg błogosławi!

Szturchnąłem brata Wojciecha i zaraz się przeżegnałem. Profesjonalizm stewardessy był bardzo zwodniczy. Kolorystka gawędziarka! Pod stopami pojawiła się rozległa, ceglasta rana. Kraków praktycznie zniknął z powierzchni ziemi. Miasto przypominało dymiący wulkan, który lada moment wyrzuci z siebie lawę. Drapacze chmur, anteny multimedialne, wieże katedr, w tym wieża kościoła Mariackiego, dotychczas biegłe w podniebnych eksploracjach, spłaszczyły się aż do fundamentów, jakby ktoś przeciągnął po nich żelazkiem. Ktoś?... Sprawcy piekła rozpętanego na ziemi byli doskonale znani. Wisła wiła się brunatnym łamańcem i znaczyła miasto słabo czytelnym inicjałem „W". Od północnej strony było widać wyciekające strumyki pojazdów i ludzi. W okienkach samolotu pojawiły się G12. Wieloryb okrążył z eskortą miasto, zniżył lot. Znowu poczułem ostry, nieprzyjemny ból, jakby ktoś drapał mi w uszach gwoździem. Wchłonęła nas chmura popiołu, podłoga pociemniała, owalne okienka zaszły czarną mgłą. W oczach brata Wojciecha odbijała się moja własna groza. Wstępowaliśmy do piekieł.

Sky Whale wylądował bezpiecznie na rżysku przykrytym grubą warstwą pyłu. Podziękowaliśmy Bogu i pilotowi, po czym – czyniąc kolejno znak krzyża nad jasnym czółkiem przeszczęśliwej blond stewardessy – opuściliśmy pokład. Jedynie ksiądz z blizną potraktował ją jak zwykłego androida na usługach kościelnych linii lotniczych. Powietrze na zewnątrz tężało od dymu, gorąca i niepokojącego swądu. Powitały nas syreny ratowniczych poduszkowców. Ich dźwięki niosły się od strony miasta, a raczej tego, co po nim zostało. Ucałowaliśmy spopielałą ziemię, która miała smak zwietrzałego pieprzu. Ksiądz bliznowiec nie raczył nawet przyklęknąć. Trzymał się na boku i sprawiał wrażenie nieobecnego. Z szarej mgły wyłonił się brat klaretyn o nieco końskiej głowie. Nie do końca panował nad własną sylwetką, choć nieporadność chodu zdradzała poczciwość duszy.

– Niech będzie pochwalony Jezus Chrystus! Witam czcigodnych gości z Północy. Myślałem, że nie zdążę, tyle dzisiaj pracy, tyle nieszczęścia. Nie wiemy nawet, czy zawracać żywych do miasta, czy przeciwnie: pomagać w ewakuacji. Zarządzenia są sprzeczne. Raz tak, zaraz inaczej. – Załamał ręce, by zaraz kolejno ściskać nam dłonie, pochylając zbyt dużą, zbyt ciężką głowę. – Zapraszam, zapraszam, auto już czeka. – Szerokim gestem wskazał na diecezjalnego meleksa.

Dopiero teraz spostrzegłem pojazd.

Przede mną otworzyła się piekielna brama, w którą wkroczyłem, myśląc za Dantem: Lasciate ogni speranza voi ch'entrate. Od strony miasta nadleciały dwa rozdygotane drony. Trzasnęły fleszami sztucznych źrenic i zaczęły krążyć złowieszczo nad naszymi głowami.

ROZDZIAŁ VI

Kilka chwil przed deszczem noc ma smak wilgotnego popiołu. Jej język obdarza mnie gorzkimi pocałunkami, wnika do podniebienia i drapie w gardle. Przyprawia o zawrót głowy. Jestem otępiały. Przy życiu trzyma mnie myśl o Małgosi i perłowym kamyku. Córeczka na pewno już śpi. Najważniejsze, że jest daleko stąd. Pożyczona od braci franciszkanów latarka skąpo rozświetla drogę. Panuje ciemność, koślawe i ostre kontury zburzonych domów ledwie odznaczają się na czarnym tle, jakby wycięte nożyczkami szaleńca.

Jeśli spadnie długo oczekiwany deszcz, będzie to pierwszy cud od chwili katastrofy. Boże miłosierny, niechaj on spłynie na ziemię, niechaj oczyści z nieszczęścia i śmierci tę dolinę Jozafata. Niechaj rozstąpi się niebo, by w kroplach czystej wody rozpuścić krew i wszystkie niewinnie wylane łzy.

Pośród ciemności, w których trudno odróżnić ocalałe budynki od ruin, zmarłych od konających, przypominam sobie list mojego rzymskiego przyjaciela Giorgia Manganellego. Pisał mi na Archanusie: „Tymczasem wszędzie życie staje się niepewne, grożą nam wojny. W perspektywie szykują się nowi umarli, a ziemia staje się miękka w oczekiwaniu na mogiły". To był jeden z jego ostatnich maili. Dwa tygodnie później wybuchła I wojna włoska, a czcigodny Giorgio przepadł bez wieści. Na próżno słałem kolejne prośby, by się odezwał, dał znak, że żyje. Nasi wspólni znajomi nie byli pewni jego losu. Jedni donosili ze smutkiem, że zginął męczeńską śmiercią, drudzy spekulowali, że być może trafił do obozu. Byli i tacy, którzy ponoć na własne oczy widzieli, jak ruszył ostatnim ewakuacyjnym transportem na północ. Aż w końcu przyszło ostateczne wyjaśnienie nadesłane z jego skrzynki mailowej, choć nie on był autorem wiadomości. Ktoś informował niezgrabną angielszczyzną, że niewierny zginął na chwałę Allaha, tak jak i my wszyscy zginiemy niebawem. Kasując adres Manganellego, czułem, jakbym wyprawiał mu pogrzeb i składał go do urny. Boże, zachowaj tę piękną duszę w wiecznej szczęśliwości.

„Tymczasem wszędzie życie staje się niepewne..." Tutaj, nad Wisłą, słowa przyjaciela, człowieka o wielkiej mądrości, spełniły się niczym ponure proroctwo. Umarli nadeszli. Wypełnili domy, ulice i place niczym nowi mieszkańcy miasta. Pomimo upałów ziemia jest wilgotna i tłusta. Raz wybrzusza się, odsłaniając miękkie skiby czarnego sromu, raz zapada się do wewnątrz. Jakby zachęcała, by zapłodnić ją ludzkimi zwłokami, informowała, że gotowa jest przyjąć każdego, dawała znaki, że chce być ciężarna wszechobecną śmiercią.

Po raz pierwszy od wielu lat doniesienia medialne nie były wyolbrzymione. Można nawet uznać, że informacje podawano dość oględnie, oszczędzając odbiorcom wieści o prawdziwych rozmiarach tragedii. Seria ataków zmiotła miasto z powierzchni ziemi. Promotorzy sprawiedliwości nie kłamali: Stare Miasto legło w gruzach, podobnie Kazimierz i Podgórze. Żywioł zniszczenia sięgał jeszcze dalej: od Prądnika, przez Dębniki, aż po najdalsze noclegownie miasta. Bomba atomowa zrobiłaby niewiele większe spustoszenie. To nie była już jedna czy druga stacja metra, slow-gospoda, przedszkole z dziećmi posłane do nieba czy kilkudziesięciu zabitych w kościele – mantra codzienna mediów, do której zdążyliśmy przywyknąć. Terroryści eksterminowali całe miasto. Kraków stał się mogiłą. Nie mogliśmy oczom uwierzyć... jakby Pan nasz otworzył czeluści i wypełnił zapowiedź Apokalipsy Świętego Jana.

– Nie ma już mojego kochanego Krakowa... Nawet Nowa Huta jest pieśnią przeszłości – klaretyn relacjonował ze smutkiem. – Sprawców nie ujęto, lokalna policja robi, co może. Prezydent miasta jest bezpieczny. Wyjechał do stolicy, do was, na północ, bracia czcigodni. Cała Polacja łączy się z nami w bólu i śle pomoc. I to jest piękne, że w hiobowej godzinie nie zostawiliście nas samych. – Pokiwał głową znad kierownicy meleksa.

Zaraz jednak jego czoło ściągnęła zmarszczka niepokoju.

– Musicie wiedzieć, że mamy tu takich jednych. Katolickie jastrzębie z partii Bóg Honor Polacja. Podgrzewają i tak już wielkie emocje. Nawołują do wojny. Podobno wysłali kogoś do Watykanu z prośbą, by papież wstrzymał się z orędziem pokoju. Na razie jest czas pochówków i żałoby, ale co jeszcze wymyśli BHP, gdy łzy obeschną?... – zakonnik był szczere zatroskany. – W Bogu Jedynym nadzieja, że arcybiskup Krystek będzie w stanie ich powstrzymać.

Przyjęliśmy jego rewelacje z dużym zdziwieniem. Tylko ksiądz z blizną – jak zauważyłem – nie dał po sobie niczego poznać. Z opowieści klaretyna wyłaniał się osobliwy archaizm, ponieważ w Olsztynie i w całej północnej Polacji wszystkie radykalnie partie dawno zostały wchłonięte przez ortodoksyjne ruchy społeczne i znajdowały się pod kontrolą kurii. Politycy tworzyli jedną z wielu grup, podobną do kół różańcowych i wspólnot w duchu świętego Bosko. Raz na cztery lata uczestniczyliśmy w ich wyborczej zabawie, by wyłonić federacyjny i – realnie rzecz oceniając – marionetkowy rząd.

Duchowieństwo, a zwłaszcza hierarchowie, przejęło polityczny sztafaż i stało się reprezentacją obywateli. Było zróżnicowane wewnętrznie oraz odziedziczyło cechy właściwie ludziom władzy i ludziom do władzy dążącym. Po zniesieniu celibatu upolitycznienie tej grupy społecznej stało się jeszcze wyraźniejsze. Duchowni mogli nie tylko dawać upust namiętnościom, ale też otwarcie odpierali zarzuty, że nic nie wiedzą o życiu, sprawach damsko-męskich i heteronormach. Sakrament kapłaństwa stał się sakramentem pełnego uczestnictwa w życiu doczesnym.

Wiele zakonów, z akwinistami i augustianami na czele, brało udział w ziemskim rządzie dusz. Zawiązywały się koalicje, dochodziło do sojuszy, wiadomo było, które parafie są bardziej na prawo, które na lewo, a które chcą pozostawać bezpiecznie w centrum. O co toczyła się gra? O zbawienie! – odpowiadał byle alumn pierwszego roku seminarium i łypał szelmowskim okiem. Jak za dawnych czasów bycie księdzem oznaczało szybki, a przede wszystkim stabilny awans społeczny. Na jedno miejsce w seminarium było dziesięciu chętnych. Kler miał tę przewagę nad politykami, że grając na podobnych emocjach, nie obiecywał gruszek na wierzbie. Obiecywał coś o wiele więcej, ponieważ dysponował najlepszym programem wyborczym: religią i cmentarzem – znał odpowiedzi na pytania o śmierć. Poza tym oferował przeżycia graniczne tym wszystkim, którzy ich nie doświadczali. A w świecie nakręconej do granic możliwości konsumpcji przeżycia graniczne, którym towarzyszyła transcendentna wykładnia świata, stanowiły olbrzymią wartość. Transcendencji nie udało się „uziemić", jak chcieli tego dawniejsi szarlatani.

Świeckość, rozdział państwa od Kościoła, wybory, samorząd to były wyłącznie butaforia starego theatrum – demokracji. Coś jak święcenie jajek na Wielkanoc albo chodzenie z turoniem po domach. Raz na cztery lata mieszkańcy uczestniczyli w wyborach, traktując je jako dość infantylny happening. Tradycja – rzecz święta, jednak nikt nie czerpał z niej szczególnej podniety. No, ale co miasto, to obyczaj. Możliwe, że w Krakowie panują inne, zapóźnione praktyki. Polacja jest przecież luźną federacją miast o autonomicznej polityce. Łączy je wyłącznie kilka umów o handlu, wspólnej religii, jednym języku, godle, kalendarzu. I oczywiście walutę mamy wspólną – palcówkę. Jej nazwa odsyła do wspólnej ojczyzny oraz do dwóch wielkich cnót kapitału – obrotu i kumulacji. Jednak to wszystko. Pogański kult indywidualizmu, asymilowany cierpliwie przez Kościół, zawładnął również miastami. Roiły sobie, że stworzą samowystarczalne, kompleksowe światy na wzór greckich polis. Niezwykle ekspansywna idea metropolii stworzyła sieć autonomicznych ośrodków, pomniejsze miasta wymarły.

Długo kluczyliśmy ulicami, omijając wielkie kopy gruzu i zrujnowane kamienice. Panował niewielki ruch, policzyłem ledwie kilka diecezjalnych meleksów i policyjnych poduszkowców, które pędziły na sygnale nie wiadomo gdzie. Wreszcie stanęliśmy przed polową rezydencją arcybiskupa Krystka. Mieściła się w zachodniej części miasta, w ocalałym budynku Akademii Górniczo-Hutnicznej z pomnikiem świętego Barbara na dachu. Słynny na cały świat adres: Franciszkańska 3, był już nieaktualny. Plastinat świętego Jana Pawła, ten, który stał w oknie i strzegł Polacji, zmienił się w kupkę popiołu. W trybie pilnym powołana ekipa specjalistów próbuje oddzielić ją od gruzu i pyłu. Klaretyn prawie płakał, gdy o tym mówił. Dawna kuria została zmieciona z powierzchni ziemi przez terrorystów, podobnie jak reszta Starego Miasta.

Po smutnej, wypełnionej modlitwą audiencji u arcybiskupa razem z bratem Wojciechem dołączyłem do konwentualnych. Wysłano nas w okolice Dworca Głównego, gdzie zostaliśmy przydzieleni do grup ratunkowych. Cysters, ksiądz z blizną i jezuita udali się na oddzielną odprawę z tutejszymi biskupami.

Noc zdaje się nie mieć końca. Idę wyrwą ulicy Floriańskiej, ręka wprawia światło latarki w nerwowy pląs. Wokół roztacza się księżycowy krajobraz – ogromne gruzowisko. Chaos i strach. Chaos i rozbebeszone trzewia materii, które trawią nieodnalezione jeszcze ciała ofiar. Potykam się o nierówności, omijam płaty ścian, zapadnięte mieszkania, przechodzę przez roztrzaskane plazmy i kładki balkonów. Wielkie garby dachów wystają z ziemi, tworząc złudzenie, że kamienice skryły się w jej wnętrzu. Światło latarki oblizuje dziecięcy bucik, zaplątany w otwartej żyle światłowodu – nie tędy, byle nie tędy!... Fale gorąca uderzają do głowy. Wiatr przegania kilka zeszłorocznych liści. Są podobne do małych brunatnych myszek. Helikopter prześlizguje się z metalicznym łoskotem przez niebo, jego reflektory wbijają w ziemię grube, świetliste pale. Gdzieś niedaleko – po prawej, nie, chyba bardziej na lewo – rozlega się wycie... Może to konający w męczarniach pies? Może inne zwierzę?... Lepiej wyłączyć latarkę, zatkać uszy, bo w każdej chwili można usłyszeć jęk, zagłuszone wołanie, parzący krzyk. Można natknąć się na zetlały kawałek ciała. Najgorsze są gałki oczne wyłupione z oczodołów, dyndające na nerwach. Przypominają kieszonkowe zegarki na łańcuszkach, w których zatrzymał się czas. To nie do ogarnięcia, nie do wytrzymania... Fili Dei, miserere mei peccatoris!... Wszyscy będziemy potępieni, nikt nie dostąpi zbawienia.

Cały dzień pracowałem przy zwłokach. Jak pies chodziłem za ratownikami, pomagałem wyciągać ciała i chować je do plastikowych worków. Dron przysiadł na jedynej w pobliżu ocalałej lampie i rejestrował zbieranie szczątków. Nad nami krążyły wojskowe helikoptery, a potężne transportowe samoloty z pomocą humanitarną osiadały jeden za drugim zaraz za miastem. Odmawiałem koronkę za zmarłych, czekając, aż zjawią się grabarze, i prosiłem Boga, by zesłał im rajskie przebudzenie. Ich skóra była chłodna, lepka i miękka jednocześnie. Z początku myślałem, że nie dam rady i że zaraz sparaliżuje mnie czkawka. Jednak zwłoki nie wzbudzały odrazy ani przerażenia. Najtrudniej było pierwszy raz zamknąć nieboszczykowi oczy. Jakbym w krótkim i delikatnym muśnięciu powiek zaprzeczał nieskończoności, jakbym nieodwołalnie zamykał część świata. Później było już lżej, choć wciąż towarzyszyło mi to dziwne poczucie. Zmarli opatuleni w balsamiczną ciszę, przez którą nie przedrze się nikt ze świata żywych, wywoływali we mnie ogromną czułość. Zacząłem traktować ich jak rodzonych braci i siostry. Głaskałem włosy i dłonie, szeptałem do uszu słowa modlitw, zapewniając, że jeszcze dzisiaj ich udręczone dusze cieszyć się będą wiekuistym życiem. Gdy ratownicy wynieśli spod gruzów małą dziewczynkę, obtarłem jej jasną twarz z drobin gruzu i długo tuliłem do piersi. Opowiedziałem dziecku o świętym Franciszku, zaśpiewałem kołysankę. Niewiele więcej mogłem... Musiała mieć tyle lat co moja Małgosia. Jeśli nadejdzie dzień Sądu Ostatecznego, nie Bóg będzie nas sądzić. Sądzić nas będą małe dzieci.

Nastał wieczór, po nim nadeszła noc, dron odleciał. Odnajdywano kolejne ciała i kolejne, i kolejne. Moje dłonie przesiąkły trupim zapachem, habit spłowiał od pyłu. Zapaliły się nieliczne lampy i latarki. W ich rozkołysanym świetle świat wydawał się jeszcze bardziej upiorny, nieprawdopodobny. Przydzielony do grupy ratunkowej z kilkoma innymi franciszkanami pracowałem sumiennie, lecz dochodziłem do wniosku, że trzeba prosić Boga, by przepisał na nowo dzieło stworzenia. Świat, jaki dotychczas znałem, tutaj nie istniał.

Krakowscy bracia konwentualni przyjęli nas bardzo serdecznie. Po skończonej pracy zaprosili do stołu zrobionego naprędce z jakichś drzwi i ułożonych na zawalonej kolumnie. Brakowało wody, a za kolację musiały wystarczyć sucharki. Podziękowałem, bo choć od przyjazdu z lotniska nic nie jadłem, to i tak jedzenie nie przeszłoby mi przez usta. Przepijaliśmy przygnębienie winem prosto z flaszy, którym uraczył nas tutejszy gwardian ojciec Karol. Człowiek stodoła, o wielkiej figurze przywodzącej na myśl Samsona, nie mniejszej duszy i gęstej posrebrzanej czuprynie niczym anielskie włosie, którym w dzieciństwie przystrajałem bożonarodzeniowe drzewko. Gwardian nie wylewał za kaptur, w Kanie Galilejskiej czułby się jak u siebie.

– Bracia nasi! Nasi bracia kochani! Ze świętej Warmii. Czym chata bogata. Nie mam was czym nakarmić, tylko winem. Sam Franciszek na pewno nie wzgardziłby w tak dramatycznym momencie. Przyłączyłby się do nas, by ciało wzmocnić, by duszę pokrzepić, a krzepy nam trzeba, trzeba wzmocnienia jak nigdy wcześniej – objaśnił, wydłubując korek małym scyzorykiem.

Brata Wojciecha nie trzeba było namawiać. Aż mu się uniosła ta wielka warga, odsłaniając nie mniej dorodne dzieło dentysty plastyka. Niestety i ja długo się nie opierałem. Moja asertywność spadła do zera. Za bardzo byłem przygnębiony widokiem ofiar, wonią spalonych ciał, buchających wnętrzności miasta. Po pierwszym łyczku zaszumiało mi w głowie – poczułem, jakby źródło wyschniętej przed laty rzeki znowu wybiło. Flaszka wędrowała między ustami braci niczym cyborium.

Gdy moja rzeka zmieniła się w wewnętrzne jezioro, a gwardian wyjął spod czarnej tuniki drugą flaszę – równie pękatą, przezornie postanowiłem opuścić braci. Przeczuwałem – choć Bóg mi świadkiem, bardzo chciałbym się mylić – że po wspólnych modlitwach za zmarłych, po zwodniczo długich pauzach zadumy nastąpi zwyczajowa dysputa nad tym, kto z franciszkańskiej rodziny sięga głębiej do korzeni ubóstwa i pierwotnych zasad reguły. Konwentualni? Kapucyni? A może minoryci? I czy Bonawenturę z Bagnoregio należy traktować jak mistrza równego świętemu Franciszkowi? Czy uznać go wyłącznie za jego ucznia, który w *Apologia pauperum* wystąpił przeciwko calumniatorom i odnowił regułę zakonu, gdy braciom aetatis mediae zanadto spasły się brzuchy? Jedno nie podlegało dyskusji: grzeszyliśmy pychą wielkiej pokory. Jeden z konwentualnych, brat Hiacynt (jego imię zapadło mi w pamięć, bo moja świętej pamięci matka uwielbiała hiacynty) o pomarszczonej jak łupina ziemnego orzeszka twarzy, wytłumaczył szczegółowo, jak dojść do punktu noclegowego.

Pobłądziłem po kilkudziesięciu metrach. Trafiłem do miejsca, gdzie chyba stał kościół Mariacki. Tak wywnioskowałem po znalezionej trąbce. Wtem – wszelki duch Pana Boga chwali! – po prawej, całkiem niedaleko, zamajaczył niebieskawy ognik. Zaraz też rozległo się charakterystyczne pstryknięcie, po nim – strzał flesza. Podszedłem bliżej, kierując latarkę na pochyloną postać. W poświacie tabletu ujrzałem twarz kobiety. Miała ostre rysy, prawie trupią cerę, duże oczy podkreślał mocny czarny makijaż. Szyję owijało białe płótno. Kontrastowało z czarnymi włosami i umalowaną twarzą. Nie wiem dlaczego, ale przyszło mi na myśl, że takim materiałem owija się ciała zmarłych. Targnął mną dreszcz makabry. Nieznajoma wyglądała przerażająco. Jak zjawa, jak istota nie z tego świata. Celowała tabletem w coś leżącego na ziemi. Chciałem uciec, lecz wstrzymały mnie jej słowa:

– To już dwudziesty dzisiaj – oznajmiła, nie odwracając się w moją stronę. – Jak to wy lubicie mówić, niebiosa zaraz zapłaczą.

– Niech będzie pochwalony... – Stanąłem obok gotowy w razie czego ją przekląć. Różaniec trzymałem w pogotowiu.

– Mógłbyś sobie darować, staruszku – fuknęła. – Jestem odporna. Lepiej przyjrzyj się dobrze.

Na ziemi leżał ptak – małe truchło ze złączonym skrzydełkami. Kobieta zrobiła jeszcze jedno zdjęcie i przykucnęła nad martwym stworzeniem.

– Jaskółka – wyszeptała z czułością, poprawiając materiał na szyi. – To jakiś znak? Jaki? Od kogo? Od czyjego Boga? – zaczęła udawać szczere przejęcie, choć w jej głosie wyczułem kpinę. Otwartą dłonią musnęła ptasie skrzydło. – No, proszę, niech brat ukoi mnie bajką o niezbadanych wyrokach, o niezmierzonym miłosierdziu, nieskończonej łasce itepe, itede. W tym zawsze byliście dobrzy i tacy żałośni. Uszy mam zapaskudzone waszymi kłamstwami! – Odwróciła się do mnie. Białą twarz ściął grymas szyderstwa.

– Proszę się nie złościć. Nie znajduję żadnego słowa pocieszenia. Nie umiem... – wyznałem pokornie.

– To zrzuć habit i bądź człowiekiem, drzewem, jaskółką. A jeśli nie możesz, przyłącz się do zmarłych. Nic innego nie pozostało, maro w szatach kościelnych. Znajdziesz w sobie tyle odwagi? – w jej pytaniu tkwiła pogarda.

Jeśli ktoś był tutaj marą, to prędzej ona. W obliczu wszechobecnej śmierci sumienie nakazywało zachowywać się powściągliwie. Dawno nie spotkałem tak hardej, bezczelnej kobiety. Miała niewyparzony język, którym władała dość lekko – chlastała mnie bez ceregieli raz niczym witką, raz niczym cepem. Nie żebym zabraniał jej tych gorzkich, bliskich prawdy wymówek, ale w moim mieście trudno było sobie wyobrazić taką bezczelność. Wystarczyłoby jedno słowo do Komisji Porządku i Czystości Ról. Lepsze od niej wyznawały skruchę.

– Kim jesteś, córko? To znaczy, kim pani jest? – poprawiłem się, chcąc jak najszybciej zmienić temat.

– A ty, pijaczyno zakonna?

Chyba wyczuła wino, więc zaraz zdusiłem oddech. Kobieta przybliżyła tablet do mojej twarzy i palcem zaczęła przesuwać kolejne zdjęcia.

– O, zobacz: gołębie, wróble, mazurki. Jerzyki, sójki, kawki, sroki. Całkiem spory zbiór martwej natury. Nie nadążam z robieniem zdjęć, dokumentuję zbrodnie. A to dopiero początek. Gdy umierają ptaki, umiera świat. Ależ piękny bon mocik, co? Przeklęta jest ziemia, która zamiast ptactwu, dronom wije gniazda. Możesz dać im ostatnie namaszczenie? – spytała znienacka i splunęła siarczyście w mrok. Wciąż nie traktowała mnie poważnie. – Jeśli nie możesz wszystkim, to chociaż tej jednej jaskółeczce, proszę! Może na coś się przydasz. No, proszę cię, duchowna osobo! Długowieczny podmiocie, krzyżówko kłamstwa i Paracelsusa! Chociaż jeden znak krzyża. Nie mam pieniędzy, ale mogę paść na kolana! – krzyknęła.

Nieszczęsna. Zwariowała. Takich będzie przybywać. Coraz bardziej uwierała mnie ta rozmowa. Zwłaszcza wzmianka o Paracelsusie świadczyła o tym, że kobieta wie więcej, niż mówi. Choć oczywiście nikt nie czynił tajemnicy z tajników łaski długowieczności. Bo dwa były sposoby otrzymania łaski: dzięki modlitwie i dzięki arcybiskupom. Nie słyszałem jednak, by kiedykolwiek pierwszy się sprawdził.

– Szukam punktu noclegowego. Gdzieś tutaj miał być. Nie wie pani, jak trafić? – spytałem.

– Pobłądziłeś? Proszę, proszę. Pobłądziłeś! Kto by pomyślał. A gdzie twój eucharystyczny kompas, gdzie twój paschał rozświetlający drogę? – wciąż pastwiła się nade mną z karygodną bezkarnością.

Dobrze, że trafiła na kapucyna. Inny zakonnik, a nie daj Boże: ksiądz, nie byłby tak cierpliwy. Od razu zdzieliłby pokutą i anatemą zagroził. Wzniosłem oczy ku czarnym niebiosom, by ujęły się za mną. Skaranie boskie z tą kobietą. My jednak, franciszkanie, kochamy ludzi w całej ich krnąbrnej i nieposłusznej naturze.

– I co teraz, biedaku? Iść w lewo, a może w prawo? Przed siebie, a może zawrócić? Prorok Izajasz pouczał: „Przygotujcie drogę Panu,

Jemu prostujcie ścieżki". A ty nie tylko, że prostować ich nie potrafisz, ty nawet prosto na nogach nie możesz ustać. Ot, i duchowy przewodnik się znalazł – ironizowała, by naraz spoważnieć: – Dobrze ci radzę: zawracaj. Zawracaj, skąd przyszedłeś. Póki nie jest za późno. Zawracaj po własnych śladach. Na czworakach choćby, choćbyś miał pełznąć. To jedyne, co możesz zrobić, by życie ocalić – poradziła grobowym głosem, aż przeszły mnie ciarki.

Miałem już jej serdecznie dość, a Bóg mi świadkiem, że ćwiczyłem się przez wiele lat w sztuce cierpliwości, osiągając spektakularne sukcesy. Uniosłem rękę, chcąc pobłogosławić nieszczęsną, ale zaraz zawstydziłem się gestu. Bez słowa ruszyłem przed siebie. Prosto, w ciemność, w gęstą zasłonę nocy. Byle dalej od wariatki z martwą jaskółką. Po kilku minutach dobiegło mnie jej wołanie:

– Nie tędy, robaczku świętojański! W prawo skręć, na Planty, a za Plantami cały czas prosto. Kieruj się na Błonia. Tam znajdziesz ich wszystkich. A na imię mam Teresa! – słowa kobiety zdradzały niezrozumiałą dziewczęcą wesołość.

Idąc za radą poznanej przed momentem Teresy, skręciłem we wskazanym kierunku. Uniwersytet. Tu musiał stać Uniwersytet Jagielloński – zgadywałem, omijając olbrzymie kurhany cegieł. Zaraz za nimi latarka schwyciła kilka nadpalonych drzew na wzdętym asfalcie alejki – wszystko, co pozostało po Plantach. Biały kot przemknął przez snop światła. Jezusiku Nazareński, kot widmowy, z nieznanego mi świata fauny! – mało co, a latarka wypadłaby mi z ręki. Mało co, nie ma co, bo co tu się najlepszego wyrabia! Czary jakieś, nieczyste znaki! Przyspieszyłem. Ojcze nasz, któryś jest w niebie... Jeszcze kilka przekrzywionych budynków, jakby niepewnych, czy ostać się, czy runąć na ziemię, jeszcze tylko pęknięta misa stadionu i po jego przeciwnej stronie wypłaszczyła się przestrzeń. Osadzona na metalowym pręcie tabliczka ulicy Focha urągała rzeczywistości, choć nieco rozczulił mnie ten relikt dawnego porządku, gdy znaczące przylegało do znaczonego. W oddali dostrzegłem wielkie ślepia reflektorów i błyszczące miasteczko namiotów. Doszedł mnie ludzki gwar. Byłem na miejscu.

Pomimo późnej pory Błonia tętniły życiem, oczywiście przy całej delikatności znaczenia tego słowa w obliczu katastrofy. Ledwie potknąłem się o pierwsze śledzie, dotarło do mnie z całą mocą: burdel na kółkach! Boże mój, wybacz kolokwializm oczywistej obserwacji. Punkt noclegowy okazał się punktem ratunkowym i logistycznym, kościelnym i administracyjnym, aprowizacyjnym i każdym innym. Ludzie biegali w tę i z powrotem z obłędem w oczach, termoizolacyjne koce fruwały w powietrzu. Jedni domagali się jakichś informacji, inni pytali, gdzie ołtarz, gdzie przedstawicielstwo magistratu. Jeszcze inni wołali lekarza, by natychmiast zajął się ich ranami. Wielu szukało rodzin, a wszystko w zgiełku krzyków, przekleństw, pretensji i rozpaczliwych pytań pozostających bez odpowiedzi. Widziałem też, wspomnianych przez dominikanina, BHP-owców – w klapach marynarek mieli ledowe identyfikatory z nazwą partii. Rozdawali ulotki o mobilizacji i zachęcali do wstąpienia w ich szeregi. Jednak największe wrażenie zrobiła na mnie grupka emerytów muzykantów. Byli ubrani w starodawne stroje krakowiaków i chyba nie wiedzieli, co ze sobą począć. W pewnym momencie jeden z muzykantów smyrnął smyczkiem po skrzypkach i poszło. Krakowiacy zaczęli tańczyć, wyczyniając dziwaczne hołubce-przytupce, na ile pozwalał im wiek i waga tancerek. Irracjonalne zjawisko.

Wszystko razem – teoria Browna w praktyce. Chaotyczny ruch ludzkich cząsteczek zderzanych z niepewnością. Informacje z drugiej i trzeciej ręki, plotki, domysły, strzępki oficjalnych doniesień tworzyły horrendalną wieżę Babel. Chciałem kogoś zagadnąć o punkt noclegowy dla zakonników, ale musiałbym mówić wszystkimi językami ludzkiego jazgotu. Postanowiłem odnaleźć jakieś miejsce centralne, bo zawsze musi być jakieś centrum. Namioty rozstawiono w okręgach, które zbiegały się do środka – i to był jedyny przejaw porządku.

Prześliznąwszy się pomiędzy rozpiętymi ścianami sześcianów i ostrosłupów, odpowiadając bezradnym „nie wiem" na tysiące zaczepek, dotarłem do wypełnionego ludźmi placu ze sceną. Obok niej, na stalowej konstrukcji, ledwie muśniętej światłem reflektora, przysypiały drony – dziobami w dół, z dużymi odwłokami akumulatorów. Na scenie ktoś przemawiał przez rezonator do zasłuchanego tłumu. Podszedłem bliżej i już wiedziałem. Ludem zawładnął ksiądz z bliznowcem, mój promotor sprawiedliwości. Daleko mu było do niedawnej oschłości. Przemawiał, a jakby gromy ciskał. Ekspresja ciała i głosu stawiały go w pierwszym rzędzie z natchnionymi prorokami:

– Dlatego powiadam wam, nie upadajcie na duchu! Teraz potrzeba ludzi o sercach niezłomnych. Nasza cywilizacja nieraz nadstawiała policzek, nieraz poddawana była próbom i przez tysiąclecia zawsze wychodziła z nich zwycięsko. – Jedną ręką przytykał rezonator do ust, drugą czynił znaki krzyża. – Jeszcze nie nadszedł Dzień Sądu. Przeżyliście, i to jest znak od Boga Ojca, że powinniście odnowić życie. Rodzi się też pytanie: czy naprawdę chcecie być uzdrowieni w imię Pańskie? Czy macie siłę i wiarę, by przejrzeć na oczy i dać realny odpór podchodom Zła? Przez wzgląd na krew pomordowanych, za których tylko wy możecie się wstawić tutaj, na ziemi. Nikt inny za was tego nie zrobi. Niech pamięć ofiar będzie probierzem waszych uczynków – przerwał.

Ludzie zaczęli potakiwać, bić się w piersi, jeden przez drugiego wołali, że chcą – jak nigdy wcześniej – być uzdrowieni, że krew nie może być przelana nadaremnie.

– Jeśli tak, powiadam wam: na kolana. Na kolana! – Duchowny wydął zwilgotniałe usta.

Tkwiła w nim wielka, nadnaturalna moc. Powiedziałbym: moc mistyczna, aż człowiekowi robiła się gęsia skórka. Tłum posłusznie spełnił rozkaz. Ja też klęknąłem. Ksiądz odczekał jeszcze chwilę, aż morze głów się wyszumiało i ucichło.

– Boże w Trójcy Świętej Jedyny! – krzyknął rozdzierającym, płomienistym głosem – błagam Cię i proszę za wstawiennictwem

Bogurodzicy Dziewicy Maryi, świętego Michała Archanioła, wszystkich aniołów i świętych o tę wielką łaskę pokonania sił ciemności na polacyjnej ziemi...

Oblał mnie zimny pot... Znałem bardzo dobrze tę modlitwę, choć ostatni raz słyszałem ją w czasach II wojny wyszehradzkiej. To planktocyzm świętego Michała Archanioła, który oczyszczał dusze, oddzielał ziarno od plew, sprawiedliwych od niegodziwców i czynił nas rodziną Boga. Jednych zbawiał, innych naznaczał piętnem. Grzesznikom czynił piekło na ziemi, niewinnych obdarowywał spokojem i obietnicą raju za życia. Tylko nieliczni, posiadający pełnię duchowej władzy, mieli prawo odmawiać tę modlitwę, więc ksiądz... ksiądz musiał być jednym z Planktocystów, na których potęgę powoływał się sam arcybiskup. A czynił to z wielkim respektem. Mówiąc najoględniej, Planktocyści budzili grozę. Nie tylko wśród wiernych. Znaczna część duchowieństwa bała się ich jak ognia. Pojawiali się w ekstraordynaryjnych okolicznościach, zawsze tam gdzie Szatan wystawiał rachunki, i raczej nie o spokój zmarłych toczyli z nim bój. Ich obecność powodowała, że ten umownie rozumiany Szatan, to zło bezosobowe, zawieszone na diapazonach retorycznej abstrakcji i kaznodziejskich gawęd, zyskiwało niezwykle realny kształt. Nawet nam – braciom zakonnym – kustosz Stefan zalecał, abyśmy unikali kontaktu z Planktocystami. Kto nie posłuchał, ten wcześniej czy później miał duże problemy. Bo gdzie jest Planktocysta, tam musi być również Szatan. Powinienem Bogu dziękować, że przesłuchanie w refektarzu przebiegło bez poważniejszych konsekwencji.

Ksiądz nie przerywał. Mówił coraz donośniej, aby usłyszały go niebiosa i cały wszechświat:

– Odwołujemy się do zasług Męki Pana Naszego Jezusa Chrystusa, Jego Przenajdroższej Krwi przelanej za nas i Jego Świętych Ran, agonii na krzyżu i wszystkich cierpień poniesionych podczas Męki i przez całe życie Pana naszego i Zbawcy. Prosimy Cię, Jezu Chryste, uczyń z nas swoich aniołów, aby strąciły złe moce do czeluści piekielnych, aby na polacyjnej ziemi nastało Boże Królestwo. Aby łaska Boża mogła się rozlać na każde ludzkie serce, aby nasz naród mógł doświadczyć Bożego pokoju. Nasza Pani i Królowo, błagamy Cię gorąco: poślij nas, twoich aniołów, aby strąciły do czeluści piekielnych, wszystkie te złe duchy, które mają być strącone. A Ty, Wodzu Niebieskich Zastępów, dokonaj tego dzieła, aby łaska Boża mogła nam nieustannie towarzyszyć. Poprowadź wszystkie Zastępy Niebieskie i użyj całej swej mocy, aby pokonać Lucyfera i jego aniołów, którzy się sprzeciwili woli Bożej i teraz chcą niszczyć dusze ludzkie. Pokonaj ich, albowiem masz taką władzę, a nam wyproś łaskę pokoju i Bożej miłości, abyśmy podążali za Chrystusem do Królestwa Niebieskiego.

Planktocysta ucichł, chociaż zdawało się, że Królestwo Niebieskie powtarzało jego słowa jak echo. Tłum wciąż tkwił na klęczkach. Skamieniał. Ksiądz dał komuś za sceną znak i sanitariusze zaczęli wnosić ciała w czarnych workach. Duchowny podchodził do nich kolejno, rozpinał zamki i odsłaniał martwe twarze ofiar. Dzieci, kobiet i starców. Jakby mało mu było frenezji, unosił im powieki. Scena zmieniła się w jeden zbiorowy katafalk. Martwe oczy wypatrywały Boga na czarnym nieprzeniknionym niebie.

– Czy możecie spojrzeć prosto w twarz ofiarom i nadal wierzyć w życie wieczne? – zapytał. Odsunął od siebie rezonator, pozwalając ciszy nabrać odpowiedniej gęstości. – Polacjanie! Czy niewinne dusze mają nigdy nie zaznać spokoju, daremnie dopominając się sprawiedliwości? One patrzą. One proszą. One wołają! Słyszycie? Zbawieni będą tylko ci, do których z czeluści śmierci dochodzi lament niewinnych. Powstańcie z kolan. Dość już klęczenia, dość zła, w którym ginie nasz świat! Zbyt długo ufaliśmy Hiobowi. Dzisiaj nadszedł czas, by prowadził nas święty Michał Archanioł. On pierwszy z woli Boga rozpoczął walkę z Szatanem.

Ludzie powstali, nie odrywając wzroku od ułożonych na scenie zwłok. Ktoś jęknął:

– To co mamy robić?

Inny poskarżył się niczym małe dziecko:

– Prezydent z radnymi spieprzyli do Olsztyna. Przepraszam: ewakuowali się. Zostałeś nam tylko ty, czcigodny ojcze. Prowadź nas. Wskaż drogę. Powiesz: na północ, pójdziemy na północ. Wskażesz na zachód, pójdziemy na zachód. Każesz zostać, zostaniemy.

– Mamy już dość władzy! – wtrącił kolejny, a po nim reszta zaczęła się przekrzykiwać. Ból w ich głosach mieszał się z oburzeniem, oburzenie podszyte było bezradnością.

– Ja bym tam zatłukł każdego odmieńca! Wybiją nas wszystkich do nogi! Nas, prawdziwych, wiernych Bogu Polacjan! To nasza ziemia, nasza ojczyzna! – tłumowi rozwiązał się język.

Planktocysta podszedł na skraj sceny. Skoro garnęli się do niego jak małe dzieci, postanowił przemówić niczym dobry, opiekuńczy ojciec.

– Po tych politykach pojawią się następni. Wybierzecie ich spośród siebie, lecz wyłącznie po to, żeby przeklinać ich imiona. Tylko Kościół jest niezmienny. Trwał i trwa wiernie przy swoim ludzie. Kościół, wasza matka, nigdy was nie opuści. Nigdy. Będziemy tu z wami aż do skończenia świata. Nie lękajcie się, oto jest Kościół, którym kieruje nieomylny, wszystkowiedzący Duch Święty. Pytacie: co robić? – zawiesił głos i naraz wrzasnął z całych sił w rezonator: – Wymierzać sprawiedliwość widzialnemu światu! Wymierzać sprawiedliwość! Z drżeniem duszy, ale bez drżenia ręki, z miarą sprawiedliwości czynów!

Rozpacz tłumu zastępowało niewyrażalne, niewypowiadalne pragnienie zemsty. Najgorsze z możliwych – zrodzone z rozpaczy...

Moją uwagę przykuł drobny incydent. W pobliżu sceny kręcił się od pewnego czasu jeden z BHP-owców. Słuchał jak inni, klękał jak inni i potakiwał. Ledwie Planktocysta zaczął mówić o wymierzaniu sprawiedliwości, katolicki jastrząb chciał wejść na scenę, lecz natychmiast został powstrzymany. Dwóch księży chwyciło go pod pachy i dyskretnie wyprowadziło na tyły.

Planktocysta mnie przerażał i fascynował jednocześnie. Ta jego przezroczystość – godna zaświatów. I te oczy niebieskie! I kobiecość dłoni! I blizna, która teraz wyglądała jak odciśnięta na szyi pętla. Niedoszłego samobójcy? Skazańca? Kogoś, kto uniknął śmierci? A może to był ślad po nożu?... Trzeba uważać. Tym bardziej że wszystkie znaki na ziemi i niebie oddawały mu słuszność: czarne niebo, miasto usłane zwłokami, namacalność zła i bezsilność żywych odczarowana nadzieją zemsty. I nawet to jeszcze: deszcz.

Bo zaczął padać deszcz. Drobne krople po chwili zaczęły przypominać wielkie szkliste kamienie. Przypadek? Boży znak, spełniony cud wysłuchanych modlitw? Nie, to było Boże szyderstwo. Przecież ludzie oczekiwali Bożej pieczęci dla słów Planktocysty. Oczekiwali, więc Pan ofiarował im pieczęć – deszcz. Strugi wody odczłowieczały ludzi, nadawały im odrealnione kształty nieziemskich posągów i figur nie z tego świata. Na scenie krople rozbijały się o twarze ofiar, zmywały trupią barwę, topiły gałki oczne w małych stawach powiek. Planktocysta rozwarł szeroko ramiona, jakby chciał niebo i ziemię zagarnąć. Tryumfował.

Owładnął mną lęk. Chwyciłem perłooowy, płowy amyk i zacisnąłem go mowdło, w dłowni. Oni. To nie, prawda, nieprawda! Nie zemsta. Nie wolno, nie wolno powstawać z kolan. Trzeba prosić, a nie wymierzać karę. Mój kamyk musiał kryć w sobie inną roz-pacz. To nieprawda, awda, da. Istnieje droga od krzywdy, przez płacz, do miłości-łości-litości. Ona nie potrzebuje przebaczenia, baczenia. Ona nie potrzebuje sprawied-liści ani zadośćuczynku. Musi istnieć taka droga na mapie ludz-kiego nie-szczęścia. Musi. Na pewno. Istnieje. Nieje.

Półprzytomny, odszedłem na bok. I dalej, za ostatnie namioty, gdzie szum deszczu uwalniał mnie od mocy planktocyzmu. Skryłem się w ciemnościach, z dala od reflektorów. Nie byłem. Nie. Nie byłem gotów. Nie będę. Prędzej połknę perłowy kamyk... Jak przeklętą hostię. „Sprawiedliwość" to najgorsze słowo, jakie wymyślił człowiek. W jego imię dokonuje się najokrutniejszych... planktocyzmów! I zaraz przeląkłem się tej myśli. Boże, przebacz mi, bo przerasta mnie zło, które bierze swój początek w osobowej, bardzo konkretnej formie. Na imię ma czło... czło-wiek.

Na niebie rozpętało się piekło. Błyskawice rozsnuwały ognistą pajęczynę. W środku skłębionych chmur migotał pająk nocy i spuszczał na rozmokłą, śmierdzącą ziemię miliony grubych nitek. Zacząłem biec przez skwierczące kałuże, co rusz potykałem się o coś twardego. To mógł być kamień, lecz równie dobrze zwłoki. Upadałem, wstawałem, biegłem. Habit mi ciążył. Był mokrą szmatą. Zapragnąłem go zrzucić i nago rozpłynąć się w ciemności.

Miałem wrażenie, że stary świat się kończy. Spełniał się czarny scenariusz proroctw. Święci niebiescy podnieśli tamę Bożego zbiornika. Jednak tym razem nie będzie arki, nie pojawi się Noe.

ROZDZIAŁ VII

– W imię Ojca! W imię Ojca i Syna... Bracie Arturze!... Bracie Arturze!... – dobiegł mnie głos. – Kto to widział? Kto słyszał, żeby tak na gołej ziemi? W błocie, prawie po kostki w wodzie?! Brat się przeziębi, brat wilka dostanie. Proszę wstać, wstać natychmiast!

Poczułem mocne szarpnięcia. Ze snu zbudził mnie gwardian ojciec Karol. Strzępki bujnej grzywy opromieniała cudowna jasność, nadając siwiźnie barwę i kształt złotego nimbu. Tak mógł wyglądać święty Józef, patron snów i bezpiecznych przebudzeń. Zza jego pleców wychylał się brat Wojciech i całkiem spory tłumek franciszkańskich gapiów. Ostre słońce świeciło nad ich głowami, więc w pierwszej chwili, jeszcze na wpół sennej, fantasmagorycznej, przemknęło mi przez myśl, że obudziłem się, owszem, lecz w wiecznym życiu, a mnisi są zastępem świętych. Współdzieląc jedną aureolę, czekają, aż wstanę, byśmy razem udali się przed majestat Pana.

– Proszę o wybaczenie. Wytłumaczyłem najlepiej, jak mogłem – odezwał się jeden z nich.

Epifania zgasła. Byłem wśród żywych. Obok gwardiana i brata Wojciecha rozpoznałem brata Hiacynta – zakonnika o orzeszkowym wyglądzie. To on przepraszał.

– Moja wina. Zło jest pazerne, nie pogardza i małymi błędami. Jeszcze raz gorąco proszę brata o wybaczenie – nalegał skruszony. Gadał zupełnie nie jak franciszkanin, tylko jak augustianin.

– Nic się nie stało. Naprawdę – bąknąłem. Od karku po stos pacierzowy przebiegł mnie lodowaty dreszcz. – Niepotrzebnie odstąpiłem od braci, niepotrzebnie sam... – szczęknąłem zębami, bo choć marzec, to noce jeszcze chłodne. Tylko one zachowały coś z dawnej aury, gdy pogoda zgadzała się z porami roku i kalendarzem.

Leżałem w błocie, w pobrudzonym habicie, z podkurczonymi z zimna nogami. Różaniec zaplątał się w sznur, razem tworzyły zeschnięty węzeł. Co gorsza, miałem bose stopy. Jak ostatni łach, jak pierwszy lepszy pijaczyna. Było mi wstyd. Ledwie drugi dzień i taka sromota. Nie wystawiałem sobie dobrej opinii ani tym bardziej – mojemu zakonowi. Jeśli ojciec Stefan się dowie... Wcześniej czy później na pewno się dowie... A córeczka? Córeczka moja?... Też nie byłaby dumna z tatusia... Boże, miej litość nade mną.

– Tego brat szuka, to brata zguba? – Gwardian pomachał moim kroksem. – Znaleźliśmy go nad Wisłą, na brzegu rzeki. Wszystko w porządku? Gdzie też brata zagnało, pognało? Gdzie i po co poniosło?

Dobre pytanie, lecz pamiętałem niewiele. Tylko ciemność i ciała, deszcz, wielkie błoto, wołania ofiar, szum ulewy rozsadzający czaszkę. Niewiele?... To nazbyt dużo! Infernum ziemskie, przez które biegłem na skraj jawy, aż do utraty zmysłów. Latarkę oczywiście zgubiłem. Ale kamyk? Chwalić Boga, był. Który to już raz w ciągu ostatnich dni sprawdzałem jego posiadanie? Dyskretny ruch dłoni doprowadziłem do perfekcji.

– Przepraszam, sam nie wiem. Tak, tak, wszystko dobrze, tylko trochę pobłądziłem. Całe wieki nie byłem w Krakowie – zacząłem się nieporadnie, choć zgodnie z prawdą, tłumaczyć.

Odebrałem zgubę i równie nieporadnie wstałem z ziemi. Dźwigałem na barkach ciężki od wody habit, lecz przede wszystkim – niesmak przypatrujących się oczu. Zgrabiałymi palcami zacząłem rozsupływać różaniec, bracia obserwowali postępy pracy.

– Następnym razem proszę bardziej uważać i proszę się nie oddalać na własną rękę – pouczył ojciec Karol. – No, najważniejsze, że jesteśmy w komplecie. Trzymamy się razem. Razem idziemy. Idziemy czym prędzej! – zakomenderował.

Już wczoraj moją uwagę zwrócił jego osobliwy sposób mówienia. Gwardian stawiał zdania na zakładkę, powtarzał słowa, które uruchamiały i łączyły słowa następne, a te układały się we frazy niczym plisowana tkanina. Słowa były słowami agrafkami, słowami szpilkami.

Ruszyliśmy, choć nie miałem śmiałości dopytać dokąd. Bracia odnaleźli kroksa nad Wisłą, tymczasem znajdowaliśmy się w pobliżu małej rzeki – najpewniej Rudawy. Jej rwący po deszczu nurt obmywał brzegi plastelinowych zszarzałych wałów. Na znak skruchy szedłem na końcu, zaraz za braćmi Wojciechem i Hiacyntem. Pierwszy co rusz się odwracał i słał mi łobuzerskie uśmieszki. Że niby dałem czadu – jak to się mówiło w latach naszej młodości, że niezły ze mnie numer, że Jaś Wędrowniczek i takie tam słowne kuksańce, typowe dla nieskomplikowanych umysłów braci zakonnej niższego szczebla. Drugi brał te słowa do siebie i szeptał:

– Moja wina, moja wina... Żeby tak źle pokierować?... Żeby puścić samego w noc ciemną, bolesną?... Niech mi brat Artur wybaczy. – W przeszłości musiał być augustianinem o masochistycznych skłonnościach.

Nad miastem krążyły helikoptery. Przecinały bezchmurne niebo niczym stalowe ważki. Ulicą Świętej Jadwigi jechały transportowe żuki, od czasu do czasu bzyknął trzmiel na sygnale, na wałach pyliły szare kwiaty. Rześkie powietrze zalatywało mułem jak karp na wigilię. Ziemia oddawała swą wilgoć po całonocnym deszczu. Gdzieniegdzie dron trelował turbinką. Ojciec Karol zaintonował Psalm Osiemdziesiąty Czwarty, bracia podjęli pieśń. Ja też, i zaraz zrobiło się lżej na duszy:

Dusza moja stęskniona pragnie przedsionków Pańskich.
Serce moje i ciało radośnie wołają do Boga żywego.
Nawet wróbel znajduje swój dom, a jaskółka gniazdo,
gdzie złoży swe pisklęta:
przy ołtarzach Twoich, Panie Zastępów, Królu mój i Boże!

Lżej tylko na chwilę, nie dłuższą niż dwa pierwsze wersy. Bo ten wróbel, ta jaskółka, te pisklęta przypomniały mi o poznanej Teresie, o naszej rozmowie, a raczej o kobiecym szyderstwie, na które nie znalazłem skutecznego responsu. Czym tu się cieszyć, radować? Jak chwalić Króla i Pana Zastępów, gdy ona gdzieś tam fotografuje ptasie trupy? Contra vim mortis non est medicamen in hortis. Głos słabł mi w gardle. Jednak bracia śpiewali z taką gorliwością, jakby Bóg powołał ich do chórów anielskich. Dołem dudnił bas ojca Karola, wyżej płynęły zakonne barytony i jeden tenor – orzeszkowego brata Hiacynta:

Szczęśliwi, którzy mieszkają w domu Twoim, Panie,
nieustannie Cię wielbiąc.
Spójrz, Boże, tarczo nasza,
wejrzyj na twarz Twego Pomazańca.

Patrząc wokoło, trudno było się z tym nie zgodzić. Ci tylko szczęśliwi, którzy mieszkają w domu Pana. Ale dom Pana daleko i nie w ziemskich lokacjach! Umarli znajdują w nim bezpieczne schronienie, żywi – dopóki żyją – skazani są na bezdomność, na ciągłą niepewność tułaczki... Coś złego działo się ze mną, coś niepokojącego. Jakiś gen oporu, myśl klocowata kłóciła się z pieśnią.

Doprawdy, dzień jeden w przybytkach Twoich
lepszy jest niż innych tysiące:
wolę stać w progu mojego Boga,
niż mieszkać w namiotach grzeszników.

A gdzież te tysiące przybytków, skoro wszystko zrównane z ziemią? Słońce wyżera w niej bagniste dziury i liże kości pomarłych. O jakich namiotach mówił psalm? O jakich grzesznikach? Czyż nie o tych, którzy z cierpienia i bólu czynią miarę własnej sprawiedliwości? Pierwszy raz pieśń, choć śpiewałem ją wiele razy, objawiła mi się w zupełnie innym znaczeniu. Śpiew braci stawał się coraz bardziej radosny, a ja zapadałem się w sobie i musiałem się pilnować, by na twarzy nie wykwitł chwast zniesmaczenia, a nawet obrzydliwości. Zmrużyłem oczy, zacisnąłem usta, gryzłem się w język. Moje ciało przenikały na przemian fale zimna i fale gorąca. Zbyt długo cieszyłem się zakonnym stanem, żeby nie wiedzieć, że trzęsło mną niewidzialne, choć bolesne ossessione – trzecie z pięciu nękań szatańskich. Zimno. Nie mogłem nad nim zapanować. Gorąco. Niewiele brakowało, a wyrzuciłbym z siebie jakieś szkaradztwo i pozwolił, żeby ciało ruszyło w epileptyczny taniec. Zimno, gorąco, zimno. Dłonią obtarłem skroń z potu.

Śpiew ucichł. Skręciliśmy w lewo, przechodząc mostkiem przez pienistą i bąblowatą rzekę. Ossessione powoli odpuszczało – in nomine Patris et Filii, et Spiritus Sancti!... Niech odpuści i nigdy, ale to nigdy nie wróci! Święty patronie, poproś silniejszych aniołów, aby w przyszłości dopomogli mojemu Stróżowi. Wracał spokój. Dyskretnie odchyliłem wilgotny szkaplerz i podkoszulkę – serce promieniało przez skórę jak zwykle. Wciąż byłem długowiecznym wybrańcem. Deo gratias, za krótkie ma łapy Szatan!

Dotarliśmy na Błonia. Może i nocą pognało mnie nad Wisłę, ale generalnie musiałem kręcić się wokół namiotowego miasteczka jak duch niespokojny, którego ciągnie do ludzi. Od wczoraj wyrosło jeszcze więcej namiotów. I zgiełk, hałas panował jeszcze większy. Nasza grupka stworzyła węża, który zygzakiem prześliznął się przez tłum i wpełzł do dużego namiotu, tuż przy placu. Jeśli gwardian był głową węża, to ja jego ogonem. Wszedłem ostatni, choć zdążyłem jeszcze zauważyć, że scenę wyposażono w wielki telebim i mikrofony. Telebim wyświetlał postać reportera na tle dogasającego Wawelu. Mater Dolorosa! Zamek przypominał resztki piaskowego tortu, rozbabranego widelczykami kapryśnego ognia. Siła wybuchu musiała być potężna – relacjonował reporter – ponieważ dzwon Zygmunta nie został jeszcze odnaleziony.

– Jakby się zapadł pod ziemię – reporter błysnął dość niefortunnym stwierdzeniem.

W namiocie trwało nabożeństwo, arcybiskup Krystek właśnie udzielał komunii. Szeroki żółty ornat upodabniał go do wielkiego ptaszyska. Towarzyszył mu biały cherubinek w komży. Gwardian złożył palec na ustach, posłusznie uklęknęliśmy przy ścianie po lewej stronie ołtarza.

Pierwszy rząd krzeseł zajmowali dostojnicy kościelni. Wśród biskupów wypatrzyłem Planktocystę oraz dwóch ojców z naszej piątki misyjnej: jezuitę i cystersa. Planktocysta miał twarz alabastrowego kamienia, znów sprawiał wrażenie duchowej absencji. Na pierwszy, zwodniczy rzut oka zwykły ksiądz – tyle że chorobliwie blady. Jezuita mantrycznie się modlił, cysters co chwila dyskretnie zerkał w wyświetlacz tableta i małym rysikiem sporządzał notatki. W rzędzie drugim i trzecim prostował się drugi i trzeci garnitur polityków – nieco pomięty, zszarzały, ziewnięty. Pewnie wyższe instancje kazały im zostać w mieście. Kolejne rzędy przeznaczone były dla ludu Bożego. Tu i ówdzie mignęła mi opaska BHP-owca.

Jaki lud Boży jest, wie dobrze każdy, kto choć raz nadstawiał ucha przy kratce konfesjonału. Od wieków niezmienny: posłuszny i zarazem krnąbrny, pociągnięty modlitwą jak spróchniałe drewno bejcą – z piersi wyrwało mi się ciężkie westchnienie, na tyle jednak ciche, że nie zwróciłem niczyjej uwagi. Z ludzkich twarzy – a patrzyłem nader wnikliwie – nie umiałem wyczytać nic więcej poza zmęczeniem, które u wielu przybierało formę bezsilnej apatii. Może właśnie dlatego patron nasz święty Franciszek wołał spoglądać na ludzi przez pryzmat świata roślin i zwierząt, w nich poszukując pierwszej boskiej światłości, tej czystej energii. Tylko ona zdolna jest prawdziwie wzbudzić człowieczą duszę. I nic tu nie ma do rzeczy panteizm – świat tworzy dopełniający się zbiór boskich znaków, o czym poświadcza *Pieśń słoneczna*. Świat to sakrament. Niedawna chwila słabości wydawała mi się bańką mydlaną. Pomimo wszystko, na przekór wszystkiemu wierzę w życie, w jego święte emanacje!

Arcybiskup dokończył eucharystyczną liturgię, brzdąknął dzwonek w dłoni rumianego cherubinka. Pochyliliśmy głowy, bijąc się w piersi. Drugi i trzeci rząd polityków drgnął, chciał ruszyć do wyjścia. Wstrzymał ich jednak gest kapłana.

– Umiłowani w Panu, pozwólcie jeszcze słowo, zanim się rozejdziecie. W obliczu niedawnych wydarzeń Wielki Post jest drogowskazem ku prawdziwemu zmartwychwstaniu. Proszę wszystkich o pomoc w dziele odbudowy miasta. Nie wyjeżdżajcie, nie uciekajcie, nie zostawiajcie Kościoła – waszej matki. Jesteśmy wierni Bogu i Krakowowi, jego kamienie dzisiaj do nas wołają. Módlmy się i wyglądajmy jego nowego życia. A teraz, synowie i córki Kościoła, błogosławię was, w imię Ojca i Syna, i Ducha Świętego. Idźcie naprawiać świat we wspólnocie Kościoła i Maryi Dziewicy. Ofiara skończona.

– Amen! – odpowiedział tłum jakoś bez wiary.

Celebrans przyklęknął, pobłogosławił ludzi i zaczął śpiewać:

– Golgoto, Golgoto, Golgoto. W tej ciszy przebywam wciąż rad...

Ludzie podchwycili słowa, choć znów bez szczególnej werwy. Przyszliśmy czym prędzej z tak wielką pomocą chóralną, że arcybiskup aż obrócił się w naszą stronę. Teraz miałem już stuprocentową pewność, że to Hiacynt-orzeszek skakał po najwyższych gamach.

W tej ciszy daleki jest świat.
Ty koisz mój ból, usuwasz mój strach.
Gdy widzę Cię, Zbawco, przez łzy.

Celebrans odczekał chwilę, aż pieśń nabierze mocy, po czym w asyście ministranta opuścił ołtarz. Skierował się do bocznego przejścia. Planktocysta i pierwszy rząd duchownych ruszyli śladem arcybiskupa.

To nie gwoździe Cię przebiły, lecz mój grzech.
To nie ludzie Cię skrzywdzili, lecz mój grzech.
Choć tak dawno to się stało, widziałeś mnie.

Wierni zaczęli kręcić pożegnalne młynki na piersiach. Po kilku minutach zostaliśmy sami, nie licząc dwóch staruszek, których dewocja i autystyczne modlitwy wciąż przykuwały do krzeseł. Zaraz jednak pojawiły się albertynki. Przyniosły nam talerz chleba z masłem, dwa dzbanki herbaty i plastikowe kubeczki. Ojciec Karol rozdzielił pokarm, każdą kromkę naznaczywszy znakiem krzyża. W ciszy zaspokajaliśmy głód. Siostry zakonne krzątały się przy ołtarzu. Zauważyłem, że od czasu do czasu zerkają na mnie.

– No, właśnie! – gwardian chyba odgadł powód ich spojrzeń. – Drogie siostry, czy siostry nie znajdą jakiegoś odzienia dla brata Artura, brata naszego? Nie mówię, że od razu szaty zakonne, jakiekolwiek ubranie, nie musi być nowe, używane nawet być może, byleby suche, zanim habit trafi do pralni i nie wróci uprany, by o franciszkańskiej regule naszego brata na nowo poświadczać.

Skruszyłem się ze wstydu – w przenośni i dosłownie, ponieważ mój habit był popękanym płatem wyschniętego błociska. Juniorystka kiwnęła głową i gestem dłoni wskazała, abym szedł za nią.

– Proszę iść, bracie Arturze, a wracając, proszę się tylko nie zgubić – przestrzegł ojciec Karol. – Będziemy czekać tutaj, na zewnątrz namiotu. Siostro, dla większej pewności proszę towarzyszyć naszemu bratu w drodze powrotnej, by nigdzie się nie zawieruszył, i wracać proszę bez zbędnej zwłoki. Czas nagli – jak zwykle agrafkował swoją wypowiedź.

– Może i ja pójdę z nimi? Tak dla pewności... – wtrącił brat Hiacynt.

Jego stróżowanie stawało się naprawdę męczące, co najwyraźniej spostrzegł również ojciec Karol:

– Modlitwa, bracie Hiacyncie, jest najlepszym kompasem. Modlitwa za brata naszego i ufność w Bogu. Prostuj modlitwą, bracie Hiacyncie, ścieżkę powrotną brata Artura. Da sobie radę.

Przełknąwszy ostatni kęs chleba, skłoniłem się franciszkanom i bocznym wyjściem ruszyłem za siostrą.

To, co ujrzałem, wprawiło mnie w osłupienie... Polowa świątynia łączyła się z innymi namiotami systemem długich, licznych korytarzy. Jakbym trafił do naprędce wybudowanego, choć niezwykle rozległego i zadaszonego labiryntu. Z zewnątrz trudno było podejrzewać, że jest tak duży. Mnożyły się w nim kolejne tunele, przejścia i wejścia do wielkich pomieszczeń. Oprócz kilku zakrystii, kaplic i audiencyjnych sal arcybiskupa dominowały przede wszystkim magazyny. Ruch panował ogromny. Zakonnicy, diakoni i prosty laikat znosili do magazynów odratowane z tragedii dobra: od świętych monstrancji, drogocennych obrazów, po zwykłe meble, komputery, plazmy i lekko nadpalone tablety ze świętymi księgami. Mijaliśmy hangary z zaparkowanymi meleksami i gazobusami, przechodziliśmy obok otwartych hal, wypełnionych od góry do dołu skrzyniami, walizami i beczkami z nieznaną zawartością, obok mis szerokich, w których tysiące słuchofonów, smartfonów i netboxów połyskiwało niczym grafitowo-srebrne muszelki. Wózki widłowe wciąż dowoziły kolejne pakunki. Jakież było moje zaskoczenie, gdy w jednym z licznych lapidariów, pełnym głów czarnych i białych papieży, bohaterów dwóch ostatnich wojen, ojców założycieli Krakowa i pradawnej Polski, spostrzegłem... rzeźbę wawelskiego smoka! Jego konstrukcja górowała nad pomnikami. Smok był pogięty, ciągle ział niewidzialnym ogniem, a zgniecione łapska potwora przypominały sczerniałe i nadpalone puszki. Zapatrzyłem się w niego jak we własne dzieciństwo. Dzisiaj dzieci nie ćwiczą wyobraźni na takich bajkach, wolą hiperrealistyczne projekcje futurystycznych krain. Dzisiaj bajarzami są awatary o syrenich głosach sztucznych inteligencji.

Chciałem arki?... Oto i znalazłem się w arce nieistniejącego od kilku dni świata, pośród znaków-fetyszy jego wielkości, a może i pychy. Zostały tylko rzeczy. Święta-nieświęta rupieciarnia, z mozołem i w pocie czoła gromadzona przez ludzi. Żadnej rośliny, żadnego zwierzęcia, wyłącznie rzeczy, urządzenia, przedmioty. Bojąc się, że i ja padnę ofiarą dojmującej reifikacji, nie odstępowałem albertynki na krok. Poruszała się niezwykle pewnie. Była moją Ariadną, bo sam zgubiłbym się w tym królestwie materii.

Dotarliśmy do pomieszczenia zastawionego rzędami długich stołów. Piętrzyły się na nich stosy nieposegregowanych ubrań. Siostra zmierzyła mnie od stóp do głów i zaczęła szukać w stertach czegoś dla mnie. Brązowa sukienka – to raczej nie, pokręciła przecząco głową. Dres zielony – za mały jednak. Znowu damska, tym razem garsonka, a po niej zgniłozielony prochowiec, jednak z dziurą na wysokości piersi. Sweter – mógłby być, ale do swetra potrzeba spodni – tłumaczyła szybkimi spojrzeniami. W jej otwartych na chwilę ustach poruszał się czerwony pypeć po amputowanym języku – dowód najsilniejszych ślubów posłuszeństwa. A ja stałem jak manekin, z którego albertynka brała oczami miarę i przenosiła spojrzeniem na wygrzebywane ze stosów ubrania. Znalazł się biały habit – a jakże – dominikanina, ale potężny w barach i w biodrach. Przymierzyłem do piersi i jego poły ułożyły się w belę pofałdowanego sukna. Albertynka szukała dalej, zanurzając się w tekstylne odmęty, w wielokolorowe głębiny bławatne. Trafiała do najodleglejszych stołów, raz po raz nurkując w stosach. Wreszcie chwyciła coś w rozmiarze mojej postury – ciemnoszary garnitur. Przyniosła zdobycz, przymierzyła: powinien pasować. Aby nie peszyć mnie swoją obecnością, wskazała na wyjście – tam będzie czekać.

Miała oko siostra zakonna – garnitur leżał idealnie. Różaniec i perłowy kamyk przełożyłem do wewnętrznej kieszeni marynarki. Wprawdzie trochę się zaniepokoiłem, że tak łatwo rezygnuję z duchownego stroju, ale zaraz przyszło pocieszenie: nie szata zdobi człowieka. Jest pozorem, o którym wspominał już przed wiekami Boecjusz, a wielu po nim powtarzało tę mądrość i do swoich ksiąg wkładało, biorąc za własną. Zresztą tylko na dzień, dwa, nie dłużej, póki habit nie wróci z pralni, jak zapowiedział ojciec Karol. Żeby cokolwiek z mych franciszkańskich dystynkcji ocalić, zatrzymałem sznur. Obwiązałem się nim w pasie.

Wręczyłem albertynce habit i ruszyliśmy z powrotem. W magazynach wciąż przybywało rzeczy. Spotkaliśmy księdza, który wszystkie je święcił i okadzał kadzidłem. Pojawił się również znajomy cysters – przeliczał sprzęty i spisywał je w tablecie, przechodząc z magazynu do magazynu. Udał, że mnie nie tylko nie widzi, ale i nie zna – dłonią serdecznie uścisnąłem powietrze. Ekonom niewdzięczny! Musieliśmy też na chwilę przystanąć, żeby przepuścić tragarzy z dwoma białymi steinwayami. Urzekły mnie ich antylopie nogi, ich skrzydła trójkątne i piękne wargi klawiatur. Zwłaszcza tutaj, wśród krzykliwej – było, nie było – pospolitości, wśród doczesnej materii i formy, były czymś nierealnym. Jakby tragarze prowadzili boskie stworzenia schwytane zdradziecko, gdy tylko oddaliły się od łąk niebieskich. Mało co, a rzuciłbym się steinwayom z pomocą. Coś mnie kusiło, żeby rozwinąć im skrzydła, uwolnić spętane więzami nogi.

Fortepianowa iluminacja minęła, wróciła niepewność. Nie mogłem pozbyć się wrażenia, że Ariadna zakonna niesie część mojej osoby. Ułożony w jej dłoniach habit za bardzo przypominał ludzkie szczątki ze zwisającym żałośnie kapturem. Lepiej, żebym się nie przebierał. Boecjusz – Boecjuszem, ale w garniturze czułem się obco.

Chwalić Boga, bracia nie skomentowali mojego stroju. Wprawdzie nie podejrzewałem, żeby któryś z nich – może z wyjątkiem ojca Karola – czytał Boecjusza, ale brak reakcji potwierdzał słowa starożytnego mędrca: nie ma rzeczy ulotniejszej niż wygląd zewnętrzny. I to mnie uspokoiło. Wszyscy, podobnie jak zebrany pod sceną tłum, wpatrywali się w telebim. A tam dziennikarka o cerze albinosa i jasnych pszenicznych włosach prezentowała dowody solidarności całej Polacji z doświadczonym tragedią Krakowem. Na wielkiej planszy, w numerycznym porządku, biegł spis hojności federacyjnych miast i zebranej przez ich mieszkańców pomocy. Z dumą odnotowałem miejsce pierwsze. Dodatkowo różnica między pierwszym a drugim miejscem, nie mówiąc o kolejnych, potwierdzała wielką empatię mojego miasta:

1. Olsztyn – 250 tysięcy palcówek.
2. Szczecin – 190 tysięcy palcówek.
3. Królewiec – 185 tysięcy palcówek
4. Koszalin – 140 tysięcy palcówek.
5. Suwałki – 110 tysięcy palcówek.
6. Elbląg – 95 tysięcy palcówek.
7. Wilno – 71 tysięcy palcówek.
8. Białystok – 70 tysięcy palcówek.
9. Tallinn – 65 tysięcy palcówek.
10. Toruń – 63 tysiące palcówek.
11. Ryga – 50 tysięcy palcówek.
12. Poznań – 10 tysięcy palcówek.

Zupełnie nie zdziwiło mnie ostatnie miejsce. Podobnie jak i zapewnienia dziennikarki, że Warszawa – w drodze uchwały przyjętej przez aklamację – postanowiła dwudniowy dochód ze sprzedaży biletów w muzeach przeznaczyć na pomoc rodzinom ofiar. Im bliżej południa Polacji, tym oszczędniej. Wrocław, jeszcze w tym tygodniu, zorganizuje koncert *Fest-Nova-Era-Krakowa*. Silesia na przykład podobno już przysłała górnicze androidy do odgruzowywania miasta oraz sondy węglowęszące, które po przeprogramowaniu mogły poszukiwać ludzi. Lublin i Rzeszów zaoferowały pakiet agroturystycznych symulacji dla sierot oraz samotnych matek z dziećmi. Nawet ogólnokrajowy zarząd Polacji dorzucił się do zbiórki. Część rezerw przeznaczył na ratowanie zabytków Krakowa.

– Dziękujmy Najwyższemu, nie jesteśmy sami! – wykrzyknął ojciec Karol. – Nigdy nie byliśmy, bracia kochani! Możemy liczyć na wsparcie Polacji. A teraz do pracy, do pracy! – znów wcielił się w głowę węża, za którą nasza grupka podążyła zygzakiem.

Nie chciałem być ogonem. Starałem trzymać się w środku. Nad ludzkim morzem, po prawej, dojrzałem kopiec Kościuszki. Niewidoczny nocą, w dzień był zielonoszarą uszanką z czerwonym otokiem i opasaną bandażem w piaskowym kolorze. Boże, wybacz niefortunną asocjację... Już lepiej skupić się na kapturze idącego przede mną brata Wojciecha. Co też uczyniłem z całą surowością.

Kilka metrów za miasteczkiem namiotowym księżycowy dotychczas krajobraz ulegał przyśpieszonej przemianie. Jakby na powierzchni Księżyca dokonywała się niezwykle ekspansywna kolonizacja, podczas której maszyny i ludzie czynili go sobie poddanym. Trwało wielkie sprzątanie miasta – ze szczątków, ruin i łez. Łyżkowe ładowarki, grupy androidów i Chrystusowi Żołnierze, szufla w szuflę, odgruzowywali kolejne kwartały. Ratownicy, wyposażeni w sondy węszące i motyle drony, stanowili szpicę przednią, docierając do trudno dostępnych miejsc. Niczym alpiniści wspinali się na strome granie kamienicznych pięter, to znów podobni grotołazom znikali w betonowych czeluściach. Wynosili zwłoki – korpusy, przepasane linami, niekiedy ułożone na wąskich noszach. Ciała przekładano do zapinanych na zamek worków – z daleka wyglądały jak błyszczące kokony. Wiatr zawiewał fale odoru. Pył unosił się ciężką falbaną tuż nad ziemią – niewysuszoną dostatecznie przez słońce. W wyrwach i rozpadlinach tworzyły się cuchnące kałuże.

Sprawdzony teren przejmowały buldożery, burzyły resztki budynków, usypywały mogiły cegieł, żelbetonu i szkła. Jedna scena wydawała mi się szczególnie wymowna. Oto grupa robotników niosła potężny diodowy ekran – jakimś cudem nienaruszony przez eksplozję. Dźwigający wyglądali jak mrówki, które dopadły płat grafitowego wafla. W pewnej chwili rozległ się trzask. Przez powierzchnię przebiegła rysa, zaraz kolejna... W dłoniach robotników została tylko pusta rama.

– No, i poszedł się jebać – oznajmiła czerstwa mrówka.

– Chuj z nim, jak ze wszystkim tutaj.

Przy grodzących miejsca poszukiwań taśmach zbierali się ludzie. Wielu czekało z nadzieją. Było upalnie i surrealnie, łoskot maszyn i walących się ścian brzmiał potwornie. Co jakiś czas ktoś nie wytrzymywał – bezwiednie rwąc taśmę, biegł w stronę kokonów. Ratownicy szybkim krokiem wychodzili naprzeciw i bronili dostępu do oworkowanych szczątków. Karetki pogotowia stały z otwartymi drzwiami. Czuć było stężałą rozpacz.

Kluczyliśmy między mogiłami miasta, dyskretnie zatykając usta i nosy. Minęliśmy zgliszcza PWST – Polacyjnego Wyższego Seminarium Teatralnego, a zaraz potem – znaną na cały świat Franciszkańską 3. To tam, w oknie siedziby krakowskiego arcybiskupstwa, papież Adam I wygłosił słynne *Urbi et Orbi*, zakończone słowami „Deus vult!". Sięgając do świętego Augustyna i Urbana II, dał pozwolenie na bellum iustum – II wojnę wyszehradzką.

Wreszcie, po półgodzinnym marszu, stanęliśmy u stóp Wawelu, a raczej tego, co po nim zostało. Myliłem się jednak, sądząc z początku, że poszukiwać będziemy ciał lub żywych, którzy cudem przetrwali eksplozję. W środku pokruszonych, zapadniętych murów obronnych zamiast śladów zamku i wawelskiej katedry znajdował się wielki krater. Pomimo ulewy jego gardziel wciąż jeszcze dymiła, przywodząc na myśl wulkaniczny oddech ziemi. Do wnętrza krateru prowadziły długie drabiny i pneumatyczne platformy. Wiatr rozganiał brunatne kłębki, odsłaniał krypty i podziemne korytarze. Wewnątrz walały się pogruchotane sarkofagi, płyty nagrobne i rzeźby, niektóre zanurzone były w płytkiej wodzie, dostrzegłem też kilka świeżych kwiatów.

Ojciec Karol podzielił nas na pary, zaś dowodzący całą akcją kapelan w stopniu majora rozdał jednorazowe rękawiczki i blaszane kuferki obite gąbką, z różnej wielkości przegródkami. Pouczył, że mamy gromadzić w nich wszystko, co dostaniemy od ratowników, a następnie przydzielił do pracujących ekip. Oczywiście – bo jakże inaczej! – znalazłem się w dwójce z bratem Hiacyntem. Zszedłszy po długich teleskopowych drabinach, dołączyliśmy do czterech ratowników o nieco kwadratowych sylwetkach. Trzech z nich było wyposażonych w gogle, detektorowe szczypce i miotełki podobne do małych kropideł. Pracowali w skupieniu, przeglądając ziemię centymetr po centymetrze. A praca to osobliwa, można by rzecz – skrzyżowanie farmacji z filatelistyką. Chwytali szczypcami sczerniałe – zdawałoby się – kamyczki i opiłki, miotełkami zgarniali pył osiadły na kamiennych posadzkach. Czwarty ratownik trzymał podłużne urządzenie, chyba skaner. Skanująca powierzchnia miała silikonowe imadełko, w które ratownik wkładał podawane przez pozostałych znaleziska. Błysk lasera prześwietlał je i po chwili na ekranie pojawiała się jego genetyczno-chemiczna charakterystyka. Zależnie od wyniku znalezisko albo lądowało z powrotem w ziemi, albo trafiało do woreczka, a następnie do naszych kuferków. Już po chwili zorientowałem się, w jak ekstraordynaryjnej ekshumacji dane nam było uczestniczyć!

Kroczyliśmy za ratownikami, obserwując ruch miotełek i błyski skanera. O, taka niepozorna drobina, mniejsza niż pół paznokcia – zaglądam przez plecy ratowników, żeby lepiej widzieć. Szczypce osadzają ją w imadełku, a to dokonuje dzieła identyfikacji. Przenoszę wzrok na wyświetlacz i z piersi wyrywa mi się donośny okrzyk, godny krypty pod nieistniejącą już Wieżą Srebrnych Dzwonów:

– Józef Piłsudski! Odnowiciel dawnej Polski!

Ratownik chowa kosteczkę do woreczka, natychmiast podstawiam kuferek. Skarb ląduje w przegródce. Kosteczka – woreczek – kuferek – przegródka – procedura nie jest skomplikowana. Kolejne odkrycie stanowi garsteczka pyłku. Ignorant pomyliłby ją z piachem, czymś bezwartościowo ulotnym, lecz nie ratownik w goglach. Nie większa niż szczypta soli, trafia bezpośrednio na powierzchnię skanującą. Tym razem brat Hiacynt głośno werbalizuje niedowierzanie:

– Tadeusz Kościuszko?! Wszelki duch Pana Boga chwali!

Garsteczka – woreczek – kuferek – przegródka. Ziemska pozostałość przywódcy insurekcji znajduje ocalenie. Uginają się pod nami nogi, przestępujemy ostrożnie, by nie nadepnąć przypadkiem na jakąś koronowaną jagiellońską głowę. W pozostałych grupach daje się słyszeć podobne poruszenie. Bracia konwentualni dają upust swym zadziwieniom:

– Adam Mickiewicz! Wieszcz nasz narodowy!

– To naprawdę Norwid? Mój Boże, mój Boże! Cyprian Kamil Norwid! Ten od *Fortepianu Chopina*.

– Książę Józef Poniatowski? Z prochu powstał i w proch się obrócił, jak stoi w Księdze Rodzaju.

– Andrzej Duma-Korolko. Pamiętacie bracia? Prawdziwy mąż stanu.

Tak, tak, pamiętaliśmy. Został pochowany na Wawelu i zapisał się w ludzkiej, dozgonnej pamięci jako ten, który doprowadził negocjacje między Adamem I a Cyrylem V do szczęśliwego finału. Jednak z Dumą-Korolką sprawa była poważniejsza. Jego stosunkowo niedawno pochowanego ciała nie sposób było zapakować do kuferka. Ratownicy ułożyli je pod drabinami.

Z najdalszej części labiryntu doszedł nas głos brata Wojciecha:

– Nie wierzę! Stefan Batory?! Król we własnej osobie?

Kątem oka dostrzegam wielką nabożność, z jaką mnich rozchyla woreczek i wkłada do wnętrza coś podobnego do naparstka w kolorze mchu.

Ruch dłoni opiętych białymi rękawiczkami zmienia nas w mistrzów pogrobowej magii. Bo też – nie licząc ratowników – jesteśmy magami dawnych czasów. Tu XVI wiek, tam międzywojnie, a nieco dalej: wiek oświecony. Archeologia jest widzialną metafizyką czasu. Bo w jednej zmurszałej ludzkiej muszelce odzywają się minione stulecia. Palce kreślą w powietrzu tajemne znaki, z największą delikatnością unoszą sarkofagowe skarby. To ledwie drobiny, ale zawsze!... Białe palce tańczą nad otwartymi wiekami. Czy można dodać coś więcej? W dłoniach trzymałem samego Józefa Piłsudskiego! Choć złośliwcy powiedzieliby: to wyłącznie pars pro toto, nie jest to do końca pars i nie pro! Ratownicy podali mi jeszcze kilka jego ułomków, skruszałych jak starożytna beza. Zważywszy na soki trawienne czasu, Naczelnik trzyma się całkiem nieźle.

Pierwsze odkrycia zaczynają być przerywane dłuższymi pauzami, bo wśród cynowego śmiecia coraz trudniej o drogocenne znalezisko.

Idziemy czujni, wysilając oczy wraz z ratownikami. Starodawne inskrypcje, fragmenty tablic wotywnych, trumny bez wiek, mosiężne okucia, klamrowe złocenia. W rozdętej, mokrej ziemi spod kamiennej posadzki wyłazi robak, jakaś purchawka zatęchła i zgniła. O, znów coś ludzkiego mieni się w ratowniczych goglach. Szczypce chwytają kość owalną, lekko obłupaną, i podają ją posiadaczowi skanera. Chwila napięcia... Błysk, genetyczno-chemiczny odczyt i pojawia się zapomniane nazwisko. Brat Wojciech odczytuje, tym razem szeptem:

– Kaczyńska... Maria...

Przez dłuższą chwilę patrzymy na siebie... Gdzie Maria, tam musi być Lech – pomyślałem, bo też miałem pewność, że jest kwestią czasu odnalezienie szczątków ostatniego prezydenta RP-człowieka. Po nim na najwyższy urząd w państwie partie polityczne zaczęły wysuwać prototypowe egzemplarze androidów. Przyłożyły tym samym rękę do ostatecznego końca demokracji, bo androidy działały niejako z automatu, często psuły się i zacinały. Na arenie międzynarodowej doprowadzały do dyplomatycznych nietaktów. Aplikacje prezydenckie były łatwe do zhakowania przez hejtującą na potęgę opozycję. Pierwszym prezydentem-awatarem był Komorowski X1. Drugim – Duda 001. Tego pamiętam dość dobrze, bo z cybernetyczną swadą swawolił nocami na społecznościowych portalach, a przerażeni informatycy nie potrafili go wyłączyć.

Lech Kaczyński zginął w 2010 roku w zamachu przygotowanym przez Putina, rosyjskiego satrapę. Dzisiaj to wiedza szkolna, katopediowa, lecz wtedy, w początkach XXI wieku? Ileż to było domysłów, spiskowych teorii, ileż iście sarmackich kłótni, podejrzeń, podziałów i wyzywania. Brat pluł na brata i bratem pogardzał. Ojciec wydziedziczał syna, syn wyrzekał się ojca. Kto Rejtan, a kto Szczęsny Potocki, zależało od tego, kto pluł akurat, a kto twarz wycierał. Radykałowie po lewej i po prawej stronie barykady podsuwali sugestie, żeby biedną Polskę podzielić na pół. Po sugestiach przyszły koncepcje: wzdłuż Wisły podzielić, od Mazowsza w górę i w dół przepołowić, a najlepiej – na skos ciąć, od Suwałk przez Warszawę po Wrocław. Ktoś rzucił, żeby ruch szachowego konika określał granice Polski A i Polski B. Jednak zaraz podniosło się larum, bo żadne z plemion wewnętrznych i poróżnionych nie chciało przynależeć do Polski B. Zwykli obywatele zdurnieli kompletnie, a wiara w konsumpcję i w supermarkety już nie była neutralna światopoglądowo, ponieważ widoczny dualizm dotknął też rynek dóbr cielesnych i materialnych. Brakowało w nim transcendencji. Wrócił więc lud do tego, co potrafi najlepiej: zaczął pić na potęgę, jednocześnie nawracając się na wiarę przodków. Coś drgnęło – w kościołach odnotowywano frekwencyjny progres, a widmo I wojny włoskiej okazało się mocno integrujące. Jak zawsze w dziejach tego nieszczęsnego narodu, ku osłupieniu polityków i uciesze socjologów, od tego picia, które zdążyło zmienić się w chlanie, doszło do zgody ponad podziałami, w czym wydatny udział miał nasz Kościół. Znów grał pierwsze skrzypce. Pojawiły się zalążki Polacji – nowego, ponadplemiennego pojednania. Był rok 2030. Miasta zgłosiły chęć zawiązania federacji, ograniczając władzę rządu wyłącznie do działań socjalnych i osłonowych.

Dodatkowo, na mocy religijnego pojednania z prawosławiem zawartego przez Adama I i Cyryla V, Rosjanie przyznali się do morderstwa. Był to dramatyczny moment – pansłowiańska wojna wisiała na włosku, a kalifat napierał. Wchłonął wyspy Morza Śródziemnego i wlewał się krwawą rzeką do południowej Europy. Na szczęście Adam I wystąpił z propozycją: „Ziemia za pokój", na którą przystał patriarcha Moskwy. Rosjanie po raz pierwszy w swojej historii mogli udowodnić, że brzydzą się agresją. Cyryl V – w ramach zadośćuczynienia – oddał powstającej Polacji obwód kaliningradzki wraz z Litwą, Estonią i Łotwą. To uspokoiło nasz naród. Niemcy nie zgłaszali roszczeń, mieli swoje za uszami, od kiedy ostatecznie rozwiązali kwestię mniejszości narodowych. My z kolei obiecaliśmy patrzeć przez palce na aneksję Białorusi, Ukrainy, Mołdawii i Gruzji przez Rosję. W przededniu światowej wojny nastał nowy porządek. Liczba powołań wzrosła, a religia z rozmachem wkroczyła do świątyń konsumpcji. Tylko spożycie alkoholu wciąż utrzymywało się na wysokim poziomie.

– Władysław Sikorski! Bracie Arturze, proszę zobaczyć – z rozmyślań wyrwał mnie brat Hiacynt. Jego kuferek wzbogacił się o generalski popiół.

Słońce stanęło w zenicie, czułem jego parzący jęzor na karku. Garnitur nie dawał osłony. Pod marynarką zbierał się pot, ściekał po plecach. Mój kuferek był wypełniony w jednej czwartej, brata Hiacynta – w jednej trzeciej. Gwardian zarządził przerwę. Albertynki przyniosły kaszę jaglaną i cydr do popicia. Odebraliśmy jedzenie spuszczone linami i po wspólnej modlitwie zaczęliśmy ze smakiem czyścić talerze. Nasze łyżki tańczyły jaglanego kankana, chłodny cydr gasił pragnienie. Ratownicy ustawili się w długim szeregu i... i wszystko stało się jasne! Na tych samych linach zjechała ogromna waliza, ksiądz major zszedł po drabinie i otworzywszy wieko, zaczął wręczać ratownikom akumulatory, odbierając jednocześnie rozładowane. Ha! Prawdą okazały się informacje o bratniej pomocy Silesii. Pracowaliśmy z górniczymi androidami... Rzeczywiście, ich dłonie były nieproporcjonalnie duże, co umknęło dotychczas mojej uwadze. Wprawdzie dla przebiegu ekshumacji nie miało to większego znaczenia, ale nasze relacje ze sztuczną inteligencją cechuje dość duży i raczej nieusuwalny dystans. Te genetyczno-krzemowe twory towarzyszą nam już od wielu lat, kompensując tym samym niezmienne ciągoty społeczeństwa do niewolnictwa i feudalizmu. Kim kiedyś był chłop, służący lub niewolnik, tym dzisiaj jest android.

Nie zdążyłem się jeszcze należycie zorientować w panujących tutaj zwyczajach, ale w Olsztynie androidy wykorzystywane są przez wszystkie warstwy społeczne. Za trzysta palcówek można już mieć całkiem dobry egzemplarz. Gotują, sprzątają, wykonują najgorsze roboty budowlane i sezonowe prace, wywożą śmieci, udrażniają miejską kanalizację. Androidy z powodzeniem zastępują też prekariat i dawnych emigrantów ekonomicznych. Dlatego, poza repatriantami, nie potrzebujemy przybyszów z zewnątrz. Te w wersji home-deluxe spełniają funkcję humanoidalnych tamagotchi – ludzie samotni kupują je dla towarzystwa. Podobno najdroższe spełnią każdą zachciankę właściciela. Podobno, bo są zakazane w naszym charyzmacie, choć i tak wcale nie ciągnie nas do zakupu. Utrzymujemy się z pracy naszych rąk, a gdy szukamy pocieszyciela i druha, jest Pimp, Jodek, Cezar, są Puchor i Popiołek. Żaden ludzki wynalazek nie zastąpi Bożych, poczciwych sierściuszków. Z takim pobawisz się, podrapiesz za uszkiem, dasz jakiś kąsek. A humanoidalnemu albo kociemu tamagotchi możesz co najwyżej naładować baterię, bo wiesz, że wszystko jest kwestią zaprogramowania i płatnych aplikacji.

Trzeba jednak zaznaczyć, że nie słyszy się, aby – w przeciwieństwie do zwierząt – któryś android był nieposłuszny lub – nie daj Bóg! – podniósł rękę na właściciela. Dawne obawy związane z buntem maszyn okazały się nieuzasadnione. Owszem, istnieją androidy militarne, ale dopóki nieuzbrojone w system „obcy-swój", dopóty bezpiecznie zalegają w koszarach. Ich świadomość jest w stanie elektronowej śpiączki.

Człowiek wciąż jest niezastąpiony i wierzę, że tak zostanie do ostatnich dni ludzkości. Android to android. Ni pies, ni wydra. Teorie Kurzweila można między bajki włożyć, a transhumanizm przestał rozpalać umysły, mimo że jeszcze sto lat temu pokładano w nim wielkie nadzieje. Dzisiaj jest czysto merkantylną gałęzią AGD i przemysłu zbrojeniowego. Okazało się, że sztuczne, neuroelektoronowe mózgi, owszem, działają, ale bez jednego, najważniejszego impulsu – aktu woli. Funkcjonalizm kognitywny z kolei się nie przyjął. Nie znaleziono sposobu, żeby ludzki mózg, wyznaczający sobie cele w naturalnym środowisku organizmu, działał tak samo po transhumanistycznym przeszczepie – żeby chciał, pragnął czy kierował się emocjami. Przez chwilę wydawało się, że błysnęło światełko w tunelu, bo sztuczna inteligencja zaczęła tworzyć pierwsze wzory na nieśmiertelność. Tyle że po serii eksperymentów uzyskano ten jej rodzaj, jaki cechuje kamień lub niedegradowalny plastik. Wieczność bez procesów życiowych. Dodatkowo cynicy ze szkoły augustiańskiej prychali z przekąsem:

– No, dobrze, ale kto, poza Stwórcą, i jakim sposobem sprawdzi ich nieśmiertelność?

W olszyńskim futuromuzeum mamy dwa takie egzemplarze o symbolicznych imionach: Piotr i Paweł. Niby żyją, niby aparatura rejestrująca ich procesy wewnętrzne pika i rysuje sinusoidy, ale więcej życia można dostrzec w pierwszej lepszej paprotce. Formy doskonale wegetatywne. Byłem, widziałem – pierwsze emocje, że oto stoję przed nieśmiertelnymi bytami, szybko minęły. Po półgodzinie, zawiedziony i zarazem znudzony, wyszedłem z muzeum nowoczesności. Jeśli nieśmiertelność dąży do bezruchu, wolę moją długowieczność. Kiedy zawoła mnie Pan, przerwie ją śmierć.

Innymi słowy, dotarliśmy do granic poznawczych, by zakrzyknąć: ubi leones!, i potwierdzić idee woluntarystów: w świecie sztucznej inteligencji nie ma odpowiednika ludzkiej woli. O potrzebie Boga i transcendencji nawet nie wspomnę. Może właśnie dlatego – dla humanistycznego balansu – procesowi ekshumacji musiał towarzyszyć tak zwany czynnik ludzki, czyli my: franciszkanie. Ludzie chcieli ekshumować szczątki, widząc w nich coś poza resztkami materii. Androidy były tylko zaprogramowane. Gdyby nie wzory DNA, odtworzone przez archegenetykę, z równą obojętnością mogłyby zbierać resztki żab rozjechanych na drodze.

Po obiedzie wróciliśmy do pracy, podążając za żmudnym, lecz systematycznym ruchem miotełek. Upał nie słabł, wydłużały się cienie, niebo nabrało lekko brzoskwiniowej barwy. Jeśli dobrze liczyłem, było jeszcze siedem, może osiem krypt do sprawdzenia, w tym krypta Świętego Leonarda z charakterystycznymi kapitelami, których odłamki walały się w labiryncie, oraz krypta Wazów. Pojawiło się łupanie w krzyżu, mrowienie w palcach, powoli opuszczały mnie siły. W kuferku zdołałem już zebrać spory panteon kości i prochów.

– Jan III Sobieski! – zawołał któryś z konwentualnych, dowodząc odkrycia magicznym ruchem białych palców.

– August II Mocny – odkrzyknął inny i ułożył dłonie na kształt liturgicznej patery.

– A u nas Roman Polkowski! – pospieszył z informacją o swoim odkryciu brat Wojciech.

Polkowski był generałem, zasłynął jako wybitny strateg i dowódca trzeciego frontu w II wojnie wyszehradzkiej. Zginął pod Bratysławą. Jego kości dołączyły do szczątków Dumy-Korolki.

Znów przerwa. Znów żmudne oddzielanie kamyczków od kości, piasku od prochów. Pomalutku zamykaliśmy część wielowiekowej historii w kilku kuferkach. Żeby wyzbierać wszystko, potrzeba wielu długich miesięcy. W ciągu następnych dwóch godzin moja ekipa odnalazła prochy Zygmunta Starego, jego pierwszej małżonki Barbary Zapolyi oraz poety Juliusza Słowackiego. Sąsiednia ekipa wygrzebała z granitowego miału kości dwóch Lechów: Wałęsy i Kaczyńskiego. Dwie inne uzupełniły zbiory dawnych znakomitości o ślady pyliste króla Łokietka, świętego Stanisława i Marka Pączyńskiego – dowódcy jednostki specjalnej Pogrom. Zasłynął zniszczeniem rakiety z ładunkiem atomowym, którą kalifat chciał wystrzelić z Budapesztu w kierunku Sztokholmu.

Nadszedł wieczór. Nasze cienie zaczęły sobie śmielej poczynać wśród sarkofagowych labiryntów. Wraz z nadejściem mroku zjawił się znany mi cysters. Gwardian przywołał nas pod drabiny i nakazał otworzyć szeroko wieka kuferków. Wykonaliśmy polecenie, zadzierając głowy. Zakonnik w pingwinich barwach podszedł nad krawędź krateru.

– A to kto? Ktoś wierny, aby na pewno pewny? – zagadnął gwardiana niezamierzonym raczej rymem. Na mnie spoglądał z wysoka.

– No, a jak? Duchowny na sto procent, zakonnie wyświęcony. – Twarz ojca Karola wyrażała szczere zdumienie. – Wszak to brat Artur, przybysz z Północy, tak jak i wy, bracie cystersie. Z miasta Olsztyna, nie kojarzycie, szanowny bracie Tymonie? Jest i brat Wojciech, również gość nasz serdeczny, który także przybył z pomocą. – Wskazał na wywołanego słowem. – Tyle że habit brata Artura całkiem zmarniał po nocnej ulewie, stąd strój taki chwilowy, garniturowy. To ubiór przejściowy, zapasowe odzienie. Brat Artur to kapucyn jak amen w pacierzu – objaśnił.

Ojciec Tymon omiatał mnie wzrokiem niczym nieznany eksponat. Co jest, do licha? Toż i ja należałem do piątki misyjnej. Czyżbym był w samolocie przezroczysty? Taki już nasz los kapucynów... Ale powtarzam sobie: novissimi primi et primi novissimi...

Pingwin-buchalter chyba bardziej dał wiarę słowom gwardiana niż swojej pamięci. Wyjąwszy spod habitu tablet, zaczął sumować skarby w otwartych kuferkach. Mnożył, przeliczał, palcem stukał w wyświetlacz, aż wyszło mu chyba to, co wyjść miało. Co jednak – trudno odgadnąć.

– Uważajcie, bracia, żeby nie upuścić kuferka, ani, nie daj Bóg, zgubić. Niech was ręka boska chroni! Bo pójdziecie czyścić toi-toie – zagroził. – Teraz zaniesiecie to wszystko do polowej świątyni. Gwardian przypilnuje.

Boże, wybacz krnąbrność i grzech ambicji, lecz kto mu dał prawo tak do nas przemawiać? Biskup jeden się znalazł! W dodatku młokos. Mógł mieć z dziewięćdziesiąt lat, nie więcej. Nie zaprotestowałem jednak. Lata posłuszeństwa zrobiły swoje. Działały niczym odruch Pawłowa: pochylić głowę, pościubić chwosta i stać w ciszy – tym najgłębszym cieniu pokory. Nie wiem, czy reszta zakonników czuła podobnie – nie dawała niczego po sobie poznać.

Ojciec Tymon uniósł dłoń, by udzielić nam pożegnalnego błogosławieństwa, gdy wtem usłyszeliśmy donośny śmiech. Co tam śmiech. To był zły, szkaradny rechot! Drgnęliśmy jakby smagnięci szatańskim ogonem i zaraz odwróciliśmy głowy. Tylko androidy posłusznie stały w szeregu. W brzoskwiniowych promieniach zachodzącego słońca, na ocalałym skrawku wawelskich murów, siedziała Teresa. Poznałem ją! Te wielkie oczy. Ten biały materiał, zakrywający szyję. W dłoni – telefon. Zanosząc się śmiechem, kobieta machała rozpustnie nogami, a wiatr podwiewał jej czarną sukienkę. Odsłaniał to, o czym już Ewa wiedziała, że należy zasłaniać.

– No, znalazłeś drogę do swoich. Gratuluję! Swój do swego po swoje, nie? Choć kompletnie ci nie do twarzy w garniturze – zwróciła się do mnie, a ja przypomniałem sobie werset z Mądrości Syracha, który słusznie poucza, że „bezwstyd kobiety można poznać po niespokojnym podnoszeniu oczu i po rzucaniu spojrzeń". Poczerwieniałem ze wstydu. – A wy, co tak stoicie, gamonie? – Skierowała swój wzrok na cystersa i ojca Karola. – Kobiety nie widzieliście? Kobiety prawdziwej?! Jasne! Biedne te wasze mniszki. Co to za religia, powiedzcie, która wyrywa języki? W ciszy ich ust przygotowujecie piekło dla siebie! Ale ja mówię, ja wołam, ja krzyczę. Chodźcie ze mną, zamiast grzebać w prochach. Wy, hieny cmentarne!

– Kto to jest? Niech zamilknie! Zamknijcie jej usta! – cysters był wzburzony.

– Bracie Arturze?... Skąd ona? Kto?... Rodzina, bliska, znajoma?... – gwardian zawiesił rozpaczliwie głos, oczekując wyjaśnień.

– Brat Artur taki sam gamoń jak wy – Teresa przyszła mi z nader wątpliwą pomocą. – Nic nie rozumie. Jestem białą wdową ptactwa. Powtarzam, chodźcie ze mną. Zbawienia szukajcie po śladach martwych skrzydeł. Mam tutaj całkiem pokaźny zbiór. – Uniosła telefon. – No, śmiało! Co? Nie ma odważnych? – Ostry makijaż zamienił jej twarz w szyderczą maskę.

Kobieta zatrzepotała nogami, raz jeszcze udowadniając, dlaczego upadł raj. I jak niespodziewane się pojawiła, tak równie szybko zniknęła za wyszczerbionym murem. Bracia tkwili w miejscu kompletnie zdezorientowani, tylko cysters postanowił ratować swój autorytet.

– Mów: kto to jest? Znasz ją, tak? – zwrócił się do mnie per „ty", co miało oznaczać: koniec żartów.

Poczułem na sobie brzemię wyczekujących spojrzeń. Nie wiedziałem, co powiedzieć. Cysters z ojcem Karolem napierali od góry, a po bokach – bracia z ekshumacyjnej wspólnoty. Niedobrze, już drugi raz byłem źródłem kłopotów. Brat Hiacynt przeżywał katusze, bo wciąż pewnie myślał, że przez niego to wszystko, że gdyby wskazał drogę precyzyjniej... Brat Wojciech natomiast zrobił minę kompletnego głupca na dowód, że przełożeni znów mają ze mną skaranie boskie. On również – przecież to ja namówiłem go na rowerową projekcję.

– Brat Artur, tak? Dobrze zapamiętałem? A to coś tam, przed chwilą, to brata znajoma? – cysters dopytał oschłym, urzędniczym tonem.

Musiałem się ratować. Tym bardziej że i gwardian patrzył na mnie tak, jakbym zrobił mu krzywdę, a w najlepszym razie – zawiódł.

– Nie znam jej, przysięgam... – przełknąłem ślinę. – To... wariatka. Wczoraj widziałem, jak robi zdjęcia martwym ptakom. Pewnie zbzikowała – zacząłem się tłumaczyć odważniej. – Tyle nieszczęścia, tyle śmierci wokoło, to i ludzie odchodzą od zmysłów. Smutna, ale normalna rzecz. Ludzka bardzo. Z Bożą pomocą na pewno wróci im przytomność serc i umysłu. I złagodnieją języki. Tamtej kobiecie również.

Chyba nie brzmiałem przekonująco.

– Będę miał cię na oku, braciszku. Podobnie i ciebie, ojcze gwardianie. Oj, wy, franciszkanie. Kapucyni, konwentualni, Mniejsi, Niepokalanej, wszyscyście według jednego szymla... – westchnął cysters i zaraz wydał rozkaz: – A teraz zabierzcie kuferki i do świątyni! Czas na Officium Defunctorum.

Zamiast błogosławieństwa nasunął kaptur na znak skończonej rozmowy. Straciliśmy go z oczu. Na górze został tylko ojciec Karol.

– Wracamy, bracia moi, umiłowani w Panu. I zapomnijmy o zajściu. Pan Bóg wybaczy nieszczęsnej kobiecie. Zdarza się. Czas niepojęty, bolesny. Trudno powiedzieć, kto nas zna. Kogo my znamy? Kto obcy? A kto przyjaciel? Świat wywrócił się do góry nogami – o dziwo, mówił łagodnie.

Na linach zjechała platforma. Umieściwszy na niej kuferki, zaczęliśmy gramolić się po drabinach. Ratunkowa ekipa androidów zabrała się za kości ułożone pod drabinami. Każdy z bohaterów trafiał do odrębnej trumienki.

Wracaliśmy niczym jeden z wielu konduktów, które wędrowały po uprzątniętych ulicach. Kraków zapełniły ponure procesje z przytuloną do siebie grupką czarnych zjaw. Nadszedł bowiem czas pierwszych pogrzebów i ostatnich pożegnań. Znicze, kwiaty i krzyże znaczyły miejsca, w których śmierć dopadła ofiary. Tworzyły funeralną mapę miasta. Zewsząd słychać było ciche śpiewy i płacz.

Do piersi przyciskaliśmy kuferki niczym sekretne urny, czym wzbudzaliśmy zaciekawienie mijanych ekip ratunkowych. Nasze białe rękawiczki jaśniały w cieniach ruin, słońce zachodziło za miastem, tylko gdzieniegdzie jego szkarłatne promienie prześlizgiwały się między kopcami.

Czułem się podle. Bez dwóch zdań, czułem się jak ostatnia kapucyńska szmata, niegodna ślubów. Odezwało się sumienie – powinienem był zareagować inaczej. Głowa zaczęła mi płonąć od wewnątrz. Bracia Wojciech i Hiacynt nie odstępowali mnie na krok. Chyba podejrzewali, że mogę zrobić coś głupiego, bo rozglądałem się wokoło. Szukałem Teresy! Szukałem jej wśród ruin i usypanych kopców, wśród grupek ludzi zapalających znicze. Wypatrywałem martwych ptaków w nadziei, że ujrzę pochyloną kobiecą postać z aparatem. Niestety na próżno.

Wypatrywałem, to i się dopatrzyłem – Bóg wysłuchał i pokarał moje oczy! W kamienicy pozbawionej ściany frontowej, w odsłoniętym pokoju na drugim piętrze, siedziało dziecko. Pleckami i główką opierało się o poręcz łóżka, zaciśnięta rączka trzymała jakąś zabawkę. Trudno odgadnąć: dziewczynka czy chłopczyk? Kamienica mogła w każdej chwili runąć.

– Tam, dziecko! Trzeba je zabrać! – zawołałem, szukając ratowników. – Ludzie, na drugim piętrze! Trzeba pomóc! Hej, dziecino, spokojnie, zaraz ktoś cię sprowadzi na dół.

Nikt nie reagował. Kondukty płynęły ulicą jeden po drugim niczym czarne łodzie. Dziecko też nie zwróciło uwagi na moje słowa.

– Może my? Damy radę! Ojcze Karolu! – próbowałem zatrzymać nasz pochód. – Bracie Wojciechu, spróbujmy we dwóch. – Naparłem na niego kuferkiem.

Zrobił się czerwony i jakoś tak przekręcił głowę, jakby miał złamany kark. Inni też – głuchoniemi.

Brat Hiacynt nachylił się do mnie i wyszeptał stanowczo, z naciskiem, zupełnie jak nie on:

– Niech brat przestanie, to nie ma sensu... Za późno...

Dopiero teraz zrozumiałem, że dziecku nie byli potrzebni ratownicy. Jemu potrzebni byli grabarze. Ktoś zapomniał, przeoczył... Małe to dziecko i ciche... Nie płakało, nie wołało, więc ominęli... Spuściłem głowę. Już do końca wędrówki patrzyłem tępo pod nogi.

W polowej świątyni zebrał się chyba cały krakowski kwiat biskupi – tym razem bez polityków i wiernych. Był arcybiskup Krystek, wsparty o pastorał, byli też Planktocysta, jezuita, ojciec Tymon i wiele sędziwych, infułowych głów. Słowem: kościelna elita, której udało się przeżyć. Oczekiwali naszego nadejścia, więc czym prędzej złożyliśmy kuferki przy ołtarzu. Chwilę po nas zjawiła się ekipa androidów, składając obok urn worki z ciałami i kośćmi bohaterów, których ząb czasu nie zdążył jeszcze skruszyć.

Alumni rozżarzyli węgle w kadzidłach, namiotem wstrząsnęło uroczyste i podniosłe *Te Deum*. Rozpoczęły się święte egzekwie. Nieco zdziwiła mnie ta pieśń, ponieważ zazwyczaj śpiewa się ją podczas oktawy Wielkanocy, a przecież nie minęła jeszcze czwarta niedziela Laetare. Może chodziło o pierwiastek pogrobowego sacrum, który stanie się kamieniem węgielnym odnowionego miasta? Bo to, że wawelski panteon miał właśnie zostać poddany powtórnemu poświęceniu, rozumiało się samo przez się. Prochy wielkich mężów, przodków dzisiejszych Polacjan, dadzą impuls życiu po tragicznych zamachach. Tak przynajmniej przypuszczałem.

Zaraz jednak doszło do niemiłego incydentu. Ledwie gwardian wskazał nam to samo co podczas mszy porannej miejsce, cysters zaczął ciskać gromy oczami i czynił ręką dyskretne gesty. Jakby chciał coś od siebie odepchnąć. Sygnał był jasny – ceremonia miała odbyć się bez naszego udziału. Ojciec Karol spurpurowiał, lecz ruszył do bocznego wyjścia, dając nam znak, żebyśmy wyszli za nim. Pochyliliśmy głowy i przy słowach „Tibi omnes Angeli, tibi caeli et universae Potestates" opuściliśmy namiot. Franciszkanin zrobił swoje, franciszkanin może odejść – przemknęła mi kolejna harda myśl. Za dużo tej hardości. Zmiłuj się, Jezu Chryste, nade mną grzesznym. Chyba czas najwyższy rozejrzeć się za jakimś spowiednikiem i wybłagać wstawiennictwo Biedaczyny z Asyżu.

Albertynka, moja poranna Ariadna, poprowadziła nas labiryntem do sali noclegowej. Wypełniały ją polowe łóżka, a zaraz przy wejściu znajdowało się niewielkie przepierzenie z umywalką i urynofuzorami. Kilku mnichów dokonywało wieczornej toalety, parskając z cicha pod lodowatą wodą niczym Boże źrebięta. Łóżka były już w większości zajęte przez braci z innych zakonów. Siostra wskazała nam miejsca między benedyktynami a dominikanami. Pierwsi odprawiali kompletę z elektronicznych brewiarzy, drudzy – oczywiście z pamięci. Na paluszkach, starając się jak najmniej przeszkadzać, zajęliśmy łóżka. Na małych stolikach znaleźliśmy kolację: owsiane sucharki i kwas chlebowy. Ojciec Karol był chyba już mocno strudzony, bo tylko poprosił szeptem:

– Nie zapomnijcie o modlitwie, bracia kochani. Niech każdy z was porozmawia z Bogiem i własnymi słowami u Stwórcy wyprosi dar spokojnej nocy. Pax et Bonum, umiłowani w Chrystusie.

Z szyi zdjął rzemyk ze znakiem Tau. Ucałował krzyżyk, kolejno każdego z nas nim naznaczył i rymnął na łóżko, chrapaniem uznając dzień za skończony. Jedzenia nawet nie tknął.

Rozkład łóżek to jedno, a ich zajęcie to drugie. Patrzę w lewo – brat Wojciech, patrzę w prawo – a jakże, brat Hiacynt. Cichutko, jak myszki, przegryzają sucharki i udają, że mnie nie widzą. O tempora, o mores! O sacra invigilatio! – nie mogłem się uwolnić od tych stróżów w zakonnej powłoce. A przecież byli też inni bracia. Poznałem braci Filipa i Sebastiana, braci Patryka, Roberta, Rafała – na tyle pokornych, na tyle cichych, oddanych posłudze, że równie dobrze mogliby pozostać anonimowi. Ci dwaj jednak uczepili się mnie jak rzepy psiego ogona. Brata Wojciecha mogłem jeszcze zrozumieć, wszak to mój przyjaciel z olsztyńskich czasów, a takich – czasów i przyjaciół – się nie wybiera. Ale brat Hiacynt, nadgorliwy orzeszek? Cingulum z nim nie wiązałem. Działał mi na nerwy, ale to pewnie z powodu mojego egoistycznego rozdrażnienia. Znów pomyślałem o koniecznej spowiedzi. Czas najwyższy wyznać grzechy i uznać brata Hiacynta za brata.

Posiliwszy się sucharkami, poszedłem za przepierzenie – skorzystałem z urynofuzora, a następnie spryskałem twarz i ręce wodą w spreju. Przy ustawionym na czymś w rodzaju sztalugi lustrze golił się kameduła, podśpiewując *Arkę*. Odbicie jego twarzy z gęstą, brodatą pianą uśmiechnęło się do mnie.

– Skąd przyjechałeś, synu? – zapytał.

– Nie, nie. Też bratem jestem. Kapucynem – pospieszyłem z wyjaśnieniem. – Na imię mam Artur. Przyjechałem ze stolicy.

– Przepraszam, zmylił mnie twój strój, bracie. A ja jestem brat Ludwik – skłonił się. – Ach, Olsztyn, Olsztyn! Piękne miasto. Jak to mówią, nie mijając się z prawdą, klejnot w koronie Polacji. Odwiedziłem je w 2045 roku, podczas pielgrzymki do Królewca, gdy objawiła się Matka Boska Sambijska. My dzisiaj, całym charyzmatem, przylecieliśmy ze Szczecina.

– A jakże, tutaj każda para rąk potrzebna, by zmarłych pochować, a w żywych podtrzymać nadzieję – oznajmiłem.

– Nie, nie, bracie Arturze – teraz z kolei on zaprzeczył. – Choć nie szczędzimy modlitw za nieszczęsne dusze, w pałacyku arcybiskupa Krystka montujemy nowe onirografy. Trzeba zacząć od snów. Sny trzeba naprawić. Bóg ciężko doświadczył ludzi.

– Bóg jak Bóg, raczej barbarzyńcy, krwawi egzegeci Koranu. Niechaj Mahomet im wybaczy. To wojna ludzi, nie Bogów – pozwoliłem się nie zgodzić, kontynuując pinga-ponga zaprzeczeń.

Kameduła wstrzymał nożyk przy gardle. Widać było, że waha się, co odpowiedzieć, bo ryzykownie o Jedynym wyraziłem się w liczbie mnogiej.

– Święte słowa, choć nader odważne – przyznał mi po chwili słuszność, a ostrze zebrało obłoczek piany. – No cóż, wy, franciszkanie, możecie pozwolić sobie na więcej. Nie trzeba tu szukać ręki Boga. Raczej sił Jemu wrogich – westchnął powtórnie i zanurzył nożyk w białej brodzie.

Wróciłem na salę. Od braci Wojciecha i Hiacynta dzieliło mnie z obu stron ledwie kilkadziesiąt centymetrów – trudno. Postanowiłem zaryzykować. Zdjąłem garnitur, coś tam niby pogmerałem w marynarce, tłumacząc pod nosem, że niby różaniec, że Matce Boskiej chcę w samotności złożyć wieczorne podziękowanie za dzień pracy. Moi stróże musieli usłyszeć. I o to chodziło. Wskoczyłem do łóżka, szczelnie, po czubek głowy, nakryłem się kocem. Moje serce rozświetlało kryjówkę przygaszoną czerwienią. Miałem jednak dziwne wrażenie, że dzień zatoczył koło – znów trząsłem się z zimna. Ciekło mi z nosa, narastał ból w skroni i rozgadały się zęby. Jak Bóg na niebie, tym razem Szatan dopadł mnie prostym vessazione – drugim powszechnie znanym rodzajem dręczenia. Stary trik – pod pozorami zwykłego choróbska osłabić ciało, by tym łatwiej dobrać się do duszy. Boże, daj mi moc, nie opuszczaj w chwili próby...

Długo czekałem, aż na sali ucichną szepty, szmery, szurania i ostatnie dziesiątki różańców. W końcu sen uspokoił oddechy, tu i ówdzie dając o sobie znać lekkim poświstywaniem śpiących. Chrapanie gwardiana stanowiło donośny wyjątek. Spowita w ciemnościach sala żarzyła się światełkami długowiecznych serc. Mistyczny widok – jakby świetliki dawały odpór postępom mroku. Z oddali dochodziły ledwie słyszalne egzekwie – biskupi odprawiali modły, by prochy królów i wieszczów osadzić na nowo w historii Polacji.

Vessazione przybierało na sile, mąciło zmysły, odbierało jasność umysłu, więc czy świetliki na pewno dawały odpór? Słabłem z chwili na chwilę, miotając się: pobudzić braci czy stawić samotnie czoła? Pobudzić!... Nie, wytrwać!... Non possum! Non possum! Byłem opętany – tak! – ale obrazami skrwawionych ciał, ludzkich szczątków chowanych w workach, ogromu cierpienia, na które trzeba obojętnieć, by nie zwariować. I dziecka! Dziecka, które przeoczyli nawet grabarze! Kto za tym stoi? Nie wiedziałem, choć powinienem. Bóg, Szatan czy człowiek? A jeśli człowiek, to z boskiego czy szatańskiego nadania? A jeśli dzieło śmierci nie ma żadnej wyższej sankcji, to gdzie nadzieja, jakież wybawienie? Świat jest cmentarzem, który przykrywamy coraz większą liczbą kościołów i wirtualnych światów, ale rachunek dobra i zła można zliczać wyłącznie kośćmi pomarłych...

Przywarłem ustami do perłowego kamyka. Sub Tuum praesidium confugio, sancta Dei Genitrix...

ROZDZIAŁ VIII

Córeńko najukochańsza...

Wołam do Ciebie. Ciebie przyzywam całą duszą, pod kocem dusznym, gryzącym, wśród tłumu śpiącej braci zakonnej. Na znak mojej miłości i równie wielkiej tęsknoty całuję perłową łzę, jakbym wypowiadał tajemne zaklęcie. Noc zapadła, zegary poluzowują ciasną sprężynę czasu. Ich sumiaste wskazówki każdą sekundę przeciągają w nieskończoność. A duchy i duszki już tłoczą się za drzwiami północy chętne uciec z zaświatów, by pobaraszkować na jawie niczym psotliwe psiaki.

Zorzynko moja – radości długowiecznego ojca... Usłyszysz mnie, proszę.

Jakimi ścieżkami biegnie Twój sen? Przez jakie światy, przez jakie krainy? Oby bezpieczne, szczęśliwe, oby z dala od cierpienia, śmierci i wojny. Chciałbym otoczyć Twój sen czułą ojcowską opieką. Chciałbym, żebyś wiedziała, że – choć dzielą nas setki kilometrów – myślą i sercem jestem przy Tobie. Blisko. Jak jeszcze niedawno na rowerowej wycieczce. Jestem i będę na zawsze.

Warkoczykowy cudzie w długowiecznej jesieni mojego żywota...

Niech pod Twoimi przymkniętymi powiekami pojawią się wodospady rwących obrazów. Biegnij, córeczko... Biegnij i ciesz się chwilą nieskrępowanej wyobraźni – to czas, którego nikt Ci nie odbierze.

Musisz go wykorzystać. Biegnij więc przez najbardziej fantastyczne strefy nierealności, przez lekkomyślne i pełne dziwów historie. Biegnij tam, gdzie hipopotamy w marcepanowych kapeluszach jeżdżą na bananowych łyżwach, gdzie wielonogie fotele kąpią się w fontannach waniliowych koktajli i szczotkami do włosów szorują stwardniałe stopy, gdzie stuletnie żółwie zmieniają pancerne skorupy w lekkie paralotnie podobne do czasz dmuchawców, gdzie motyle kolekcjonują całe szafy kolorowych, dziurawych skarpet, a poziomki biegają na szczudłach, połykając przezroczyste bańki obłoków. W ich środku przesypują się kolorowe piegi, które pyzaty wiatr gwizdnął biedronkom. Zresztą co ja, stary piernik, który nie nadałby się nawet na chatkę Baby Jagi, mam Ci tłumaczyć. Mogę tylko nadstawić ucha i wsłuchać się w Twoją historię. Jestem, pewien, że mam do czynienia z Mistrzynią. Gdy tylko wrócę do domu, opowiesz mi, jak jest naprawdę. Jako starzec, którego dzieciństwo przebiegło pod znakiem trzepaka i procy, stwierdzam z całą mocą: istnieją dziwy i światy równoległe, o których nie śniło się twórcom komputerowych symulacji.

Siedmioletni promyczku, który dzień czyni z najczarniejszej nocy...

Proszę Cię ze wszystkich sił: biegnij swoim snem i nigdy, ale to nigdy się nie oglądaj. Masz jeszcze czas, by beztrosko przekraczać granice między światami. Jawa zachłanna jest, chce je wciąż przesuwać, by rozrastał się ląd nudnego prawdopodobieństwa. Prawdopodobieństwo to rodzaj kolorowanki z gotowym obrazkiem, to naleśnik, w którym chciałabyś odnaleźć mango, lecz wypełnia go oczywisty twaróg. Prawdopodobieństwo zazwyczaj nie jest smaczne. To przyzwyczajenie i wielokrotne powtórzenia. Rozumiesz mnie, córeczko? Dopóki będziesz chciała sprawdzać widelcem, co kryje naleśnik, będziesz jednak wolna. Znam tysiące dorosłych smutasów, którzy przegrali z twarogiem. Myśli i słowa mają twarogowe, w snach też tylko twaróg i twaróg. Smutasy o innych naleśnikach nie są w stanie nawet pomyśleć. To przerasta ich wyobraźnię, a przede wszystkim – burzy poczucie ładu. Powiesz im: deszcz, odpowiedzą: słońce, albo coś równie przewidywalnego. Krowie kalambury im pasać na wyżartych trawach skojarzeń, a nie stawać oko w oko z bykiem-zagadką i każdym słowem go prowokować niczym czerwoną płachtą.

Podobnie jest z życiem, córeczko. Życie przypomina naleśnik. Żądaj więc farszów, jakie podpowiada Ci smak i wyobraźnia. Żądaj, bo w przeciwnym razie świat zamęczy Cię wygodnym dla niego prawdopodobieństwem. A jak nie dostaniesz upragnionego naleśnika, rób własne, wprawiając w osłupienie kubki smakowe! I obdzielaj nimi śmiało każdego, kto tylko zechce spróbować. Tak też rozpoznasz siostrzane, przyjacielskie dusze. Wielu będzie marudzić, domagając się, byś sprostała ich przyzwyczajeniom. Wystrzegaj się takich ludzi.

Kruszynko, na której obraz i podobieństwo Bóg musiał zmałpować najpiękniejsze aniołki.

Moje słowa mogą wydać się nieco pogmatwane, może w ogóle nie powinienem o tym mówić tak niewinnej, tak czystej, tak bezgrzesznej istocie, ale przychodzimy na świat bez naszej zgody. Na brzeg wód płodowych wypycha nas coś, co dorośli nazywają koniecznością. Wybacz staremu ojcu tę niespokojną epokę. Może uznajesz ją za naturalną, ale spróbuj wyobrazić sobie inny świat. Dlaczego o to proszę? Boję się o Ciebie, o Twoją przyszłość. Zbyt długo już żyję na świecie, żeby nie wiedzieć, jak cienka jest granica między obietnicą raju a uwięzieniem w tej obietnicy. Jeśli dzieci przekraczają tę granicę, ich rodzice odpowiadają za to i godni są piekła.

Moja hostyjko dziecięca, godna największych świątyń na ziemi.

Oddałbym wszystko, żebyś mnie zrozumiała. Bo dam Ci teraz jedną z najważniejszych rad – mów! Mów jak najwięcej. Nazywaj światy, emocje, uczucia. Bądź boską gadułką, słowną katarynką, która pomieści każdą opowieść i nada jej niepowtarzalną melodię. Po swojemu opisuj sny i to, co widzisz na jawie – w domu, w przedszkolu, za oknem Z języka uczyń pierwszy i jedyny pamiętnik ciała. Nie pozwól, by stało się przezroczyste, bo na tym właśnie polega przemijanie. Stwarzaj słowa, lecz nie gardź powszechnie znanymi. Możesz je kaleczyć, mylić, mieć na myśli inne znaczenia, ale jeśli będą z Ciebie wychodzić, w nagrodę wrócą do Ciebie. Dasz radę, to wcale nie takie trudne. Wiele z nich już przecież umiesz, a nawet potrafisz napisać. Niech Twój język tańczy, niech migocze, dźwięczy i śmiga, żeby nikt, ale to nikt, nie zdołał go złapać i zawiązać na supeł. To jedyne, co masz, córeczko. Resztę – jak Twoja mamusia – możesz poświęcić Bogu. Tylko nie język, błagam! Szczerze powiedziawszy, na nic Bogu Twój język. To ludzie chcą go pochwycić i spętać, a później wyrwać. Obiecuję, córeczko, zrobię wszystko, żeby Twój język należał do Ciebie. Dzięki niemu poznasz swoje prawdziwe imię i nie będziesz już jedną z wielu Małgosi. Pamiętasz, jak kilka dni temu zawołałem Cię w przedszkolu? Odwróciły się wszystkie dziewczynki. Gdy nadadzą Ci imię zakonne, będzie już za późno. Wypowiadane przez innych, okaże się ich własnością. Twoje imię zostanie użyte do plemiennych rytuałów świętych mężczyzn, tych wszystkich wujków w piuskach i koloratkach, których widujesz przy mnie. Powtarzam, zachowaj swój język. I nie bój się! Lęk to też supeł na języku. Z początku możesz poczuć onieśmielenie, ale z czasem będziesz miała coraz więcej słów, język nabierze wprawy. Tutaj, gdzie teraz jestem, spotykam mnóstwo ludzi. Są bardzo samotni, wielu też cierpi i rozgląda się, żeby ktoś ich pocieszył. Albo milczą, albo pożyczają słowa od innych. Ale kto raz je pożyczył, ten będzie ciągle pożyczał. I ja czasem się zastanawiam, czy aby na pewno to, co mówię, należy do mnie, czy nie jestem komuś winny jakichś słów. Może tylko powtarzam pożyczone na tyle dawno, że zapomniałem je oddać?... A wiesz, jak wyglądają słowa używane przez wielu ludzi? Przypominają stare, zdeptane sandały. Daleko w nich nie zajdziesz, chyba że przetartymi przez innych ścieżkami. Nie ma nic smutniejszego, córeczko. Jeśli masz iść przez świat w zdeptanych, nie swoich sandałach, to lepiej, żebyś szła boso!

Córuchno, której samo istnienie nie pozostawia mnie bez szans podczas Sądu Ostatecznego.

Wszyscy jesteśmy powołani. Ale do czego? Odpowiedź tylko pozornie jest prosta. Twoja babcia była zakonnicą, jest nią też Twoja matka. Zostały powołane przez Boga do milczenia, lecz Ty musisz sięgnąć do tego, co przerasta nas wszystkich. Pewnie przenoszę na Ciebie moje własne, niespełnione – czasem porzucone, czasem zdradzone – marzenia. Dla mnie nie ma nadziei. Żyję w pułapce: między Bogiem a androidem, między tym, co boskie i doskonałe, a tym, co zbliża się do perfekcyjnej nieczułości. Człowiek stał się bytem przejściowym, o coraz bardziej nieostrej, zamazanej tożsamości.. Zrozumiesz mnie lepiej, gdy dorośniesz. Miotam się, błądzę, raz po raz sobie zaprzeczam. Tożsamość natomiast to coś takiego, czego nikt nie jest w stanie Ci odebrać. Chyba że sama ją oddasz, skuszona obietnicą jakiejś korzyści lub ulegając fałszywej groźbie kary. To taka niewidzialna duchowa własność – niepodrabialna przez androida, niewyrażalna żadną modlitwą do Boga. Wciąż w Niego wierzę, córeńko, choć moja wiara słabnie, bo duszą ją stadne dogmaty, zużyte niczym wspomniane zdeptane sandały. Ty nie dołączaj do stada. Oczywiście wspólnota jest bardzo kusząca, bo zewsząd słychać, że gdzie dwóch, trzech zbierze się w imię Pańskie, tam i Pan jest. Jednak moje długie życie podpowiada rzecz przeciwną, pełną goryczy: gdzie dwóch, trzech zbierze się w imię Pańskie, tam też kręci się Szatan. Zło nigdy nie jest dziełem pojedynczych ludzi. Ono pojawia się we wspólnocie: najpierw dyskretnie, wręcz niedostrzegalnie. Z czasem zyskuje jej aprobatę, przyobleczoną w wielkie zazwyczaj słowa. Ono karmi się ludźmi, którzy mówią tym samym językiem wielkich słów. Widziałaś, żeby ktoś jeden rzucał kamieniem? Kamienie znajdują wiele dłoni i wiele twarzy. Wielkie słowa decydują za ludzi o stronie, po której oni stają. A zło wyrządzone i doświadczone nazywane jest wtedy losem.

Daruj ojcu te zawiłości, nie umiem jaśniej. Ja zwykły kapucyn jestem, nie doktor Kościoła ani zręczny kaznodzieja scholastyk. Gdybym nim był, może moją głowę zdobiłby nawet biskupi biret? Kto wie? Pochodzę ze świata analogu i dogorywającego Peerelu – niepoważnej mikroutopii drugiej połowy XX stulecia. Dzisiaj już nikt jej nie pamięta. Twoja prababcia była repatriantką i typową wiejską kobietą. Harowała na marnym płachetku ziemi, rodziła córki i synów, stawiając na równi ich wychowanie z doglądaniem świń i krów. Zwyczajna surowość życia, bez nadmiernych macierzyńskich afektów. Twarda północna kobieta z marzeniami na zawsze pogrzebanymi po zamążpójściu. Co dwa dni jeździła do Olsztyna, gdzie dodatkowo dorabiała jako sprzątaczka, czyszcząc toalety partyjnych urzędów. Kiedyś, córeczko, prosty człowiek starał się przeżyć, by żyć. Ale już Twojej babci udało się zrobić maturę i wyrwać ze wsi. Została księgową. Dzięki niej i mnie było chyba łatwiej na starcie. To wystarczający dowód, że codzienny, choć nieefektowny postęp w dziejach ludzkości zawdzięczamy kobietom. Może dlatego właśnie wciąż nie mogę się pogodzić z dekretem arcybiskupa Kawuli, który nakazuje wyrywać języki nowicjuszkom. Nie pojmuję, dlaczego nasz świat tak bardzo boi się wielogłosu. Przecież nie zawsze kończy się on wieżą Babel – a tej, po latach rozgadanego nihilizmu, obawiają się nasi hierarchowie. Każda opowieść musi być opowiedziana i wysłuchana, każdy język powinien po swojemu nazywać dzieło Boże. Pamiętaj, Twój również! Wprawdzic nie będę Ci wzbraniał wstąpienia do zakonu, ale uszanuję również jakikolwiek inny wybór życiowej drogi. W skrytości ducha pragnę z całych sił, abyś do końca swych dni była istotą władającą nie jednym, lecz wieloma językami stworzenia. Językiem ludzi, językiem zwierząt, roślin i czasu. Ja tego nie potrafię. Ja walczę, żeby przypadkiem nie wygrał we mnie język androida. Ty masz jeszcze szansę. Żywot świętego Franciszka jest tego dowodem.

A mężczyźni? Mężczyzn w naszej rodzinie prawie nie pamiętam... choć przecież w kapuście mnie matka nie znalazła. Historia nie dała im miejsca nawet na marginesach swych kart. Epopejami ich życia okazywały się wyłącznie tabliczki nagrobne: urodził się, umarł, niech spoczywa w pokoju. W domu przypominali rozbitków, których złośliwy Posejdon wyrzucił na bezludne wyspy tapczanów.

Wychowywałem się między wsią a miastem, w czasach gdy kury chodziły wolno i były kurami, a nie mnożnikami jajek, gdy plebejska wiara łagodziła najgorszą nędzę, zaś kolorowy telewizor uchodził za dowód dostatku. Wydawało się, że nowoczesność osiągnęła swój szczytowy punkt. Nie wiem, dlaczego Ci o tym mówię, po co... Czasami przeszłość ciągnie się za nami jak ogon, którego nie jesteśmy w stanie odrąbać. Dopiero młodsze pokolenia mogą mogą uczynić to dla nas. Zazwyczaj bezwiednie, bez szczególnego zamysłu, jakby przypadkiem.

Córeczko, błagam o jedno: biegnij przed siebie! Sama, boso, bez sandałów, które będą Ci wciskać na stopy. Biegnij – twórz i ocalaj swój język.

Nawet jeśli nie do końca zrozumiesz, co kryją słowa.

Nawet jeśli ich znaczenie wyda Ci się tajemnicą.

ROZDZIAŁ IX

W lepkiej malignie vessazione straciłem rachubę dni i nocy. Poczucie czasu, miejsca, przestrzeni stało się bardzo wątpliwe. Zwłaszcza czas rozprężył się i oszalał – niby stanął w miejscu, na mieliźnie niekończącego się „teraz i zawsze", lecz jednocześnie przyspieszył i wprawiał przestrzeń w niepojętą migotliwość „tutaj-tam-wszędzie". Nie wiedziałem: czy nastał czwartek czy noc sobotnia, a może mijała właśnie Środopostna Niedziela? Czy wciąż leżę na sali wśród moich braci, czy też trafiłem do szpitala albo – nie daj Bóg! – do światów innego wymiaru?

Zapadałem w sny gorączkowe i miedziane, a każdy z nich wypełniał moją duszę konfuzją. Wybudzałem się, owszem, lecz na jawie nie było lepiej. Wodząc nieprzytomnym wzrokiem, pytałem bezgłośnie, gdzie jest moja córeczka i co się z nią dzieje. Może jest głodna? Kto ją nakarmi? I kiedy otrzyma własne imię? Chyba też domagałem się, żeby córeczce pozwolono prowadzić pamiętnik. Pochylone nade mną twarze – mgliste i niewyraźne – uspokajały, że wszystko z nią dobrze i żebym szczęśliwie wracał do zdrowia. Ojciec Karol?... Brat Wojciech?... Raczej nie, zdawało mi się, że widzę kustosza ojca Stefana i moją żonę. Oni tutaj, a zwłaszcza ona? Niemożliwe, musiał przypałętać się mylący majak. Nie ufałem zapewnieniom dochodzących mnie głosów.

Byłem kompletnie bezbronny, wydany na pastwę choroby i jej skutków ubocznych – halucynacji. To ciemniało, to jaśniało mi w oczach, serce łomotało niczym kołatka. Wiadomo, kto się dobijał, kto kołatał i po co. Moje długowieczne serce miało niebawem stanąć. Raz nawet poczułem zapach świętych olejów!... A czym pachnie taki olej?... Najpierw urną i zaświatami, a niedługo potem łonem Abrahama. Nieraz przecież sam nacierałem olejami ciała w agonii. Czyżbym jednym sandałem był już na tamtym świecie?

– Ledwie sto dwadzieścia lat. Szkoda kapucyna. I tak nagle. Tu już na nic się zda próba spowiedzi. Niechaj Bóg odpuści mu wszystko złe, co uczynił – odezwał się cichy głos.

Nie umiałem go rozpoznać, podobnie jak twarzy. Ciemna. owalna plama bez rysów i oczu.

– Mógł jeszcze pożyć brat nasz Artur, ale cóż zrobić? Niezbadane wyroki i wola boska nieodgadniona... Zapalmy świeczkę. Dusza jego już w rękach Bogach, a ciało kona na naszych oczach – głos inny, gdzieś z boku, postawił kropkę nad „i". Musiało być naprawdę źle, ponieważ mówiący darował sobie trud peryfrazy, choć sama fraza lekko fastrygowana mogła odsyłać do ojca Karola.

Czyjaś dłoń rozchyliła mi wargi i wepchnęła komunię świętą, do skroni przyssały się macki onirografu. Ostatnie namaszczenie, ostatnia komunia, ostatni rejestr snu, by sprawdzić, czy jestem gotowy do drogi? Ludzka zapobiegliwość zmienia chorych w umierających – vita brevis est! Ale ja nie byłem jeszcze gotów, bo i w tym względzie starałem się naśladować naszego świętego patrona Franciszka, który – jak pięknie pisał Tomasz z Celano – „ciałem pielgrzymującym, z daleka od Pana, przytomnym duchem pragnął wejść do nieba". Z trudem przełknąłem opłatek i – zebrawszy się w sobie – natychmiast wyszeptałem:

– Wody!...

Cisza świadczyła o konsternacji czuwających. Po chwili dotarły do mnie zbawienne słowa, znów – nie wiem, brata Wojciecha, Hiacynta, ojca Karola?

– Odepnijmy. Może się wyliże, skoro ciało jeszcze łaknie. Trzeba nam czekać i modlitwą wypraszać łagodne odejście brata Artura bądź jego szczęśliwy powrót.

Ledwo uszedłem z życiem i już słyszę nad głową Koronkę do Miłosierdzia Bożego, wypowiadaną zgodnie przez dwa mantryczne głosy. Ale cóż Koronka, cieszę się, że uciekłem również spod onirografu. Obiecuję sobie, że jeśli się wyliżę, natychmiast dopytam, kto zaproponował odłączyć mnie od urządzenia onirycznej arcyinwigilacji. W intencji wybawcy pójdę z dziękczynną pielgrzymką do samego Sztokholmu.

Duch mój pozostawał przytomny w swej nieprzytomności – byłem wciąż żywym dowodem temporalnego oksymoronu. Nad łóżkiem przetaczały się całe światy o trudno uchwytnej proweniencji. Jedne musiały należeć do jawy, inne były dziełem vessazione – podstępnego mieszadła, które lasowało myśli i podważało zdolność percepcji. Gdzie ja nie byłem! Czego ja nie widziałem! Z kim nie gadałem!

Jeśli szukać plusów szatańskiego nękania, są nimi na pewno zadziwiające eksploracje. Bo słyszę na przykład trzask i mlaskanie. Odwracam głowę w kierunku dochodzących mnie dźwięków. I co widzę? Nie braci zakonnych, nie salę polową ani też szpitalną... Moim oczom ukazuje się falujący bezkres pustyni. Słońce smaży i praży, wiatr pędzi wielkie karawany piachu i smaga je ostrym batem. Na jednej z wydm siedzi brodaty starzec. Jest całkowicie nagi, bez kusej choćby przepaski na biodrach. Obok niego przesypuje się wielka góra fistaszków. Nagi starzec nie jest bratem Hiacyntem. To byłoby zbyt proste vessazione. Coś mi mówi, że to Jezus Chrystus w człowieczej osobie – takiej, jak ją Bóg Ojciec stworzył. Jezus wcale nie został ukrzyżowany. Ręce nie mają ran po gwoździach, bok cały, bez śladu włóczni. Oczywiście On wie, że Go obserwuję, nie musi nawet zwracać się w moim kierunku.

– I co? Mówiłem, że potraficie tworzyć historię zbawienia nie gorzej ode mnie? – odzywa się z lekką pretensją. – A przecież wszystko potoczyło się zupełnie inaczej.

Nie przestając jeść, zaczyna wyjaśniać, że w wieku trzydziestu trzech lat zarzucił nauczanie. Uświadomił sobie, że to nie ma większego sensu, skoro ludzie dla własnego zbawienia zgodzą się unurzać Go we krwi. Dlatego powtórnie oddalił się na pustynię, by nie przez czterdzieści dni, lecz przez całe stulecia życie pędzić w osamotnieniu. Bo On – Jezus, nie umrze zamordowany przez ludzi, On – Jezus, odejdzie w zapomnieniu. Feralnego piątku apostołowie zgłosili Piłatowi zaginięcie Proroka, a później schodzili całą Judeę – na próżno. Nikt nie widział, nie słyszał. Kto jak kto, ale Jezus potrafił nie takie cuda czynić. Zaginąć bez wieści to dla Niego jak splunąć. Miało to swoje konsekwencje: Maryja zaniemówiła z rozpaczy i aż do śmierci nie odezwała się słowem, a święty Józef, popadłszy w depresję, rzucił się w wir pracy: wyjechał do najodleglejszych zakątków barbarii budować akwedukty. Barabasz natomiast nie dostał drugiej szansy. Święci Piotr i Paweł wpadli na pewien brzemienny w skutkach pomysł, który tłumaczył zaginięcie Boga, a później przyczynił się do upadku cesarskiego imperium. Najgorzej wyszli na tym Judasz i Tomasz. Pierwszego zabiły wyrzuty sumienia, drugi na wieki został Niewiernym.

– Ale to nie o mnie była opowieść, lecz o jakimś wymyślonym bożku – wyjaśnia i starłszy fistaszka na proch pod naporem gorzkiej myśli, dodaje: – Ewangelistom fabuły składać, a nie święte biografie! Matki mojej, tylko matki mi szkoda.

Tymczasem On żyje w sensie fizycznie dosłownym i – choć zapomniany – cieszy się zdrowiem czerstwego osiemdziesięciolatka. Siedzi, zajada orzeszki, jakby to była biblijna szarańcza, w której gustował Jan Chrzciciel. Wiatr, niewidzialna sroka złodziejka, porywa skorupki z boskiej dłoni i turla je po wydmie niczym rozgniecione domki ślimaków. Jezus ma wilczy apetyt, chrupie orzeszki jeden po drugim. Gdyby nie fakt, że siedzi przede mną – przysięgam! – Bóg z krwi i kości, zrodzony, a nie stworzony, dodatkowo łakomy, a nie eteryczne ciało niebiańskie, mógłbym uznać, że diabelskie vessazione podsuwa mi zapomnianą herezję Juliusza Kasjana. Historia Kościoła skwapliwie przemilcza wyznawców doketyzmu. To oni, w II wieku naszej ery, kwestionowali męczeńską śmierć Zbawiciela, a Jego człowieczą naturę uznawali za pozór. Wielu z nich zapewniało, że Jezusa na krzyżu miał zastąpić Szymon Cyrenejczyk.

– Hola, hola, nikt za mnie nie umarł. Wszyscy umieracie za siebie i w swoim imieniu – Jezus przenika moje myśli, lecz widać, że ani myśli rozwinąć myśli, tylko mi rozum zaciemnia tymi powtórzeniami „myśli". – Wyobraź sobie, odwiedza mnie tutaj Szatan – uśmiecha się szeroko. – Wpada pogadać. O chlebie i niebie. O istocie i substancjalności. O apokryfach, którymi podjudza ludzkie umysły. Apokryfy najtrudniej wyplenić, to wyłącznie konfabulacje, ale ludzie rzucają się na nie jak szczerbaty na suchary – wyjaśnia między jednym mlaśnięciem a drugim. – Ostatnio pochwalił się, że zburzył wam Kraków, i pyta mnie, szelma jedna bezczelna, czy potrafię w trzy dni odbudować miasto. W trzy dni! Ech, erystyk, któremu wasz Schopenhauer do pięt nie dorasta. Do dzisiaj żałuję, że Ojciec strącił go do piekieł. Parafrazuje Ewangelię Świętego Jana i wmawia mi, że niby to moje własne słowa. Dasz wiarę?

Przyznam, że zwrot „dasz wiarę" w ustach Boga robi piorunujące wrażenie. I dodatkowo: ambiwalentne. Dać wiarę to przyznać Szatanowi słuszność. Nie wierzyć – to podważyć prawdomówność Jezusa. I tak źle, i tak niedobrze. Robię to, co podpowiada mi instynkt, czyli pośród pustynnej spiekoty nabieram wody w usta. Chrystus pustynny krzywi się, widać, że inaczej niż w przypadku orzeszków, nie w smak mu moje milczenie.

– Choć nie masz złych intencji, boli mnie twoja obecność, człowieku – wyznaje.

Apokryficzna projekcja znika.

Innym razem otwieram oczy i na sąsiednim łóżku widzę Teresę, białą wdowę ptactwa. Ma długie ptasie skrzydła, w jej czarnych oczach skrywa się nieodgadnione, błyszczące niebo. Otwiera dziób. Jej język jest grubą, mięsistą łodyżką. Teresa zaczyna mówić do mnie wszystkimi narzeczami ptaków – śpiewa, ćwierka, treluje. Ja oczywiście ni w ząb niczego nie mogę pojąć. Zniecierpliwiona, pohukuje i kracze, unosi skrzydła. Jest zła. Ja wciąż nic, bo niby jak? Teresa nie daje za wygraną. Podfruwa nad brzeg łóżka. Trudno odgadnąć, co kryje, co sobie zamyśla ta ptasio-kobieca głowa. Teresa nachyla się, dotykając dziobem moich ust, jakby składała pocałunek. Jej czarne oko zachodzi mgłą. Zastygam, czując więcej onieśmielenia niż strachu. Co byłoby dalej, już się nie dowiem, ponieważ na wdowę opada siatka. Jacyś dwaj księża wykręcają jej skrzydła i odciągnąwszy ode mnie, wloką po podłodze. Spętana, z niezdarnie przekrzywioną głową, nie ma siły się uwolnić. Oprawcy i ich ofiara wychodzą przez okno. Ptak zwiesza głowę. Stąpając po chmurach niczym po schodach, kierują się wprost do nieba. Tracę ich z oczu i myślę sobie: ej, ej, Szatanie, na coś bardziej wyszukanego cię nie stać?

Osobliwe majaki przyklejają się do mnie jak pierze do smoły. Śnię rowerowanie z córką i arcybiskupie ogrody, i masowane ciało emeryta Konstantego, i Wojerystę złożonego w trumnie. Wojerysta jeszcze dycha. Słyszę, jak mówi:

– A imię jego nie czterdzieści i cztery, lecz zero-dwa, zero-dwa, sto dwadzieścia dwa.

Po którymś tam wybudzeniu, po kolejnym zaśnięciu mam też wątpliwą przyjemność z Planktocystą. Krąży wokół mojego łóżka, unosząc sznur, którego pętlę zaciska na swojej szyi. Z dłoni czyni szubienicę, co rusz mocno podciąga postronek. Gruba pręga podchodzi krwią, odznacza się na jasnej skórze. Planktocysta gada przy tym jakieś bluźnierstwa. Krąży i krąży, aż kręci mi się w głowie. Kompletny pejn-virtual, jak to u nas, w Olsztynie, mówią lekomani.

Mam dość. Choć wszystko to musi coś znaczyć, układać się w jakieś obłędne, bo obłędne, ale jednak proroctwo senne, czuję wyłącznie mętlik. Jestem sponiewierany przez zwidy, sny, halucynacje. Spadam w głęboką studnię i całkiem namacalnie wyczuwam obecność echa. Jest moim zwichniętym cieniem. Tylko czeka, żeby podchwycić krzyk przerażenia i wzbudzić nim kręgi powietrzne.

Dla równowagi i jeszcze większej totalnej dezorientacji po spadaniu nadchodzi czas wznoszenia. Z lotu ptaka, a raczej mechanicznego wrono-drona obserwuję wielką wędrówkę ludów. Ludzie uciekają ze zburzonego Krakowa z tobołkami i pakunkami. Kto co tam miał pod ręką, ściska teraz pod pachą. Mężczyźni, kobiety, starcy i dzieci. Nie oglądają się za siebie, by nie pogłębiać smutku. Pragną czym prędzej zostawić rodzinne miasto. Pierwsze zawiązki nostalgii pojawią się za kilka miesięcy, gdy w nowym, obcym im miejscu pożałują ucieczki. Wyglądają jak strumyki, które wyciekają z dziurawej misy miasta, z jej wyszczerbionych, pogiętych brzegów. Wśród uciekinierów, repatriantów, tułaczy widzę ożywione pomniki władców, świętych, poetów i bohaterów. Idą z trudem, aż trzeszczy marmur, aż obłupuje się granit. Nikogo z ludzi to nie dziwi, jakby los uciekiniera jednoczył każdego – materię i żywych. Zniżam lot spragniony lepszej widoczności. Oto pomnik Mickiewicza wyprzedza popiersia Jana Pawła II i Wałęsy. Rzeźbiony w bryle Fredro popycha Grottgera, Ofiary Faszyzmu prawie tratują Nieznanego Żołnierza, którego nieco niezdarnie wspiera popiersie Pączyńskiego, a Wyspiański depcze Skrzyneckiemu po piętach. Piłsudski nie lepszy, tak mu spieszno, że chce ominąć Grażynę i Litawora, lecz ci się nie dają, dlatego Naczelnik skrobie im marchewki. Groza i komizm, groteska i tragedia – wśród pomników i ludzi maszerują także martwe, nieożywione symbole. Skrzydła ołtarza Wita Stwosza dźwigają na wąskich plecach Obelisk Orła, witraże Witkacego nie chcą się dać wyprzedzić Kolumnie Niepodległości. Okno papieskie przeciska się między ludźmi. Ma pękniętą szybę, więc musi uważać, tym bardziej że z tyłu napiera hełm wieży mariackiej. Tylko arkadowy krużganek Collegium Maius i loggia widokowa Willi Decjusza kroczą zgodnie w parze. Przystają co chwila, by dogoniła ich wieżyczka Barbakanu. Ta drobi na samym końcu, chyba wciąż nie mogąc pogodzić się ze zburzeniem swych sześciu sióstr, z którymi tworzyła obronny Rondel. Idą wszyscy – żywi i pomnikowa historia – ramię w marmur, ręka w cegłę. Ludzie, posągi i rzeźby.

W zbitej masie tułaczej rozpoznaję praszczurzy ruch blaszanego potwora – nawet smok wawelski bierze nogi za pas. Jest bardzo ostrożny, stara się nie ziać ogniem. Jakieś dziecko, pewnie sierota, wyciąga do niego rączkę i chwyta się smoczego pazura.

Będą tak maszerować do późnej nocy. W kurzu, znoju i pocie. Po krótkim odpoczynku, o świcie, ruszą w dalszą wędrówkę. Miną Kielce i Radom, dotrą do Warszawy. Część pomników postanowi w niej zostać skuszona darmowym kątem w jakimś muzeum i zachwytami pierwszych odwiedzających. Reszta wraz z ludźmi pójdzie na północ, przez Płońsk, Mławę, Nidzicę. Po tygodniu, najdalej po dwóch, powinni wkroczyć w lasy Warmii i Mazur, by wymoczyć zmęczone członki w pierwszym z brzegu jeziorze. Kresem wędrówki będzie Olsztyn – Dom Pielgrzyma i Kwarantanny. Tam osiądą, w jego podziemiach, czekając, aż z przesiedleńców zmienią się w obywateli miasta.

Akurat to vessazione było całkiem zrozumiałe, wręcz oczywiste – nie trzeba wielkiej inteligencji, żeby zrozumieć jego szyfr. Przyciężka symbolika zawsze ciosana jest z jednego kawałka alegorii. Kraków już nigdy nie będzie Krakowem. Tak kończy się definitywnie złota epoka miasta – przynajmniej tyle wywnioskowałem z nękań szatańskich.

Obłędne „teraz i zawsze", „tutaj-tam-wszędzie" zdawało się nie mieć końca. Uświadomiłem sobie, na ile oczywiście choroba pozwalała mi zebrać myśli, że tkwię w stanie zawieszenia między życiem a śmiercią. Jednak ani życie, ani śmierć nie mogą się zdecydować: brać czy dać sobie spokój i czekać na kogoś lepszego? Jakby vessazione wystawiło mnie na licytację. Podbita stawka okazała się jednak za wysoka, co więcej: kolejne obrazy, majaki i zwidy przestały robić wrażenie na kupujących, a łaska długowieczności nie była żadnym atutem. Moja wartość spadała. Nikt nie chciał nabyć starego kapucyna. Słowem: patowa sytuacja, ni wte, ni wewte, a wszystko za daleko zaszło, by licytację odwołać. Potoczne wyobrażenia agonii są nieprawdziwe, wymagają koniecznej korekty. Owszem, może czasami dochodzi do spektakularnych licytacji, ale zazwyczaj to nie jest tak, że życie walczy ze śmiercią o człowieka, że wyrywają go sobie z rąk i dochodzą do niebotycznych kwot. Leżałem w łóżku i czułem aż nadto wyraźnie, że nie wzbudzam zainteresowania żadnej ze stron. Deprymujące to wrażenie i smutne, ponieważ człowiek wolałby, aby o jego duszę i ciało toczył się zawzięty bój. Aby cały świat wstrzymał oddech, czekając na wynik walki. A tu taki zawód: nikt mnie nie chciał, dla nikogo nie byłem aż tak cenny, więc vessazione nie mogło odtrąbić: po raz pierwszy, po raz drugi, po raz trzeci – sprzedany! Stan najgorszy z możliwych: dla życia za martwy, za żywy dla śmierci. Byłem rozczarowany. Zwłaszcza po życiu spodziewałem się większego zainteresowania, bo z nim wiązałem plany na przyszłość. Bóg przecież nie cofnął, a przynajmniej nic mi o tym nie było wiadomo, łaski długowieczności.

Skoro licytacja niczego nie rozstrzygnęła, mogłem już tylko liczyć na miłosierdzie. Ono jedno pozostaje, gdy cała reszta zawodzi. Miałem nadzieję, że któraś ze stron zlituje się nade mną.

ROZDZIAŁ X

Miłosierdzie spłynęło w Niedzielę Palmową.

Po siedemnastu dniach maligny vessazione darmo oddało mnie życiu. Obudziłem się wczesnym rankiem. Wróciła jasność umysłu, choć ciało miałem obolałe. Jakby choróbsko przeżuło mnie, wyciamkało, po czym wypluło – jakimś cudem! – w jednym kawałku.

Leżałem na tej samej sali, teraz pustej i uprzątniętej z łóżek. Przy mnie siedział brat Wojciech. Poświstywał, głowa opadła na pierś, przymknięte powieki drżały. Druh mój wierny, kochany! – rozpłynąłem się we wdzięcznych myślach. On jeden czuwa, on jeden nie zwątpił, gdy wszyscy inni postawili zapewne krzyżyk. On jeden! Długo patrzyłem na tę nieco zajęczą twarz z pulchnymi policzkami i wyrywającą się do przodu górną wargą. Kochankowie Boży, płodząc brata Wojciecha, musieli myśleć o królikach i zającach.

Przez ostatnie lata tworzyliśmy nieodłączną, dwuosobową bandę w Jezusie. Podejrzewam, że nawet spowiadamy się z podobnych grzechów. Taki dream-team niższej ligi duchownej, który nie chce wywalczyć awansu do ligi wyższej. Co wcale nie znaczy, że nie znamy swojej wartości – czasami z pozycji franciszkańskiej żaby widać więcej i lepiej. To nam wystarcza, staramy się trzymać zasady odwróconej drabiny: primi novissimi. Awanse w Kościele naszym wiążą się posiadaniem większej władzy, a my mieliśmy do niej stosunek niejednoznaczny. Zgadaliśmy się, że obaj – w dawnych czasach, tak odległych, że aż odsyłających do bajki, przed przyjęciem ślubów, przed konsumpcyjno-korporacyjnymi karierami i dwiema wojnami – byliśmy... punkami! Bóg mi świadkiem! Franciszkańska reguła okazała się najbliższa naszej młodości. Tak, tak, czym skorupka za młodu nasiąknie, tym na starość trąci. Trzeba całe życie przeżyć, by wrócić do swoich początków. Zawsze twierdziłem, że pod wieloma względami święty Franciszek był średniowiecznym punkiem. Bo owszem, można krzyczeć nihilistycznie „No Future", co nawet zgadza się z wojną cywilizacji, jakiej jesteśmy świadkami. Jednak równie dobrze można w „No Future" zawrzeć całą pustkę ludzkiego egoizmu i jego społecznych miraży, a tym samym wychwalać wszystko inne – stworzony świat, rośliny, zwierzęta. Tak sobie to układałem, a kustosz Stefan uznał, że nie naruszam reguły.

Poza córeczką i bratem Wojciechem nie mam nikogo bliskiego. Owszem, jest żona... Trudno z faktami dyskutować. Jednak siostra Małgorzata po kilku latach pożycia stała się żoną bardziej z sakramentalnego obowiązku niż z uczuć namiętnych i wzniosłych. Liczyła się tylko córeczka – była niczym stała, niezmienna wyspa w obliczu oddalających się od siebie lądów. Przejrzawszy na oczy, chyba oboje dziwiliśmy się, że miłość mogła być aż tak ślepa. Ale dziecko nakazywało nie wyrzucać sobie tej dawnej ślepoty i trwać w małżeńskiej świętej przysiędze. Reformy kościelne tak daleko nie zaszły. Osoby duchowne mają prawo wstępować w związki małżeńskie, ale o rozwodach nawet najwięksi reformatorzy nie chcą słyszeć. I ja też nie chcę o tym słyszeć, bo jeśli nieudana miłość rodzi tak piękny owoc – nie żałuję. Sto razy mógłbym popełnić ten sam błąd, prowadząc siostrę Małgorzatę do ołtarza. Myślę, że ona czuje podobnie – sto razy przywdziałaby dla mnie suknię ślubną. Od wielu lat trwamy więc w nieinwazyjnej relacji, mając wyłącznie na celu dobro naszej córeczki. Nie nas pierwszych i nie ostatnich trzyma w szachu dziecko. Wśród męskich i żeńskich zakonów jest wiele takich małżeństw – niby skonsumowanych, a jakby na powrót białych. Co Bóg złączył, tylko Bóg może rozłączyć. Przy każdej spowiedzi prosimy, aby wybaczył nam wychłodzoną miłość. Bo ślepi w miłości, gdy odzyskają wzrok, mogą wyłącznie prosić o wybaczenie.

Rodzina i przyjaciele z młodości dawno poumierali. Smartglassy dzwoniły coraz rzadziej, ja coraz częściej zostawiałem wiadomości w pocztach głosowych. Pustoszały krzesła przy stołach, pogrzeby stawały się miejscem tyleż intensywnego, ile z miesiąca na miesiąc bardziej kameralnego życia towarzyskiego. Dowcipkowaliśmy podczas nich straceńczo, kto następny zaprasza na imprezę i jaki mu przynieść prezent: znicz, kwiaty, a może wieniec. Niekiedy, już po przyjęciu święceń, zdarzało się, że rozpoznawałem w tłumie znajomą postać. Podbiegałem, żeby przywitać się i porozmawiać, lecz natrafiałem na zdziwione, obce spojrzenie. I zaraz docierało do mnie, że znajomej osoby od kilku lat nie ma już wśród żywych. Uświadomiłem sobie, że zamiast z ludźmi zaczynam częściej rozmawiać ze zwierzętami. Każde dobre, żeby zamienić słowo: bezpański pies w parku, kot przy bakterioboxie, nawet mucha wspinająca się po uchu szklanki. Istniało wiele powodów życiowych i transcendentnych, które skłoniły mnie do przyjęcia święceń. Pierwszy zawał, wojna włoska i śmierć Giorgia Manganellego, mojego duchowego przewodnika były tymi najważniejszymi. Ale gdy zacząłem umawiać się z androidami na cyberbrydża, gdy coraz łatwiej z androidami znajdowałem wspólny język, uznałem, że czas przyspieszyć decyzję. Pominąwszy miłość do Boga – choć ona stanowiła klucz przemiany i pierwszorzędną przyczynę – nie chciałem skończyć jak niedobitki moich dawnych przyjaciół, którzy zagłuszali pustkę, żyjąc pośród maszyn. Pragnąłem starzeć się z ludźmi, a gdy Bóg wypełni mój ziemski plan, pragnąłem, aby oczy zamknęła mi ręka człowieka – co więcej: osoby duchownej.

Zostałem więc sam w łasce długowieczności. Bywają chwile, że żałuję jej dobrodziejstw. Zwykły śmiertelnik ma bowiem do wypełnienia bardzo konkretny czas, oblicza swoje troski i nadzieje na osiemdziesiąt, góra – dziewięćdziesiąt lat. Ja już widziałem, jak zmieniają się całe epoki, jak historia raz przyśpiesza, raz zwalnia, jak znikają kolejne pokolenia, przetaczają się wojny, a przede wszystkim – jak odchodzą najbliżsi.

Uniósłszy słabą jeszcze rękę, musnąłem kolano brata Wojciecha. Zakonnik ocknął się momentalnie. Zmrużył oczy, zamrugał i otworzył je szeroko:

– Gloria in excelsis Deo! – wykrzyknął, dając popis dwóm wydatnym zębom na przedzie. Był szczerze uradowany.

– Et in terra pax hominibus bonae voluntatis – odpowiedziałem. Mówienie sprawiało mi jeszcze trudność.

– Laudamus te, benedicimus te... – radość radością, ale brat Wojciech chciał zapewne sprawdzić, czy aby wróciłem w czystej wierze.

– ... Adoramus te, glorificamus te, gratias agimus tibi – uzupełniłem cierpliwie, jakbym na hasło odpowiadał odzewem.

– Propter magnam gloriam tuam! – odetchnął z ulgą i jeszcze raz krzyknął: – Bracie Arturze! Żyjesz! Radość ogromna! To się bracia ucieszą!

– Ano... żyję – sapnąłem.

– Było już źle, bardzo źle. Całą nadzieję pokładaliśmy w łasce długowieczności. Lekarze do dzisiaj nie wiedzą, co się z bratem stało. Trzeba uważać, bo to nigdy nic nie wiadomo. Niby zwykłe przeziębienie, a takie komplikacje. Morbus rzuca długi cień i zmienia się w morts – spoważniał na moment.

– A onirograf? Kto? Kto odłączył? A moja córeczka?... Wieści jakieś... Powiedz, bracie: zdrowa aby, bezpieczna?... – zarzuciłem go nieskładnymi pytaniami.

– Cała i zdrowa, bo niby czemu? – zdziwił się i zaraz roześmiał: – Kustosz Stefan bardzo się niepokoił, dzwonił prawie codziennie. Bo to było z tobą naprawdę nietęgo. W ostatniej chwili odsunąłem grafen. Wierzyłem! Wierzyłem, że warto poczekać. – Z radości aż klepnął się w uda.

– Dziękuję, bracie Wojciechu. Gdybyście usunęli mi pamięć...

– Nawet tak nie mów! – Aż się przeżegnał. – Boże uchowaj! Byłby niezły bigos.

– Nie zapomnę... Do Sztokholmu z intencją...

– Nie ma o czym gadać. Sztokholm nie zając... Ale co? – zawahał się, widząc, że chciałem o coś spytać, lecz umknęła mi myśl. – Przypomnisz sobie, spokojnie. – Poklepał mnie po dłoni. – Głodnyś pewnie, bracie Arturze. Już, już, coś przyniosę na ząb, bracie Arturze – przekomarzał się tym „bratowaniem". – Poczekaj chwilkę.

– Nigdzie się nie wybieram, przynajmniej na razie, bracie Wojciechu – nie pozostałem mu dłużny.

– No i bardzo dobrze! Tak mi mów zawsze! Ja też zgłodniałem. Podjemy sobie jak za dawnych lat w refektarzu. Nie mylmy Wielkiego Postu z głodówką, co nie? – Puścił oko i podniósłszy się z krzesła, chwycił spod łóżka urynofuzor. – Już nie będzie potrzebny, prawda? – ni to wyjaśnił, ni to zapytał i pognał do wyjścia.

Rozejrzałem się po pustej sali. Zniknęło przepierzenie z toaletą, jakieś kłaczki, papierki, okruszki walały się po podłodze. Moi franciszkanie wraz z innymi zakonami przenieśli się w inne miejsce. Z zewnątrz nie dochodziły żadne dźwięki. Musiało być naprawdę wcześnie, choć zadaszenie namiotu rozświetlało ostre słońce.

– Panie, otwórz wargi moje, a usta moje będą głosić Twoją chwałę – podziękowałem Bogu za nowy dzień słowami invitatorium.

Tuż obok na stoliku leżał różaniec. Dopiero teraz spostrzegłem, że spod materaca, na wysokości rąk, wystawały skórzane pasy zakończone błyszczącymi klamrami. Przypominały grube, zeschnięte ozory w metalowych kagańcach. Starta przy dziurkach skóra miała w sobie coś złowrogo martwego. Jakbym leżał w paszczy monstrualnego zwierzęcia. Poręcze i rama łóżka przywodziły na myśl rozwartą szczękę, kołdra – grudę zastygłej piany. Zupełnie jak w wizjach Blake'a. Nawet nie chciałem się domyślać, co wyrabiało ciało, gdy dusza doświadczała diabelskich eksploracji. Przez poręcz przewieszony był habit ze sznurem – moje czyste i wyprasowane szaty zakonne. A kamyk gdzie?! Ktoś zabrał garnitur. Tylko kto? – zaniepokoiłem się. W odpowiedniej chwili postanowiłem wybadać brata Wojciecha.

Wiedziałem, że muszę działać ostrożnie, ponieważ podczas mojej choroby na pewno zaszły zmiany. Nie wiedziałem tylko, w jakim kierunku i jak daleko. Kamyk mógł nic nie znaczyć, lecz równie dobrze mógł być źródłem wielu nieprzyjemności. Świat po zamachach domagał się przecież jednoznaczności, czerni i bieli. Wystawiał tym samym na próbę dotychczasową dyskrecję. Miałem w pamięci mowę Planktocysty – tam, wtedy, na placu. A zbyt dobrze znam naszych jastrzębi Dobrej Nowiny i wiem, że takie wystąpienia nie pozostają bez konsekwencji. Mówiąc wprost: po tym, co przeszedłem w diabelskim vessazione, nie umiałem jednoznacznie powiedzieć, do jakiego świata wróciłem i czy brat Wojciech jest tak samo oddanym druhem jak dawniej. O, tempora, o, mores! Ten brak zaufania mnie samego rozjątrzył. Jeszcze przed momentem chciałem wyznać mu przyjacielskie uczucie, a górę wzięła podejrzliwość. Człowiek to jednak pod wieloma względami menda jest, choćby ochrzczona – i nieważne, czy w świeckim, czy w duchownym stanie.

Franciszkanin akurat pojawił się w wejściu, niosąc tacę z dwiema miseczkami płatków owsianych i butelkowanym cydrem.

– A te rzemienie? – Skinąłem głową na skórzane pasy.

– To tak tylko, dla twojego bezpieczeństwa, bracie Arturze, bo byś zjadł własne palce – wyrecytował nader płynnie, co by świadczyło, że miał przygotowaną odpowiedź. Wręczył mi płatki, tacę postawił na stoliku i ująwszy swoją porcję w dłonie, zmówił modlitwę:

– Bądź pochwalony, Panie Boże nasz, za te dary, które z Twej dobroci spożywać mamy.

– Przez Chrystusa Pana Naszego – dopowiedziałem, a brat Wojciech zmienił temat. Wyczułem, że na bezpieczniejszy:

– Mieszkamy teraz na Kazimierzu, w jednej z kamienic po uciekinierach. Arcybiskup Krystek wyznaczył nam ją na tymczasowy klasztor.

Dzisiaj już tam będziesz spał. Pójdziemy sobie spacerkiem. Większość charyzmatów wróciła do swoich klasztorów. Po naszym kamień na kamieniu nie został. Plac Wszystkich Świętych literalnie jest wyłącznie placem. Nie wiadomo, kiedy odbudują. Cysters Tymon, ten wyświęcony ekonom, zbywa nas obietnicą, że jak tylko staną klasztory dominikanów i augustianów, zabiorą się za naszą bazylikę. Biednemu zawsze wiatr w oczy. Musimy czekać – westchnął.

– A co z naszą posługą? – spytałem. – Wciąż prochy wawelskie czy coś innego? Jaką pracą oddajecie teraz chwałę Panu? Mam nadzieję, że jeśli nie dzisiaj, to jutro do was dołączę.

Brat Wojciech tylko machnął ręką.

– No powiedz, jestem rad się dowiedzieć – nalegałem.

– Wciąż jedno i to samo. Oswajamy tragedię, choć tej nie da się nigdy oswoić. Odwiedzamy rannych w szpitalach, pocieszamy pogrążonych w żałobie, dajemy dach nad głową i jedzenie osieroconym dzieciom, które sprowadzamy do ośrodków świętego Jana Bosko. Ale ludzie niewdzięczni, nie chcą pocieszenia. – Brat Wojciech był zmartwiony. – Oni chcą czegoś więcej. Chcą silnej, twardej ręki, która zaprowadzi porządek, aby nigdy już nie powtórzyła się tragedia. Nie narzekam, zrozum mnie dobrze, bracie Arturze. Dawno nie czułem tak przemożnej, wiszącej w powietrzu potrzeby rewanżu. Coś musi ją zaspokoić i owo „coś" albo „ktoś" bardzo mnie niepokoi. To tak, jakby głodnemu podawać chleb, a on żądał od ciebie sznura, z którego uplecie stryczek. I ty wiesz dobrze, że jemu się marzy, aby ktoś na niej natychmiast zadyndał. Nasza posługa w Olsztynie, nawet wśród zblazowanych agnostyków-konsumentów i Tomaszów niewiernych, to były wczasy – uśmiechnął się na samą myśl.

– O tak, masz rację – przytaknąłem, bo i przed moimi oczami stanęli profesor prawa kanonicznego, wiceprezes agencji „Jutrznia", VIP redemoptorysta i wielu, wielu innych.

– Dość o tym, teraz jedz, nabieraj sił – brat Wojciech zakończył temat i wskazał na przyniesione jedzenie.

Ciało, choć obolałe, głodne. Zacząłem łapczywie opróżniać na przemian miseczkę i buteleczkę, czując przypływ witalności. Brat Wojciech równie chyżo chwycił za łyżkę. Szuflowaliśmy, aż bryzgało mleko, aż płatki przyklejały się do policzków, aż chciało się dziarsko, po męsku beknąć. Jak za starych dobrych lat w Olsztynie. Po zaspokojeniu pierwszego głodu uspokoiliśmy się, leniwie wyjadając resztki z miseczek.

– Siedemnaście dni to szmat czasu. Nie jesteś ciekaw innych wieści, bracie Arturze? – zagadnął mój wspólnik we wspólnym śniadaniu. I tak spojrzał chytrze, tak przebiegle, jakby mu było bardziej po drodze z lisem niż z zającem. Doskonale wiedział, o co wcześniej czy później zapytam.

– Ufam, że sam mi zaraz opowiesz – grałem na zwłokę. – Nie chcę, aby moja zbytnia ciekawość stała się pierwszym z dwunastu stopni pychy. Przed nią to Bernard z Clairvaux przestrzega w swoim *Tractatus de gradibus humilitatis et superbiae* – kluczyłem okrężnie, dyplomatycznie.

Brat Wojciech nieco zgłupiał:

– Może i tak. Jakoś mi się nie zdarzyło przeczytać.

– Bywa. Cały zamieniam się w słuch – zachęciłem.

Nie zwątpił brat Wojciech. Czuwał jako jedyny, nie miałem jednak całkowitej pewności, czy myśleliśmy o moim kamyku i czy z taką samą intencją.

– Zmiany, zmiany, zmiany. Jedne na lepsze, inne na gorsze – rozpoczął z iście chirurgiczną precyzją mądrości życiowych, odwdzięczając się za moje kluczenie. – Miasto powoli podnosi się z ruin. Zresztą sam zobaczysz, bracie Arturze. Pogrzebaliśmy i opłakaliśmy zmarłych, pocieszamy tych, których Bóg zachował. Na Wawelu skończyły się ekshumacje. W zamachach zginęło ponad pięćdziesiąt tysięcy ludzi, jedna trzecia mieszkańców Krakowa. Całe Bronowice zamieniono w wielki cmentarz. Pięćdziesiąt tysięcy, z czego dziesięć samych turystów! – jęknął. – Drugie tyle wybrało los migranta. Ruszyli na północ, w kierunku naszych stron rodzinnych. Na niewiele zdały się prośby, żeby zostali, przekonywanie, że tu jest ich dom.

– A sprawcy? Coś wiadomo?

– Na Starym Mieście, Kazimierzu, Podgórzu policja odnalazła wiele strzępów pasów szahida, ale raczej nigdy nie poznamy prawdziwej liczby terrorystów. Na razie oskarżono dwóch miejscowych o udział w planowaniu zamachów.

– Dwóch? Tylko? – wtrąciłem.

– Dwóch, dwudziestu, a może i dwustu, na co nam dzisiaj ta wiedza? – Bratu Wojciechowi zaszkliły się oczy. – Jedna ofiara to stanowczo za dużo, by liczyć morderców. Jeden włos niewinnego to za dużo, jedna łza dziecka przewraca świat do góry nogami.

– Masz rację, bracie Wojciechu. Wybacz... – Zawstydziłem się swojej dociekliwości.

Brat Wojciech przymknął powieki na znak aprobaty i ciągnął dalej pełnym smutku głosem:

– Owszem, wciąż trwają intensywne poszukiwania kolejnych. Z każdym dniem intensywniejsze. Podobno to była dobrze zorganizowana siatka. Wczoraj zamknięto granice Polacji, przez Tatry straż graniczna przeciąga dodatkowe druty kolczaste, laserowe, noktowizyjne i jakie tylko można sobie wymyślić. Samo miasto otoczono kordonem policji i wojska, dogoidalni strażnicy rzucają się na każdego, kto chce opuścić jego granice albo do niego wejść. Winowajcy nie uciekną. Są w pułapce. Czy my im wybaczymy, nie wiem. Ale bardziej trapi nas lęk, czy ofiary wybaczą nam. Nam, którzy przeżyli i są bezradni... – Po policzku brata Wojciecha spłynęła cynowa kropla.

– Nigdy nam nie przebaczą. Pierwej wybaczą prześladowcom – wyrwało mi się z serca.

Brat Wojciech jeszcze bardziej posmutniał.

– Ci dwaj, zakonspirowany Daesz, tak? – dopytałem szybko. Chciałem odgonić zgnębione myśli o duszach, które nie dadzą spokoju do końca naszych dni.

– No, przecież! W Pradze i Budapeszcie święto, w Rzymie na Forum Islamum diabelska zabawa – żachnął się. – Tyle że sprawa jest bardziej złożona. Znaczy się prosta, lecz trop rozgałęzia się i urywa u nas, w naszym mieście. To podobno tutejsze islasusły.

– Islasusły... no tak, można się było spodziewać – przytaknąłem. O islasusłach słyszało każde dziecko.

– Krakusy z dziada pradziada – ciągnął dalej mój sprawozdawca. W jego twarzy zagnieździła się ponura emocja. – Symulujący asymilanci, jeszcze z czasów austro-węgierskich. Takie niby zintegrowane multikulti po wielokrotnej ewaluacji, po naturalizowanych przed wiekami kronikarzach, handlowcach, uczonych, co to pogubiło w nazwiskach te wszystkie ibn, srallahah, al-haddadad – zasunął płynnie arabskim łamańcem.

– Można się było spodziewać – powtórzyłem, lecz zaraz sam sobie zaprzeczyłem: – Nie może być, aż trudno uwierzyć!

– Przestał smakować im nasz chleb. Ibn, srallahah, al-haddadad! – stęknął brat Wojciech.

Przyznam, że z podziwem słuchałem jego tłumaczeń. Islasusły, symulu, asymil, ewalu, multikulti, ibn, al-haddadad, srallalah – toż to łamało język.

Ciało znów dało znać o sobie. Skrzywiłem się z bólu i nieznacznym gestem poprosiłem, żebyśmy przerwali rozmowę.

– Na śmierć zapomniałem! – Brat Wojciech uderzył się w czoło. – Wszystko dobrze, to tylko formidła. Czas je zdjąć i ulżyć członkom. Dam radę, lekarze pokazali, co i jak. – Wstał z krzesła i szybkim ruchem odchylił kołdrę. – No już, już, nie wierzgaj, bracie Arturze, nic złego nie robię.

Wyjaśniła się przyczyna obolałości. Na czas vessazione zostałem zapakowany w botoksowe formidła. Tworzyły antyodleżynowy stelaż, dzięki któremu ciało miało zagwarantowane właściwe krążenie krwi i nie rozlewało się po łóżku zdjęte niemocą. Wbiłem wzrok w zadaszenie namiotu, wolałem nie patrzeć. Brat Wojciech złapał mnie pod pachą i – wzdłuż żeber, bioder, aż po łydki – ściągnął pierwsze formidło. To samo uczynił z drugiej strony, lekko przekręcając mnie na bok. Zgrubiałe płaty botoksu zeszły dość szybko.

– No, teraz powinno być lepiej. Pooddychaj chwilkę głęboko, aż ciało się ściągnie. Mamy czas – oznajmił brat Wojciech i rozsiadł się głębiej na krześle.

Rzeczywiście, poczułem dużą ulgę. Wróciłem myślami do przerwanej rozmowy. Islasusły stanowili duży problem, wciąż nierozwiązany. Pomimo stosowania drakońskich procedur tożsamościowych nie udawało się skutecznie wyplenić agenturalnych śpiochów. Rodzice nowo narodzonego obywatela Polacji musieli przedstawiać genealogiczne drzewa, korzeniami sięgające Jagiellonów. Najgorzej było przedrzeć się przez XX i XIX wiek – istny gąszcz, plątanina prawdziwych i pozornych pokrewieństw. Reparacje, przesiedlenia, wędrówki ludów, zaginione rodziny i dokumenty, mieszanie ras, krwi, pochodzenia, do tego niechlujstwo proboszczów i kancelistów. Jeśli rozwikłało się dwustuletnią łamigłówkę żywotów i imion, tropy zaczynały być czytelniejsze. Paradoksalnie, im dalej w głąb dziejów, tym łatwiej, choć i tak człowiek nie miał całkowitej pewności, że odtwarza własne drzewo.

Oczywiście tam gdzie dura lex, tam czarny rynek – zmora polacyjnej eugeniki i Centralnego Biura Genealogicznej Pamięci. Wszyscy wiedzą, że z pomocą odpowiednich znajomości można i sobie, i dziecku załatwić lewe papiery. Za pochodzenie chłopskie – rdzenne, mało mobilne, przypisane przez wieki do pługa i ziemi, płaciło się najwięcej, czyli równowartość meleksa, a nawet zestawu do wizualizacji sztucznych rajów. Mieć za antenata pańszczyźnianego chłopa to była największa gwarancja polacyjnej czystości, choć trudna do udokumentowania, skoro co jeden we wsi to jakiś Antoni bądź Józef. Najsłabiej schodziły korzenie arystokratyczne i inteligenckie. Arystokratów za bardzo rzucało po świecie – mniemanie tych wszystkich ćwierćkrólów, półksiążąt o wyższości rodu i krwi błękitnej nad narodową wspólnotą stawiało ich w jednym rzędzie z kosmopolitami o lewicowych i mało patriotycznych skłonnościach. Z kolei inteligenci, szczególnie artyści nader poważnie traktujący dzieła, zbyt lekko traktowali własne nasienie. Okrywali niesławą swoje lędźwie i wiele nieślubnych dzieci. Tożsamość dzieci artystów jest ex definitione podejrzana. Co wymowne, można przebierać w „artystycznych" tożsamościach, choć przecież przymierze religii i konsumpcji skutecznie wyeliminowało reprezentantów sztuki wysokiej. Kapłani przyjęli role wieszczów pokroju Hölderlina. Pisarze i plastycy ustąpili miejsca twórcom cybernetycznych światów, muzycy natomiast albo zajmują się katopopem, albo wiodą rachityczny żywot na krótkich smyczach polacyjnych grantów. Obecna epoka, jako pierwsza w dziejach ludzkości, doprowadziła do ostatecznego końca sztuki, choć ta dogorywała przecież przez wiele wieków i jakoś umrzeć nie mogła. Nastąpiła całkowita sublimacja ekspresji i piękna w modlitwie oraz w wirtualnych projekcjach.

Też posiadam drzewo genealogiczne. Na arenie dziejów i Polacji moi przodkowie pojawiają się w 1634 roku. Nie kombinowałem przy akcie urodzenia córeczki. Jeden z zaufanych i bardzo rzetelnych benedyktynów przesiedział kilka miesięcy w bibliotekach i na Ichtioglu, aż dotarł po dziadkach, wujach i ojcach do początków rodu. Ród mój pochodzi ze wsi. Może i nie jest szczególnie bohaterski, ale polacyjnie stabilny.

– Także, o czym to ja?... Aha, islasusły – podjął wątek brat Wojciech. – Niewiele wiem więcej, bo wszystko objęte tajemnicą śledztwa. Jezuici z prokuratorami nie chcą nic mówić. Tylko zadają pytania. Jak nic, nadchodzi czas wdów i bohaterów – brat Wojciech wyznał to takim tonem, jakby odkrył, że Jezus miał dwunastu apostołów.

– Tych islasusłów przepytują, tak? Niechaj miłosierny Bóg wybaczy im ich Allaha – wypowiedziałem słowa na jednym swobodnym oddechu. Dopiero teraz mogłem uznać, że ze mną wszystko w porządku, że wróciłem do zdrowych.

– Nie, wszystkich pytają – brat Wojciech pokręcił przecząco głową. – Duchownych i świeckich, przyjezdnych, tutejszych, wszystkich. Żartowaliśmy sobie wczoraj z bratem Hiacyntem, choć przecież to mało śmieszne, że zaraz zabiorą się za androidy, psy i koty. Każdy, kto język ma, musi się tłumaczyć, ale i siostrom zakonnym nie dają spokoju, na migi udowadniają swoją niewinność. Mówię ci, bracie Arturze, czasy takie, że lepiej być meblem, rybą, źdźbłem trawy niźli człowiekiem. Sam, nie dalej jak przedwczoraj, musiałem się gęsto tłumaczyć. Reszta braci też, nawet ojciec Karol, on też był przesłuchiwany w sprawie islasusłów.

– Ty, bracie Wojciechu? Ojciec Karol? Przecież uświęca was łaska długowieczności – nie wierzyłem. – A niby dlaczego?

– Bóg jeden raczy wiedzieć. O to samo spytałem prokuratorów. Papiery mam czyste jak Najświętszy Sakrament. Z chama pochodzę, dzieci nie mam. A oni zaraz podłączyli mnie pod nostalgram, no i szybciutko wrócili mi pamięć. Wyszło to, o czym, jak mi Bóg miły! – tu brat Wojciech uderzył się w pierś – na śmierć zapomniałem! Przed przyjęciem ślubów byłem dwa razy nad Balatonem. Zachciało mi się wakacji postkadarowskich, to teraz mam. Po ciebie też zachodzili. Chcieli zadać kilka pytań – rzucił, przenosząc wzrok na stolik z opróżnionymi miseczkami.

A mnie się zdało, że piorun strzelił w miseczki! I w brata Wojciecha, i całą salę! Szlag też trafił moje finezyjne badanie na okoliczność zaginięcia kamyka. Jestem człowiekiem starej daty, przeżyłem komunizm i nowy purytanizm z początku wieku. Na zbytnie zainteresowanie instancji wyższych reaguję nerwowo. Ono zawsze oznacza kłopoty.

– Słucham?!... Po kogo?!

– Po ciebie, bracie Arturze. – Jego górna warga podwinęła się pod zęby, dając wyraz ogromnemu skrępowaniu. – Ojciec Kornel, pamiętasz, ten jezuita, szycha jakaś ważna, diecezjalna, ten, z którym razem lecieliśmy samolotem, powiedział...

– No, co, po...wiedział? Cóż, uż... mógł powiedzieć, eć? – rzuciłem, połykając słowa. Niezdrowa ekscytacja wywołała czkawkę.

– Powiedział, że już on zna takich, co uciekają w chorobę. I to zaraz na drugi dzień po zamachach. Osobiście chciał poczęstować cię onirografem. Uprosiliśmy, żeby poczekać – brat Wojciech nie zwracał uwagi na moją nagłą dysfunkcję mowy.

– Pooowiedział, cooo wie-dział! Czy on oszalalał?

– Znasz ich. Po wiekach inkwizycyjnej wegetacji są w swoim żywiole. Foucault II Młodszy to przy nich łagodny baranek, a I Starszy zdaje się poczciwym psychoterapeutą. Działają metodycznie i racjonalnie, nie potrzeba żadnych panoptykonów. Ale na tym nie koniec...

– Mój Boże, mów, co jeszcze wymyślili. Chyba nie stosy? – wtrąciłem zgryźliwie.

– Nie, bez przesady. Chociaż, kto ich tam wie... – Zamyślił się brat Wojciech, lecz zaraz odegnał złą myśl. – BHP-owcy zaskarbili sobie przychylność prokuratorów. W sumie można się było tego spodziewać. Pełno ich w sądach i przy ołtarzach. I jednym, i drugim bardzo na rękę taka symbioza. Jedni straszą więzieniem, drudzy – wojną. Człowiek przestaje mówić, co myśli, i zaczyna myśleć, co ma powiedzieć – brat Wojciech stawał się z każdym słowem bardziej przygaszony. – Jezusie, daruj gorycz serca... a bo to mylił się ojciec Stefan?

– Że co-co? – Im bardziej on gasł w oczach, tym ja byłem bardziej napastliwy, ale tłumaczyła mnie niedorzeczność podejrzeń. Ja prosty mnich jestem, chłop z dziada pradziada, z Północy.

– Ciągnie wilka do lasu. Byle okazja kusi obietnicą Państwa Bożego na ziemi. Zamęt, niepokoje, dwie wojny, teraz jeszcze te bomby, nieszczęścia, trzecia wojna w powietrzu. Sam przecież wiesz, to idealny grunt. Nihil novi sub sole. Bracie Arturze, ja tam niewiele wiem, ale zdaje się, że przepisujemy starą historię na nowo. Zbawiciel znowu bez sensu zawiśnie na krzyżu – brat Wojciech uderzył w nieco dydaktyczny ton.

– A lu-dzie? Co ludzie na to? Znaczy się wier-ni-bierni? – doprecyzowałem i już mi się automatyczna konspira włączyła, bo odwróciłem głowę, sprawdzając, czy ktoś nie stoi za mną.

– A daj spokój! – Brat Wojciech wydął usta w podkowę. – Posłuszni jak zawsze. Kolejki do nostalgramów długie. Zgłaszają się sami, na ochotnika. Całe rodziny. Dla bezpieczeństwa proszą o więcej dronów. Dla spokojności o wszystkim ci powiedzą. O sobie, o najbliższych, o sąsiadach. Bracie Arturze...

– Tak, akucham? Widzę, że habit upranny. Ach, ta moja czy-kawka, przepszam. Albertynka pewnie zabrała garnit-ur.

Choć mówił o niezwykle niepokojących sprawach, myślałem, że może teraz będzie coś o kamyku, że powie wprost. Za długo owijaliśmy konwersację w bawełnę.

– Boję się... – Brat Wojciech był jednak myślami gdzie indziej.

Pochylił się na krześle, twarz ukrył w dłoniach, z palców uczynił kratkę konfesjonału i zaczął mówić ściszonym głosem:

– Chodzę do nich codziennie z posługą i dobrym słowem, ale co to za posługa, co to za dobre słowo? Kpią sobie ze mnie w żywe oczy, każą iść precz. Ich myśli krążą tylko wokół dronów, kamer, onirografów. W tamtym tygodniu uruchomiono ponownie internet. Przenieśli do niego swój ból i nienawiść. Co też oni wypisują na forach! Bliźni nie tylko podejrzewa bliźniego. Każdy podejrzewa siebie samego, podchodzi nieufnie do własnych snów, każe je sobie ustawicznie prześwietlać.

– No wieeesz, bracie-chu – starałem się przyjąć spokojniejszy, łagodny ton głosu, mimo że czkawka zjadała mi język. – Może nęka ich strach, że w snach lubuje się Sz-tan, w snach chce się wyszumieć. W snach projektuje naszą grzeszną i słabą stro czło... wieczeństwa, poza ludzką wolą. Wiele miejsca poświęca złym snom Księga Syr-acha, acha – nie wiedzieć czemu, wbrew sobie wskoczyłem w za duże buty powiatowego kaznodziei. Połykałem powietrze, żeby zdusić czkawkę.

– Co z tobą? Mówisz dokładnie jak oni – w słowach brata Wojciecha słychać było gorycz. – Zapomniałeś o naszym patronie? Czym jest ludzkość, która kastruje własne sny dla bezpieczeństwa ziemskiego żywota? A widzenie senne Maryi? A oniryczne wizje Dawida, Saula, Jakuba? A senne marzenia świętego Teresa, Faustyna, Jana Vianneya. – Uniósł głowę i spojrzał smutno, a górna warga w całości zakryła dolną.

Milczałem, bo w głębi duszy przyznawałem mu słuszność. Jeśli sny mają coś wspólnego ze złem, to są jego efektem, nie przyczyną. Zbyt wiele jest też dowodów, że służą one Bogu za pierwszorzędny komunikator.

– Masz rację, bracie Wojcie... Dajmy już pokój – odezwałem się pojednawczo, czując, że mija czkawka i w gardle pęka bąbel powietrza. – I tak niewiele od nas zależy. Cóż, my, trzciny zakonne, drżące na Bożym wietrze. Nie nam rozprawiać o onirycznych esencjach.

Brat Wojciech też chyba pojął, że przerastają nas te sprzeczności, prowadzą w ślepe uliczki teologicznych zawiłości, że nie dla nas habilitacje z sennej semantyki, ze znaczącego i znaczonego przez wyższe instancje podświadomości. Nieważne – boskie czy też szatańskie, nie na nasze głowy aporie i strukturalizm mistyczny. Przysunął się do mnie bliżej z krzesłem i jednocześnie – teraz to on! – sprawdził okiem konspiratora, czy rzeczywiście jesteśmy w sali tylko we dwóch.

– Rzeczy to pierwszorzędne, ale chyba nie o nich chciałeś porozmawiać, prawda? – zapytał konfidencjonalnie.

I widzę, jak nagle rozpromienia się zawadiacko, jak twarz zajęcza przyjmuje kształt szelmowskiej gęby i jak szczerzą się zęby, jakby brat Wojciech niejedną muchę w łyżce wody utopił! Rękę chowa w habicie, czegoś tam szuka. Szuka i szuka, i niby nic nie znajduje. Rozmyśla się, choć nic – jeszcze raz próbuje, sprawdza, poły przetrząsa, nawet lekko odchyliwszy głowę, przymyka oczy, żeby zmysłowi dotyku dać lepszy posłuch. A mnie – Chryste, nie słuchaj – cholera jasna bierze! Specjalnie to robi. Już wiem, czego nadaremnie, choć skutecznie szuka i po co to całe theatrum mima.

– Kamyk?! – nie wytrzymuję, podnosząc się z łóżka.

– Ciszej, na miłość boską – gromi mnie brat Wojciech, by zaraz dodać głosem zduszonym niczym spod knebla: – A co myślałeś, bracie Arturze? Brewiarz? Różaniec? Jasne, że kamyk! Wyjąłem z marynarki, zanim ją albertynka zabrała. Nikt raczej nie widział. Ukryłem i przechowałem. Teraz oddaję. – Wysuwa w moim kierunku zaciśniętą dłoń. Rozchyla palce niczym płatki rozkwitającego kwiatu. W środku błyszczy perłowa łza.

Mój kamyk! Chcę zabrać zgubę, lecz brat Wojciech nie pozwala. Cofa rękę, ja swoją wyciągam dalej, on jeszcze bardziej odsuwa. Bawi się ze mną w kotka i myszkę.

– Tak sobie pomyślałem... tylko nie złość się, bracie Arturze – zastrzega. – Ja wszystko rozumiem, ale może trzeba by z nim ostrożniej, rozważniej. To mogą być gusła jakieś, czary, złe energie, które ciągną się z tym kamykiem za nami. Dziwnym trafem, od kiedy go znaleźliście przy leśnej kapliczce, zbyt wiele rzeczy się dzieje. Zrozum mnie dobrze, twoja córka jest jeszcze przed święceniami. A do tego czasu...

– Nie pleć bzdur! – warczę. Mimo że chwilę temu prosiłem o pokój, gotów jestem zgrzeszyć i pięścią policzyć zęby zajęcze. – To ty mówisz dokładnie to samo co oni. *Malleus Maleficarum* ostatnio czytałeś? A może pomyliłeś charyzmaty? To prezent od najniewinniejszej istoty na ziemi – mój głos łagodnieje. – Nic nie posiadam, ubóstwem dowodzę pełnego zaufania do Boga, jak chce nasz Mistrz i Przewodnik. Tylko ten kamyk... Noszę go na znak miłości i pamięci. Dziękuję, że go przechowałeś, ale teraz bez żartów. Daj, proszę. – Wychylam się z wyciągniętą ręką żebraka. – No, proszę! Mam klęknąć?

Mocujemy się długo spojrzeniami, aż w końcu on daje za wygraną. Wyjmuję mu z dłoni skarb i natychmiast przekręcam się na drugi bok, rzucając ledwie:

– Naprawdę dziękuję. Nie zapomnę.

Muszę pobyć sam. Koniecznie. Niespieszno mi wracać do świata. On i tak niebawem upomni się o mnie, choćby w osobie ojca Kornela. Będzie domagał się uczestnictwa w dziele posłuszeństwa, a ja stawię się na jego wezwanie. Jak zawsze.

Brat Wojciech wychodzi bez słowa. Naciągam na siebie kołdrę, podkurczam nogi, do serca tulę perłową łzę. Znów czuję jej obecność. Pod powiekami znów widzę jej postać. Pędzi rowerem w tunelu migotliwych, uciekających za nią światów. Lekko pochylona, z rączkami mocno zaciśniętymi na kierownicy. Dwa warkoczyki podskakują, kreślą w powietrzu wstęgi nieskończoności. Może kamyk jest tylko pretekstem, może wmawiam sobie, że ma jakiś szczególny dar przywoływania postaci córeczki? Jeśli tak, chcę więcej takich pretekstów! Bo trzeba w coś wierzyć – w coś, co zachowuje w nas miłość. Wierzyć tak, jakby Boga nie było albo jakby o nas zapomniał!

Jeśli oszukuję sam siebie, niech to oszustwo trwa jak najdłużej. Ono nikogo nie krzywdzi, nie wskazuje, kto obcy, kto swój, nie każe składać żadnej daniny z krwi, nie domaga się sprawiedliwości. Dzięki niemu pod powiekami ożywa nasze rowerowanie. I ożywają lasy, jeziora, śpiew ptaków. Mrówka mocuje się ze świerkową igłą i nie musi wiedzieć, że w tym trudzie jest godnym podziwu tytanem. Obłoki suną po niebie, choć naruszają strzeżone strefy powietrzne miast, państw i całych kontynentów. Święta zwyczajność, cudowna pospolitość świata. Ona nie potrzebuje żadnej sankcji dla swego istnienia i nie buduje granic. Bluźnię? Nie! Bo jeżeli kiedykolwiek Bóg do mnie przemówił, to słyszałem Go w terkocie rowerowego łańcucha. Jeżeli kiedykolwiek mi się ukazał, to Jego twarz była odciśnięta w mchu na pniu wiekowego drzewa. I odbita w oczach! W oczach mojego dziecka! Wszystko jest kwestią bezwarunkowej miłości.

ROZDZIAŁ XI

Długo kontemplowałem odzyskanie kamyka, aż wrócił brat Wojciech, by zabrać mnie na uroczystość Niedzieli Palmowej.

Udawaliśmy przed sobą, że rankiem nic wielkiego nie zaszło. Jeśli sprzeczka, rozbieżność zdań, to w granicach przyjaźni. Wciąż byliśmy dwuosobową bandą Jezusa. Wszystko zostało już powiedziane, więc bez ceregieli przywdziałem habit i wskoczyłem w wierne kroksy. Brat Wojciech wręczył mi szklankę z syczącym gejzerem witamin – wypiłem duszkiem i definitywnie pożegnałem chorobę.

Przez labirynt tuneli poprowadziła nas ta sama albertynka, która znalazła mi garnitur. Ruch osłabł, magazyny pękały w szwach, większość była opieczętowana. Nawet w przejściach ustawiono skrzynki pełne skarbów ze zburzonego miasta. Było w nich wszystko – od wielofunkcyjnych form androidalnych po zwykłe mosiężne świeczniki. Nieco zaskoczył mnie widok cybernetycznych głów translatorów. Dawno ich nie widziałem. W Olsztynie, od kiedy udało się wprowadzić powszechną równość wobec Boga i konsumpcji, androtłumacze wyszły z użytku. Tutaj natomiast chyba wciąż były potrzebne. No, ale Kraków to nie Olsztyn.

Androtłumacze są dość ciekawym, choć nieco archaicznym rodzajem negocjatorów, skonstruowanym wspólnie przez liberalnych socjologów i inżynierów od sztucznej inteligencji. Kierują się prostymi zasadami ekonomii, władają kilkoma językami ludzkich potrzeb, by łagodzić roszczenia wykluczonych i uzgadniać kompromisy w obrębie miejskiej wspólnoty. Idealne na czasy reform, powojennych zawirowań i wyraźnie artykułowanej klasowej odrębności, natomiast całkowicie zbędne, gdy społeczeństwo nabiera tłuszczyku i rozpada się na zbiór jednostek, których nie łączy żaden wspólny interes poza własnym: dostatkiem za życia i zbawieniem po śmierci.

Przy jednym z rozwidleń tuneli spotkaliśmy dwie betanki. Bezskutecznie próbowały uruchomić robtiksa – odkurzacz najwyraźniej się zapchał. Między zakonnicami doszło do sprzeczki, ich ręce trzepotały niebezpiecznie blisko twarzy. Spostrzegłszy nas, kobiety spuściły głowy. Ledwie przeszliśmy, zaraz wróciły do kłótni. Cystersi dwójkami patrolowali korytarze. Cystersi, a dokładniej: legion cystersów! Do stróżowania oddelegowano chyba całe zgromadzenie krakowskie, ponieważ białe habity z czarnymi szkaplerzami napotykaliśmy za każdym zakrętem. Oczy ich były jak lornety, jak szkła powiększające. Zdawały się mówić: dajcie nam człowieka, a znajdzie się islasuseł! Sprawdziłem na sobie dość oczywistą prawidłowość, że niewiele trzeba, by lustrowany od stóp do głów człowiek zaczął zachowywać się podejrzanie. Pod ciężarem wzroku cystersów mój chód zrobił się jakiś nienaturalny, zbyt usztywniony, szczudłowaty. Nie wiedziałem, co zrobić z rękoma, nie chciały zgrać się z ruchem nóg. No i w ogóle głowa, pierś, ramiona, każda część ciała pragnęła prezentować się normalnie, co niestety w całości dawało odwrotny efekt szemranej persony. W chwilach najdrobniejszej nawet inwigilacji, a za taką uznałem tę patrolową obserwację, dochodzi do komunikacyjnych zakłóceń między umysłem, instynktem i ciałem. Okazuje się, że gdy trzeba, nie potrafią być kompatybilne. Słowem: chcesz się zachowywać normalnie, przepadłeś. Chwalić Boga, pokorne „Pax et Bonum" wystarczało za przepustkę. Przynajmniej na razie.

Nie tylko cystersom udzielała się paranoiczna podejrzliwość. Mijaliśmy grupkę mężczyzn, którzy do jednego z ostatnich, otwartych jeszcze pomieszczeń popychali na wózku ogromną rzeźbę Mitoraja. Zdawało się, że są całkowicie pochłonięci transportowaniem *Erosa spętanego*, ale patrzę, a oni patrzą na mnie!... Ki diabeł!... Jakiż im dałem powód, żeby tak na mnie naparli ocznymi gałkami?... Starczy, że z cystersami co chwila miałem przeprawę. No, więc ja na nich, bo oni na mnie! Oni na mnie, no bo ja na nich! I nie wiadomo, kto zaczął, kto pierwszy rzęsy na sztorc postawił. Gdzie tu przyczyna, gdzie skutek, gdzie kura, gdzie jajko i kto od kogo powinien zażądać wyjaśnień? W jednej sekundzie taksujemy się uważnie. A ty kto? I po co tutaj? – zdają się pytać oczami, więc nie pozostaję dłużny i postępując wbrew regule, natychmiast odpowiadam im podobnym, twardym spojrzeniem: a wy co za jedni? Koniec końców, poddaję się pod naporem ślubów pokory. Poza tym co trzy pary oczu, to nie jedna. Jestem w mniejszości, więc pochylam głowę, palcami ugniatam chwosta. Doganiam wzrokiem i krokiem albertynkę oraz brata Wojciecha, który, widząc moją potyczkę z tragarzami, wzdycha i mówi cicho, tak żeby nikt poza mną nie słyszał:

– Lepiej nie gapić się, lepiej patrzeć pod nogi. Mimo wszystko nie jesteśmy u siebie, bracie Arturze.

Mężczyźni dają spokój, choć ich spojrzenia czuję aż do kolejnego zakrętu. Nie trzeba wron-dronów ani kamer. Ludzka podejrzliwość to najdoskonalszy monitoring.

Miał rację brat Wojciech. Na zewnątrz zmiany, zmiany, zmiany. Mutatis mutandis – przyznałem w duchu, mrużąc oczy od ostrego słonecznego światła. Wprawdzie polowa świątynia została, lecz wszystkie pomniejsze namioty zniknęły. Scenę wypełniały rzędy katafalków, na których umieszczono kuferki z wawelskimi szczątkami. Zdobiło je mnóstwo kwiatów i wieńców z czarno-złocistymi szarfami. Przed katafalkami kręcili się robotnicy z androidami, którzy przygotowywali ołtarz i ustawiali tronowe krzesła. Na próbę rozświetlała się i gasła wizualizacja potężnego krzyża z fluoroscencyjną koroną cierniową nad poziomą belką, pod sceną paliły się łany zniczy i świec. Lekki wiatr poruszał płomieniami. Kilkoro ludzi klęczało przy zniczach, jasnowłosy alumn przechadzał się z koszykiem w ręku i zbierał wypalone kubeczki. Telebim wyświetlał postać arcybiskupa Krystka, u dołu na pasku przebiegały najświeższe informacje. Zdążyłem przeczytać, że trwa powszechna mobilizacja w specjalnych strefach nostalgramowych, że uroczystości Wierzbnej Niedzieli odbędą się na Górce Narodowej, że wprowadzono całkowity zakaz opuszczania miasta i – wiadomość z ostatniej chwili – schwytano kolejnych islasusłów. Jeden, o ujawnionych właśnie tatarskich korzeniach, przez wiele lat piastował wysokie stanowisko w tutejszym magistracie. Łącznie złapano już trzydziestu zamachowców, poszukiwania wciąż trwały. Hierarcha coś tłumaczył, lecz głos był wyłączony – wyglądało to tak, jakby jego zęby na wszelkie sposoby chciały zgryźć kamień. Minę miał poważną, prawie posępną, raczej nie mówił o niczym przyjemnym. Nad jego głową dwa anielskie i groźne awatary trzymały polacyjny sztandar z napisem: „Exoriare aliquis nostris ex ossibus ultor". Na ile mogę zaufać swojej łacinie i pamięci, napis pochodził z Wergiliusza. „Niech z naszych kości narodzi się ultor" – a „ultor" znaczy „mściciel". Tak chyba należałoby przetłumaczyć napis. Nie wiedziałem, co myśleć o jego treści. Czy odnosiła się do królów, wodzów, poetów – wszystkich wielkich polacyjnej tradycji, z których powstanie zwycięzca sił zła i ciemności? Czy też odsyłała do zwykłych ludzi – ofiar zamachów, którzy złu i ciemności zostali wydani? A może do jednych i drugich?

– Mówiłem ci, bracie Arturze. Takie panują nastroje – oznajmił z przekąsem brat Wojciech.

Skierowaliśmy się w stronę ulicy Focha do czekającego już meleksa. W oddali ujrzałem braci konwentualnych, nad którymi górował ojciec Karol. Machali do nas ponaglająco, więc uniosłem rękę na znak, że i ja ich widzę. Przyspieszyliśmy kroku.

Na Błoniach musiały odbywać się wielotysięczne uroczystości. Do takiego wniosku skłaniał mnie widok żyrafich konstrukcji głośników, rozstawionych po całym terenie, ślady butów i mocno wydeptana, zniszczona trawa, tu i ówdzie zdarta do gołej ziemi, jak również pozostawione chorągiewki polacyjne i mnóstwo butelek po energetycznych napojach. Dodatkowo łąka usiana była ulotkami BHP-owców. W zdjęcie ogromnej pięści wkomponowany był wyraz „Wojna!", który bił czerwoną czcionką po oczach. Słaby wiatr zmieniał ulotki w przyciężkawe czarno-czerwone motyle. Unosiły się kilka centymetrów nad ziemią, by załopotać na chwilę, niezgrabnymi esami-floresami maznąć powietrze i upaść. Betanka zbierała je do worka. Jedna na tak wielki teren to stanowczo za mało. Przydałoby się z dziesięć albo, co prostsze, warto by rozrzucić kilka szczepów ideonelli.

Bracia konwentualni wybiegli nam na spotkanie. Wyściskałem się serdecznie ze wszystkimi, każdego ucałowałem z osobna. Gwardian przytulił mnie do piersi i pobłogosławił:

– Nie ducha witamy, lecz człowieka, który wrócił do żywych, choć martwi chcieli u siebie go zameldować. Chwalmy Pana! Znów wszyscy w komplecie i obyśmy dotrwali razem do ostatniej komplety naszego żywota! – zagrzmiał swoim zwyczajem i basem.

Wesoła trzódka, radość ogromna, nastrój bliski euforii! Wzruszyło mnie ich powitanie – szczere i bezpretensjonalne, o jakie coraz trudniej w innych charyzmatach. Może i one nowocześniejsze, może i bardziej wyrafinowane w służbie Bogu, lecz swojej pokory i posłuszeństwa dowodzą nosem zwieszonym na kwintę, a nie otwartością i uśmiechem od ucha do ucha. Najbardziej cieszył się brat Hiacynt, chwycił mnie za rękę i zapakowaliśmy się czym prędzej do meleksa, choć nie było łatwo. Dziewięciu chłopa, a pojazd niewiele większy od pudełka zapałek w ręku Gargantui. Przy nim poduszkowiec kurii warmińskiej – przestronny, że i położyć się, i nogi wyciągnąć, wyposażony w autopilota i pełen barek – był mobilnym apartamentowcem. Ten, niewygodny i rozklekotany, swoje już musiał mieć na liczniku.

Ścisk zrobił się okrutny i chichotliwy, bo człowiek tracił orientację, gdzie jego ręka, gdzie noga, czyj to kaptur drapie go w czoło, o czyje zapiera się plecy i czy sam swoim sznurem nie przydusza brata w wierze i tłoku. Brat Wojciech siedział mi jednym pośladkiem na kolanie, akrobatycznie chwyciwszy się ramy okiennej, brat Hiacynt chuchał w ucho. Wesołe stadko, rozbrykane, chociaż ściśnięte jak śledzie.

W tak niepewnym, bolesnym czasie każdy pretekst jest dobry, by rozweselić serce. Od dwóch tygodni nic tylko zwłoki, prochy i łzy. Konwentualni byli jak dzieci, a i ja ponurej wronie spod ogona nie wypadłem – przynajmniej nie dzisiaj, nie po odzyskaniu kamyka. Dałem się ponieść tej fraszce tłoczno-rubasznej. Dźgałem kolanem czyjś nos – brata Filipa lub Sebastiana, choć kto to tam wie, czyj dokładnie i czy aby na pewno nos. Dźgałem specjalnie, nie bacząc na konsekwencje. I dawno, dawno się tak nie śmiałem.

– Zabierz tę rękę, bracie, bo mi wyskoczą stygmaty – odezwał się któryś.

– Do kogo mówisz? – dopytywał się drugi.

– To na pewno nie ręka – oznajmił właściciel nieodgadnionego dla innych członka.

– Uderz w meleks, właściciel się odezwie – spuentował inny mało zręcznym bon motem.

Tworzyliśmy jedno skłębione ciało franciszkańskie – uchachane, beztroskie, jakby dobry Bóg wyjął nas z udręczonego miasta i przeniósł do wesołego miasteczka na błazeńskiej planecie.

W odwiecznym sporze o imponderabilia, który od czasu do czasu wstrząsa Kościołem, jedni uznają, że Jezus śmiał się jak każdy homo ludens, drudzy uważają, że nie było Mu wcale do śmiechu, i powołują się na zapisy Ewangelii. My oczywiście stoimy po stronie zabawy. Skoro Pan nasz chodził na wesela i uczty, a chodził nader często, to nie po to, by płakać lub psuć biesiadnikom nastrój strzelaniem depresyjnego focha. Śmiech nam uchodzi na sucho – w tym względzie korzystamy ze swobody, jaką daje franciszkańska reguła. Augustianie, nieco, ale tylko nieco uogólniając, są maniakalnymi pesymistami i kauzalistycznymi moralistami. Dominikanie tyleż pobożni, ile statecznie uczeni, nawet w księgach szukają instrukcji, jak założyć sandały. Bernardyni wolą się nie wychylać, bo dowcip ich ciężki, freudowski. Jezuici, jak powiedzą kawał, to nie wiadomo, czy śmiać się, czy płakać – słuchającemu zazwyczaj idzie w pięty, mina rzednie i lepiej, żeby uciekał. Redemptoryści może i by chlapnęli jakimś sucharem, ale wcześniej każą sobie zapłacić, co psuje całą zabawę. Cystersi zamienili poczucie humoru na prawo własności. Tylko my! Tylko my pamiętamy, że oprócz homo sapiens, homo viator czy homo faber jest jeszcze homo ludens. Możemy się chichrać do woli, próbując zwalczyć stereotyp, że Polacja karmi Jezusa wyłącznie krwią, cierpieniem i smutkiem. Staramy się też zaprzeczyć niezwykle krzywdzącym podaniom, że śmiech „zniekształca rysy, czyni podobnym do małpy". A choćby i małpa, to co? Ona również stworzona przez Boga. Małpy to nasi nieco tylko mniej rozgarnięci siostry i bracia w naturze. Moje rowerowanie z córeczką, za które zapłaciłem wysyłką na misję, też było sztubackim kawałem w imię rodzicielskiej miłości. Brat Wojciech nie zatrzymał wizualizacji w odpowiedniej chwili i tyle nas widzieli.

– Niezła fura, co? Podobno w minutę dociąga do pięćdziesiątki. Cysters Tymon dał się uprosić. A uproszony, pożyczył – wyjaśnił ojciec Karol, który z racji wieku, funkcji i gabarytów zasiadł obok kierowcy. Był dumny z pojazdu. – Jedziemy, bracie Robercie, uczcić wjazd Najwyższego do Jerozolimy! Pełen gaz! Ile elektrownia dała! – polecił kierowcy, który od razu depnął na pedał i nakarmił silnik potężną dawką amperów.

– Stówą, stówą, bracie Robercie! – prowokowali go bracia-pasażerowie.

– Nogę ma ciężką jak taca na Wielkanoc – zauważył dwuznacznie brat Sebastian lub Patryk i zachichotał.

Potoczyliśmy się, ryzykownie sprawdzając dopuszczalny udźwig meleksa i skutecznie dławiąc demona prędkości. Nie muszę dodawać, że wciąż pogrążone w żałobie miasto było mocno skonfundowane wielkim obwarzankiem, który toczył się ciężko i w dodatku chichotał od wewnątrz.

– A cicho mi być i nie mówić nic! Bo zawezwą, jak nic mnie zawezwą! A was poczęstują infamią, w ekskomunikę wpędzą – biadolił efektownie ojciec Karol, lecz zaraz sam poganiał brata Roberta: – Szybciej, szybciej! Stówą braciszku, stówą! Toż Jezus na osiołku wyciągał więcej. Dwa tysiące lat temu z ogonkiem zobaczylibyśmy tylne światła osiołkowego anusa. No, daj po amperach! Daj po kablach! Niechaj zad naszego meleksa innym wyznacza odległą metę! – Poruszał wielką głową, włos miał rozwiany. Czupryna podobna była do gorejącego krzewu, przez który przemawia sam Pan Bóg. O mało co salwami śmiechu nie wysadziliśmy pojazdu w powietrze.

Przechodnie przystawali po równo zgorszeni i zdumieni naszym widokiem. Nad meleksem pojawiło stado wron-dronów. Zaczęły strzelać fleszami. Ale co tam! Kto jest bez winy, niech pierwszy rzuci w nas śmiechem! Może i jechaliśmy wolno, lecz w myślach byliśmy ponaddźwiękową strzałą w Wielkim Zderzaczu Hadronów.

Zmiany, zmiany, zmiany – mogłem jedynie znowu powtórzyć, zerkając przez rąbek szkaplerza brata Wojciecha niczym przez raz odsuwaną, raz zasuwaną kurtynę. Czego nie zobaczyłem, to dosłyszałem, obdarzany peroracjami brata Hiacynta i zgodnym potakiwaniem reszty braci. Gruz usunięty, uprzątnięte ulice, ukrócona samowola ołtarzyków, kopczyków i krzyży na rzecz miejskich kapliczek, w których każdy mógł zapalić świeczkę za dusze zmarłych. Obok kapliczek znajdowały się punkty nostalgramowe – niewielkie budki o ścianach z przyciemnionego szkła, co chwila rozbłyskujące niebieskawą łuną. Ludzie wystawali przed nimi w długich kolejkach. Miejsca po zburzonych domach wypełniały pierwsze kamieniczne plomby. Na ich fasadach ledowe ognie czciły pamięć zamordowanych.

Mijając po prawej Planty, widziałem świeżo zasadzone drzewka, a dalej – Stare Miasto. Z wolna, choć konsekwentnie odzyskiwało swój blask i kształt. Między zabudowaniami błysnęła miedziana iglica kościoła Mariackiego, w oknie wieży majaczyła postać hejnalisty. Do góry pięły się mury Collegium Cathomedicum, po drugiej stronie Teatr Bohotela zapraszał na pierwszą po zamachach komedię *Paryżanina polacyjnego*. Bunkier Sztuki na nowo jaśniał elewacjami w barwach psa husky i stary Kleparz wyglądał ab ovo po staremu. Tramwaj dawał sygnał dzwonkiem, baba czerstwa, krakowska wykładała na sprzedaż precle inkrustowane solą, makiem, sezamem, a nieco dalej druga, pewnie góralka, układała piramidy wędzonych i białych oscypków, co rusz odpędzając jakiegoś namolnego dronika-muchę. Nowiutkie ekrany błyskały na przemian postaciami męczenników i gwiazd medialnych, które zapowiadały swoje programy w uruchomionej właśnie sieci. Nad ulicami kołowały wrony, przechodnie wystawiali ku nim twarze, pozwalając, by szklane oczy ptaków obfotografowywały ich en face i z profilu. Kraków wracał do życia.

Cieszyłem się z widocznych gołym okiem postępów odbudowy, lecz – o dziwo! – bracia nie podzielali mojego entuzjazmu. Im bardziej „ooochałem!", tym bardziej markotnieli. Brat Sebastian lub Patryk – nie mogę ich rozróżnić – studził mój zapał, prosząc, żebym nie wierzył do końca temu, co widzę. Brat Hiacynt przytaknął, brat Wojciech sposępniał. Reszta też dziwnie ucichła, zostawiając mnie samego niczym dziecko, z którym nikt nie chce się dalej bawić. A i na przedzie ojciec Karol zaczął kontemplować podróż w milczeniu.

Przejeżdżaliśmy właśnie nieopodal odrestaurowanego pomnika Grunwaldzkiego przy placu Jana Matejki. Odchyliłem mocniej szkaplerz brata Wojciecha, żeby mieć lepszy widok. Na szczycie cokołu posąg króla Jagiełły podążał w stronę Starego Miasta kłusem granitowego konia. Niżej, w ścianie pomnika, można było rozpoznać litewskiego rycerza, który prowadził spętanego Krzyżaka. Przy pomniku pojawił się mężczyzna. Nieskoordynowane ruchy, charakterystyczne dla wiecznego tułacza nigdy niemającej się skończyć soboty, świadczyły, że jest pijany w sztok. Nad jego głową kołowała wrona-dron, alarmując zapewne odpowiednie służby. Zaraz też usłyszeliśmy dźwięki policyjnej syreny.

Mężczyzna chwiejnym krokiem podszedł do króla, dla większej wygody oparł się głową i lewą ręką o cokół, prawą zaś przystąpił do wiwisekcji rozporka, by dać ulgę pęcherzowi. Nagle pomnik trzasnął i dłoń, ta dłoń, którą przytrzymywał się pomnika, wpadła... do środka!

– O co chodzi?... Jak to?... – spytałem bezwiednie.

Mężczyzna zachwiał się, nieporadnie próbując uwolnić dłoń z potrzasku. Zaklinowana, nie chciała wyjść. Pod pomnik zajechał radiowóz, z którego wysiedli androidalni stróże porządku. Pijaństwo w okresie Wielkiego Postu karane jest z całą surowością.

Meleks wiózł nas dalej. Przy dworcu musieliśmy nieco zwolnić, ponieważ coraz więcej ludzi i podobnych do naszego pojazdów kierowało się na Górkę Narodową. Nie przestawałem myśleć o tylko pozornie drobnym incydencie. Pomnik króla Jagiełły musiał być z... no, właśnie... na pewno nie był z granitu ani marmuru. Skoro mężczyzna zdołał zrobić w nim dziurę, to znaczy, że co?... Z gipsu Jagiełło, z dykty, kartonu?...

– Bracia, możecie mi wytłumaczyć? Dziura w pomniku? – Przekrzywiłem nieco twarz, czując tarcie nosa brata Hiacynta.

– A co tu tłumaczyć? – obruszył się poczciwy brat Hiacynt. – Wokół same symulakry i symulacje. Do tego doszło. Lepsze i gorsze, ale wyłącznie symulakry...

– Mówi prawdę – usłyszałem zza pleców brata Wojciecha.

– Artefakty bardziej! – sprostował brat Sebastian lub Patryk.

– Na jedno wychodzi. Imitacje, znaki, złudzenia. Miraż – brat Hiacynt nie miał ochoty się spierać.

– Co racja, to racja. Factum simulacrum. Signum praesentis. Prawdziwy Kraków spłynął wraz z przeszłości Wisłą – oznajmił gwardian z dziwaczną inwersjo-awersją. – Wszystko przenosi się do wirtualnego świata, ludziom wystarcza namiastka. Imitacja, ersatz, turystyczny bibelot. – Nasz ojciec wielebny, nie bacząc na grzeszność występku, splunął potężnie w bok. – Do stu tysięcy podlinkowanych herezji!

Władze zapewniają, władze tłumaczą, że tak oszczędniej i szybciej można odbudowywać, choćby i w nieskończoność. Gdyby barbaria chciała znów nas zaskoczyć... Niechaj sobie walą bombami w dyktę. Ech, simulacrum vitae!

Trudno mi było uwierzyć ich słowom. No bo jakże to? Może jeszcze i Wawel z kartonu? Może kościół Mariacki i całe Stare Miasto?

– Może jeszcze i Wawel z kartonu?... I cały Kraków z dykty? – język powiedział to, co pomyślała głowa.

Zamiast odpowiedzi – milczenie. Ciężkie milczenie konwentualne, a w takim milczeniu zawsze tkwi ziarno krzyczącej prawdy. Postanowiłem więcej już nie dopytywać. Cóż, nam, ludziom Północy, trudno zrozumieć ludzi Południa. Chcą dykty, niech będzie i dykta.

Przejechaliśmy obok startej na pył Galerii Krakowskiej, z której wystawały jedynie ruchome schody niczym stalowe gąsienice wypełzłe z ziemi. Prowizorycznym i rozchybotanym wiaduktem przeskoczyliśmy nad Dworcem Głównym, zostawiając za sobą porwane struny torowisk, strzaskane składy szynobusów i kurhany peronowych zadaszeń. Na torach kręciło się mnóstwo ludzi. Czekali chyba na odjazd, i to czekali od dawna, ponieważ w otwartych oknach kilku ocalałych szynobusów schła bielizna, winna latorośl zdążyła opleść wagony i pięła się aż do dachów. W jednym oknie ujrzałem nawet donicę z sałatą i szczypiorem. Na zniszczonym torowisku bawiły się dzieci, z kolejowych podkładów zbito krzyż, na stopniach szynobusów matki kołysały niemowlęce pociechy. Słońce wypalało do białości nasypy, a wiatr nawiewał do ust smak rdzy i kamienia.

Za dworcem na całej długości ulicy gromadzili się wierni. W dłoniach trzymali wielkanocne palmy i wierzbowe witki. Wyglądali niecierpliwie Jezusa, który lada moment miał nadjechać od strony Narodowej Górki. Chrystusowi Żołnierze pilnowali porządku. Byli ubrani w identyczne mundury, jakie noszą nasi olsztyńscy strażnicy wiary i porządku. Na pagonach lśniły szkarłatne dystynkcje pięciu ran Ukrzyżowanego. Zaczęli nas poganiać, żeby jechać szybciej – do rozpoczęcia uroczystości Niedzieli Palmowej zostało niewiele czasu. Balkony okolicznych bloków zapełniły się ludźmi. Siła wybuchu musiała dotrzeć i tutaj, ponieważ wiele okien nie miało szyb, mieszkania świeciły pustymi oczodołami albo też bielmem jakiejś pleksi lub materiału. Dodatkowo przez kilka wieżowców, z góry na dół, biegły zygzaki pęknięć, jawnie grożąc zawaleniem. Na ich mieszkańcach nie robiło to żadnego wrażenia. Co miało się zawalić – zawaliło się, co miało ocaleć – ocalało. Siedzieli na balkonach niczym wielkie, plotkujące między sobą ptasiory.

Za torami miasto zrobiło się biedniejsze i brudne – zalatywało Czwartym Światem blokowisk. Jakaś piaskownica, jakaś zwichnięta huśtawka, transformator upstrzony wulgatą, nieczynny, zabity dechami warzywniak. Betonowa płyta i klockowate domki musiały jeszcze pamiętać dwudziestowieczne utopie. Tymczasem brat Robert wyciskał ostatnie ampery z pedału. Nie było lekko – ulica biegła długim wzniesieniem aż do końcowej bramy rogatek. Żołnierze wręcz popychali naszego meleksa, żeby szybciej, to ostatni moment, zaraz zamkną ulicę. Jezus nie będzie przecież czekać, bo „szanowni franciszkanie raczyli się spóźnić".

Ostatnie pięćdziesiąt metrów przebyliśmy pieszo. Żołnierze Chrystusa obiecali, że odprowadzą meleksa na Błonia, dokąd miała dotrzeć procesja z Jezusem. Znów uformowaliśmy węża, ponieważ ścisk zrobił się potworny, rozśpiewany pieśnią *Króluj nam, Chryste*, którą kameduli intonowali szczekaczkami. A lud napierał – głowa przy głowie, do tego upał i słońce. Tłok, duszność, spiekota. Palma przy palmie, wstążki, suchotki, plecy i karki, witki, wierzbowe kotki – lekko różowe, żółte i białe. Ktoś kogoś popchnął, ktoś zgubił różaniec, ktoś chyba zemdlał. Do tego silna woń perfum i słodka sól potu, rój procesyjnych muszek-droników, wyciągnięte do góry smartglassy z włączonym recordem na wieczną rzeczy pamiątkę. Chrystusowi Żołnierze nie byli w stanie zapanować nad ludzkim morzem, tutaj nawet Mojżesz chyba niewiele by pomógł.

Dotarliśmy do wjazdowej bramy na Górce i zajęliśmy ostatnie wolne miejsce w kwartale przeznaczonym dla zakonów. Ostatnie, czyli na szarym końcu, za grupką klaretynów. Po obu stronach bramy biegło laserowe ogrodzenie, wyznaczając tym samym granicę miasta. Dodatkowo wzmocnione było strażą dogoidalnych wartowników, rozmieszczonych wzdłuż laserowej siatki co kilka metrów. Szczeknięcie oznaczało, że człowiek podszedł zbyt blisko. A jako że ludzi mrowie, co chwila ktoś niechcący naruszał graniczny pas, więc pieśń *Króluj nam, Chryste* miała dość dyskusyjny akompaniament. Zaraz za dogoidalnymi zadami rozstawiono zasieki podobne do wielkich drucianych pająków. Rzeczywiście – ani wjechać do miasta, ani tym bardziej je opuścić. Dalej już tylko pas asfaltowej drogi, która zdążyła rozpęknąć kępami chwastów, skorupy ugorów, sinusoidy pagórków i dolin oraz wyschnięte łąki, na których od dawna nie stanęła ludzka stopa.

Bramę zdobiły girlandy kwiatów i wierzbowych gałązek. Staliśmy po lewej stronie, po przeciwnej zebrali się księża i miejscy radni. Od ludu odgradzał ich zwarty szereg Żołnierzy. Na wprost bramy arcybiskup Krystek w czerwonej kapie wyczekiwał wjazdu Jezusa. Towarzyszyli mu biskupi pomocniczy i kilku księży z kadzidłami. Ojciec Kornel dał znak jednemu z nich, że można zaczynać. Ten natychmiast potrząsnął kilkakrotnie dzwonkami. Odpowiedział im suchy brzdęk poruszonych kadzideł i znad rozżarzonych palenisk wzbiły się gęste kłęby świętego dymu. Szczekaczki klaretynów umilkły, śpiew zamierał powoli aż po najdalsze krańce Górki Narodowej. Ustało również szczekanie dogoidalnej straży. Biskup pomocniczy zbliżył rezonator do ust arcybiskupa Krystka, który zawołał donośnie:

– Hosanna Synowi Dawidowemu! Błogosławiony Pasterz, który idzie w imię Pańskie i przynosi zbawienie udręczonej owczarni. O, Królu polacyjny! Hosanna na wysokości!

Jego słowa pobiegły przez łąki zwielokrotnionym echem. Padliśmy wszyscy na kolana. Szmer przeszedł przez tłum, jakby ktoś sypnął garścią piachu.

– Bądź błogosławiony, Panie, który przychodzisz, aby nam okazać miłosierdzie – kontynuował.

Brama drgnęła. Jej skrzydło zaczęło przesuwać się w bok z lekkim metalicznym dygotem. Naszym oczom ukazał się Planktocysta spowity mgłą kadzideł. Nawet mnie szczególnie nie zdziwiło, że wziął na siebie rolę Jezusa. Od pierwszego dnia, od pamiętnej przemowy na placu konsekwentnie przejmował władanie nad duszami wiernych i – jak rozumiem – cieszył się przychylnością arcybiskupa Krystka.

Planktocysta miał na sobie białą albę, co w połączeniu z przezroczystością skóry dawało mu wygląd eterycznej istoty, obłoku o ludzkich kształtach. Tylko usta były niezmiennie czerwone, a niebieskie oczy sprawiały wrażenie, że wewnątrz jego głowy i całego ciała jest otchłań, która powodowała drżenie u patrzących. Ksiądz dosiadał mechanicznego kucyka o kasztanowatej maści, który poruszał łbem z góry na dół. Brama rozsunęła się całkowicie. Arcybiskup z pomocniczymi złożyli pokłon Jezusowi i zrobiwszy mu miejsce, zaintonowali donośnie:

– Chrystus wodzem, Chrystus królem...

– Chrystus, Chrystus władcą nam – wszyscy zgodnie podjęliśmy pieśń.

Jezus wjechał do miasta witany gromkim, podniosłym śpiewem tysięcy gardeł. Duchowieństwo wraz z politykami ruszyło za nim, po duchowieństwie i my dołączyliśmy do procesji. Ludzie wciąż na kolanach, rzucali przed Jezusem kwiaty, wierzbowe gałązki i karteczki z intencjami za zmarłych. Niejedna ręka chciała dotknąć choćby alby, choćby musnąć kolana, ręki Zbawiciela, niejeden smartglass rejestrował stężałą w bladości twarz Planktocysty, znieruchomiałą w świętej powadze Bożego Pomazańca. Pośród kwietnego konfetti wydawał się on kimś nie z tego świata, kimś, kto zjawia się z zewnątrz, spoza ziemskiego porządku miejsca i czasu. A ludzie chyba tego właśnie oczekiwali – pragnęli Jezusa, który zstępuje na ziemię, by niedługo wziąć na siebie wszystkie ich grzechy, a przede wszystkim – całe zło i cierpienie miasta. W rozbrzmiewającej zewsząd pieśni dawało się słyszeć gorące prośby:

– Za mojego brata, Jezusie!

– Za moją matkę, Chryste!

– O krwi niewinnej mojej córeczki nie zapomnij, Odkupicielu, w ostatniej godzinie!

Twarz Planktocysty pozostawała niewzruszona, co ludzie przyjmowali z jeszcze większym przejęciem. Wtem procesja stanęła, na przedzie doszło do jakiegoś zamieszania. Wspiąłem się na palce, żeby lepiej widzieć. Wokół Jezusa zaroiło się od BHP-owców. Poznałem ich po czarno-czerwonych opaskach ze skrótem partii. Kucyk zatrzymał się, a jeden z BHP-owców zaczął coś Jezusowi tłumaczyć, wskazując na swojego kolegę – wysokiego i barczystego osiłka o wygolonej głowie. Nie wiem, czy ich wtargnięcie było zaplanowane, arcybiskup nie reagował, raczej czekał na reakcję Jezusa. Ten lekko wydął wargi i skrzywił się w dziwnie ironicznym uśmiechu, lecz puściwszy lejce, zsiadł z kucyka. Osiłek natychmiast przyklęknął, pochylił głowę i nadstawił plecy... BHP-owcy zaczęli rozglądać się po ludziach, przekrzykując pieśń:

– Dosiądź go, Baranku Boży!

– Wjedź do miasta na plecach ludu swojego, Zbawicielu!

– Na znak naszej wiernej służby, o Panie! Prosimy!

– Nasze ramiona silne. Nie gardź wsparciem ludu, który jest Twoją owczarnią, Jezusie!

Śpiew załamał się i zaczął gasnąć niczym strzęp podpalonej kartki. Spojrzałem na brata Wojciecha, obejrzałem się za bratem Hiacyntem, odnalazłem ojca Karola. Sądząc po minach, ich również zaskoczyła sytuacja. Ludzi nie trzeba było długo namawiać, zaraz podchwycili słowa BHP-owców i ze wszystkich stron niosły się prośby:

– Dosiądź go! Dosiądź!

– Na dowód naszego zawierzenia!

Jezus-Planktocysta pobłogosławił lud, kreśląc znak krzyża w cztery strony świata. Następnie ucałował łysą głowę osiłka, po czym... wsiadł na jego barki! Ten bez większego wysiłku podniósł się i zaczął nieść Jezusa przez tłum. Rozległy się rzęsiste brawa. BHP-owcy kuli żelazo, póki gorące – podbiegli do biskupów, przyklęknąwszy, ofiarowali im swoje plecy. Pierwszy arcybiskup Krystek wgramolił się BHP-owcowi na barana, reszta duchowieństwa poszła w jego ślady. Dosiedli polityków niczym dwunożne osiołki. Widząc to, radni zaczęli włazić sobie na plecy, bez zbędnych certacji, kto jeźdźcem ma być, a kto wierzchowcem. Lud ze szczęścia oszalał.

Procesja znowu ruszyła.

– Dzieci hebrajskie, niosąc gałązki oliwne... – odżyły szczekaczki klaretynów.

– Wyszły naprzeciw Pana... – wystrzelił na nowo, z jeszcze większą siłą śpiew wiernych.

Jezus górował nad tłumem, ujeżdżał łysego olbrzyma i nie było w tym nic komicznego. Przeciwnie, tworzyli jakąś międzyludzką figurę złączenia. Duchowieństwo z radnymi jechali kilka metrów dalej podobni do paradnego orszaku z lekka chybotliwych piramid, a lud wciąż śpiewał, palmy podskakiwały, panowało powszechne uniesienie. Stojący po bokach, gdy tylko minął ich Jezus z biskupami, dołączali do procesji. Uważałem, żeby być blisko brata Wojciecha, bo wymieszaliśmy się z ludem. A lud nacierał na siebie, popychał jeden drugiego, deptał po piętach. Procesja była rozkołysanym ciałem, pielgrzymowała za Jezusem na osiołku-osiłku. Tylko ludzie na torowisku nie dołączyli do procesji. Zostali przy szynobusach, obawiając się, że pociągi odjadą bez nich. Zmierzaliśmy przez Planty, okrążając Stare Miasto. Procesja wchłonęła i babę z oscypkami, i jej wspólniczkę w handlu preclami, i wielu, wielu przechodniów. Zauważyłem, że cokół króla Jagiełły został już naprawiony.

Jak okiem sięgnąć, Błonia wypełniły się ludźmi, szpilki nie można by włożyć. Wierni przypominali indiańskie plemię ze wzniesionym totemami palm, ze świętymi obrazkami i wierzbowymi gałązkami. Było w tym coś pierwotnego. Nad głowami unosiła się chmara dronów, migotliwą, skrzydlatą grą cieni przesłaniając słońce. Osiłek wniósł Jezusa na scenę, wskazał mu tronowe krzesło, tuż przed katafalkami z wawelskimi szczątkami i obok ołtarza z wizualizacją krzyża. Po nich weszły pozostałe człowiecze osiołki, sadzając biskupów na podobnych, choć o wiele mniejszych tronach. Sami stanęli za plecami hierarchów. Radni wcisnęli się między chór kleryków a ostatni z brzegu katafalk. Kilku z nich w swej gorliwości zdążyło już przywdziać komże. My – skromniutko – ramię w ramię z tłumem, oddzieleni od sceny szerokim pasem zniczy.

Rozpoczęło się nabożeństwo. Telebim przekazywał obraz w najdalsze części łąki, a słowa modlitw niosły się szerokim echem z górujących głośników. Ostatni raz coś podobnego widziałem podczas stadionowych pielgrzymek papieża Adama I, gdy objeżdżał kolejno stolice Europy, aby uzyskać poparcie dla obu wojen. Abstrahując od duchowo-kontemplacyjnej głębi samej liturgii, poruszył mnie atawistyczny odruch wspólnoty. Zgodnie odpowiadaliśmy na wezwania celebrującego mszę arcybiskupa – byliśmy jednym głosem. Śledziliśmy każdy gest Jezusa, tworząc jedną parę oczu, w której skupiło się tysiące spojrzeń. Stanowiliśmy jedno ciało, jeden święty język, jeden organizm. Nasza modlitwa znosiła wszelkie różnice. Nie widziałem bowiem twarzy kobiet ani mężczyzn, nie rozpoznawałem ludzi młodych ani starych, ani pięknych, ani brzydkich. W tej chwili pełnego zespolenia doświadczałem corporis libertatis – dzieła Stworzyciela, równego aniołom i świętym. Przeglądaliśmy się w sobie niczym w lustrach, w których odbijał się Boży obraz i Jego podobieństwo. A prochy wawelskie, wzięte na świadków, łączyły przeszłość i teraźniejszość. Po raz pierwszy towarzyszyło mi tak dojmujące poczucie uczestnictwa w odnowionym oikumene! Gdy klękaliśmy razem, gdy razem wstawaliśmy z kolan, zdawało się, że ożywa wielki fałd ziemi, łączy się z żywiołami powietrza i ognia.

Wysłuchaliśmy opisu Męki Pańskiej z Ewangelii Świętego Łukasza, odśpiewaliśmy psalm responsoryjny, zadumą napełnił nas List do

Filipian. Nadszedł czas homilii. Planktocysta wstał z tronu, odebrał rezonator od arcybiskupa Krystka i szerokim gestem oplótł ludzi kokonem ciszy. Naruszał ją wyłącznie szmer wiszących wron-dronów. Telebim wyświetlił skupione oblicze Planktocysty z widoczną na szyi blizną – wyglądała jak długa biała pijawka.

– Umiłowani w Bogu mieszkańcy miasta, z którego Szatan daremnie uczynić chciał cmentarz! – Przymknął powieki i rozpoczął spokojnie, zbliżywszy rezonator do gardła. – Za świadków mając prochy świętych mężów waszego narodu, w przededniu Wielkiego Tygodnia, w ostatnich dniach mojego ziemskiego żywota, ofiarowuję wam słowo, aby na wieki w waszych sercach zamieszkało i wydało plon tysiąckrotny – przerwał, odczekując, aż Błonia wybrzmią jego słowami. – Powiadam wam, nie bądźcie niczym te panny śpiące, bo czas sprawiedliwości bliski i od was zależy, czy moja ofiara i tym razem pójdzie na marne! – zagrzmiał na chwilę z mocą trąb jerychońskich. – Świat pogrążony jest we śnie, nie wybudziły go dotychczasowe wojny, wołania ofiar, krew niewinnych. Powiadam wam, wy jedni nie śpijcie i strzeżcie się, żeby was nie zwiedziono! – znów podniósł głos, prawie wykrzyknął, jakby nie mogąc bądź nie chcąc zapanować nad emocjami. – Wielu bowiem tych, co każą siebie nazywać Chrystusowymi uczniami na ziemi, wyręcza się moim imieniem. Wielu skrywa swą słabość i grzeszność pod pozorami chrześcijańskiego miłosierdzia – ostatnie słowa wypowiedział prawie cicho, ze smutkiem, ale tylko po to, żeby wręcz wywrzeszczeć kolejne. – Ileż to razy w imię miłosierdzia byłem wyszydzany i opluwany! Ileż to razy faryzeusze z miłością bliźniego na ustach zadowalali swą próżną dobroć, wykręcając mi twarz, abym nastawiał policzek dla każdego oprawcy. Uczynili ze mnie spluwaczkę, pozbawili godności, moja Golgota im nie wystarcza. I zdradzę wam... – tu zrobił pauzę, a przez jego twarz przemknęła błyskawica ironii – że ludzkość widzi we mnie królika doświadczalnego, na którym chce sprawdzać granice zła i własnej podmiotowości. Podmiotowości bez śmierci, bez transcendencji, bez świadomości, że cokolwiek czyni człowiek na ziemi, jest mu liczone w niebie. Jaki jest efekt? No, jaki, umiłowani krakowianie?!... – zapytał z przenikliwością boskiego retora. – Ano taki, że w przeklętym kole historii rodzę się, umieram i powstaję z martwych, a z miłosierdzia uczyniono dziurawe sito Dobrej Nowiny, przez które przecieka wszelki występek. A ja mówię wam: nie każdy zostanie zbawiony. Miłosierdzie wyrasta z siły... Z siły wiary, która domaga się wciąż ponawianego świadectwa. Nie chodźcie za nimi, za tymi apologetami ludzkiej wolności. Wolność stała się przepaścią piekła, bo od dawna straciła miłą Bogu miarę! Moje imię wymaga próby!... – Planktocysta znów przerwał, aby mieć pewność, że jego słowa wybrzmią na krańcach Błoni niesione echem głośników. – Tutaj, na ziemi, raju nigdy nie było i nigdy nie będzie! Dlatego nie trwóżcie się, gdy posłyszycie o wojnach i przewrotach. Nie trwóżcie! – Pokręcił przecząco głową, na szyi poruszyła się biała pijawka. – Tak najpierw musi się stać, żeby oczyścić dusze, ziarno oddzielić od plew. Inaczej nie będzie wiadomo, kto prawdziwym apostołem, a kto Judaszem...

Planktocysta wolnym krokiem zaczął przechadzać się po scenie i skupiał wzrok na wybranych ludziach. Oczy miał szkliste, nieobecne, tężała w nich jakaś czeluść, aż przeszedł mnie dreszcz, podobnie jak pierwszego dnia w Krakowie. W ten sposób patrzy zjawa.

– Szukajcie tego, co was łączy, odrzućcie wszelkie różnice, bo tylko jedność ocala, tak jak i jeden jest tylko Bóg. Przecież nie tego pragnęliście, nie pragnęliście pomieszania ras i języków, tej nieoczywistej płynności, w której wszystko traci swój sens i skutkuje chaosem. Wy bądźcie jak jedno ciało, jeden język i jedno słowo! To miasto musi powstać przeciw bezbożnym narodom i państwom, choćby miało pozostać ostatnim sprawiedliwym miastem na Ziemi. Umiłowani w krwi Baranka – zwrócił się do nas łagodnie, choć tembr jego głosu mroził krew w żyłach – zaraza szatańska przychodzi nie tylko z południa, ona nadciąga z północy, z zachodu i ze wschodu. Ona jest nawet groźniejsza, bo w skórze owcy. – Jego smukła dłoń poruszała rezonatorem w górę i w dół, od podróbka do bliznowej pijawki. – Będzie wielkie oburzenie, podniesie się larum sytych, bogatych i uśpionych zbytnią łaskawością Ojca Niebieskiego. Wyprą się was, pozostaniecie sami. Podniosą na was ręce i będą chcieli was prześladować. Odczytajcie w tym znaki do składania świadectwa. Postanówcie sobie w sercu nie obmyślać naprzód swej obrony. Ja bowiem dam wam wymowę i mądrość, której żaden z waszych prześladowców nie będzie się mógł oprzeć ani się sprzeciwić. A zdarzyć się może, że wydawać was będą nawet rodzice i bracia, krewni i przyjaciele i niektórych z was przyprawią o więzienie. I z powodu mojego imienia będziecie w nienawiści u wszystkich. Ale włos z głowy wam nie spadnie, jeśli zachowacie wspólnotę wiary i czystość serc. Skoro ujrzycie Kraków otoczony przez nieprzyjaciół, wtedy wiedzcie, że ja będę nie tam, za jego bramami, lecz tutaj, pośród was. – Zbliżył się do wizualizacji krzyża i stanął w jej świetle, tak że jaśniejące belki przecinały ciało. – Ja was nie opuszczę! Ja wszystkich was obdarzę łaską długowieczności, a w dniu Sądu Ostatecznego wspomnę Ojcu o waszej odwadze i niezłomności. Na wieki wieków. Amen. – Umilkł z rozpostartymi szeroko ramionami. Nad jego głową świeciła korona cierniowa.

Choć prosty ze mnie sługa, byłem trochę rozczarowany homilią. W swoim długim życiu wysłuchałem wielu kazań, dlatego spodziewałem się czegoś... sam nie wiem... czegoś bardziej... oryginalnego? Eschatologicznie przejmującego i jednocześnie podnoszącego na duchu? Boże mój!, wybacz krytyczny głos kapucyna najmniejszego z mniejszych i nie licz mi tego za grzech śmiertelny. Silva rhetoricae, niewiele więcej. Ewangeliczne cytaty, parafrazy, bieżące konteksty i stylistyczne pohukiwania w powszechnie znanym sosie biblijnego wszystkoizmu, dobrym na pierwsze lepsze rekolekcje w podrzędnej parafii.

Jednak może w tym właśnie tkwi cały sekret populizmu? Może moje oczekiwania są błędne? Ludziom to wystarcza i nie oczekują metafizycznej finezji ani argumentacji wyższego rzędu, skoro i tak wszystko sprowadza się do jednego: obietnicy wieczności. Wśród duchowieństwa, a szczególnie ze strony akwinistów, coraz częściej słychać głosy, żeby wreszcie nazwać sprawy po imieniu i zaakceptować fakty, zamiast egzegezować ją od dwóch tysięcy lat: religia jest rodzajem umowy, transakcji, paktu podobnego do zakładu Pascala. Duchowa esencja jednostki to jedno, a życie religijne wspólnoty to drugie i – jak tłumaczą realiści – to na nim powinniśmy się skupić. Dziewięćdziesiąt procent ludzkości wierzy w siły nadprzyrodzone. A gdzie wolny rynek bogów, tam lepszy pieniądz jest wypierany przez gorszy. Kościół polacyjny powinien o tym wiedzieć najlepiej, skoro *Barka* jeszcze z czasów świętego Jana Pawła II uchodzi za kwintesencję intelektualizmu katolickiego. Akwiniści przestrzegają, że uniwersalizm świętego Pawła Apostoła to, owszem, śmiały i ważny projekt, lecz w dzisiejszych czasach ciągłego wyboru musimy mierzyć zamiary na siły, bo zaraz okaże się, że przegramy bój o dusze z Biomistykami Świętego Czakramu lub innymi Sługami Boskiego Grawena. Gorzka to prawda, wolnorynkowa. Wyznają Jezusa, bo w kieracie Allaha nie wytrzymaliby pięciu minut. Ludu Bożego się nie wybiera, w pewnym sensie to my jesteśmy jego wyborem i należy Bogu w Trójcy Świętej dziękować, że wciąż uznaje nas za swoich przewodników. Jeszcze pół wieku temu, przed wojną włoską, uważano, że po opustoszałych świątyniach będzie hulał wiatr ateizmu. Humaniści laiccy przegrali, niedobitki lajfstajl-libertarian pałętają się po konsumpcyjnych wyprzedażach, czasem trafi się jakiś indeksowany, heretycki apokryf w sieci, ale religia jest głównym i wiodącym dyskursem publicznym. Powinniśmy się cieszyć, że lud wierzy w katolickie niebo, skoro w przeszłości doświadczył tak wielu utopii i projektów raju w świecie doczesnym.

Tłum stał milczący, zdawało się, że trawi w sobie usłyszane przed chwilą słowa. O niepokojących rzeczach prawił Jezus. Nie obeschły jeszcze łzy wdów i wdowców, świeże groby nie porosły trawą, wciąż trwała żałoba, a Planktocysta przepowiadał czasy niepokoju, którym trzeba stawić czoło. Obserwowałem reakcje wiernych i byłem w kropce. Na tym polega niezgłębiona natura ludu Bożego, że trudno odgadnąć, co myśli naprawdę w skrytości serc, choćby mu grozić wiecznym potępieniem albo – przeciwnie – obiecywać gruszki na rajskiej wierzbie. Pojedynczo, w konfesjonale, ze spowiednikiem jeden na jeden każdy kładzie uszy po sobie. Co innego w masie. Poddany zbiorowym instynktom i siłom, staje się nieprzewidywalny niczym dziki zwierz. Niby to oczywiste, ale Kościół przez długie wieki dochodził do tej mądrości po śladach krwi swych wielkich męczenników. Lud Boży, ten lud nasz kochany, mógł teraz wybuchnąć gniewem, wygwizdać Jezusa i zażądać innego, ale nie – przeciwnie – tkwił w totalnym, bezwarunkowym posłuszeństwie. Moje wątpliwości dotyczące homilii okazały się nietrafione – Planktocysta osiągnął cel. Do końca mszy stał w słupie fluoroscencyjnego krzyża i nie drgnął ani razu. Arcybiskup Krystek wyglądał na zadowolonego, podobnie reszta hierarchów i BHP-owcy. Ci ostatni założyli ręce na piersiach i znudzonym wzrokiem obserwowali ciąg dalszy.

Ożywili się dopiero podczas komunii świętej. Wszyscy, jak jeden mąż i jako pierwsi, przyjęli Ciało Jezusa z rąk Planktocysty, układając buzie w pisklęce dziobki. Po nich arcybiskup Krystek, loża biskupia i radni. Księża pomocniczy ruszyli w tłum z komunikantami. Mając w pamięci chorobliwe vessazione, postanowiłem nie przyjmować komunii i pozwoliłem się wypchnąć daleko na bok od sceny. Straciłem z oczu mych braci, nawet potężna postać gwardiana zniknęła w gąszczu pleców i głów. Przyjęliśmy błogosławieństwo *Urbi et Polacjonis* i nabożeństwo dobiegło końca. Fałd ziemi znowu się poruszył – wierni zaczęli wracać do domów. Wrony z głośnym krakaniem silników uleciały nad falujące od żaru Stare Miasto. Błonia powoli pustoszały.

Oikumene prysło niczym piękne, ale wyłącznie złudzenie. Corporis libertas rozpadła się na kawałki. Odprowadzałem wzrokiem pojedyncze grupki kobiecych łydek i warkoczy, męskich dłoni i pleców, starczych trójnoży oraz dziecięcych ciałek, które podskakiwały wokół rodziców niczym kauczukowe piłeczki. Bóg, wystawiając nas na próbę, miesza nie tylko języki. On plącze nasze ciała, kolory oczu i skóry. Tożsamości ducha i pragnień wystawia na najróżniejsze pokusy, żeby nic się nie zgadzało, żeby szukając bliskości, zderzać się z fragmentaryczną odrębnością, żyć z poczuciem ciągłego niespełnienia i braku. Odrębność często oznacza inność, ta z kolei niebezpiecznie sąsiaduje z obcością. Z niej rodzi się wstyd, brak ufności, nierzadko agresja i przemoc. Bo obcość sprawia, że bliźni podnosi na bliźniego rękę, zapominając, żeśmy wszyscy dziećmi Bożymi, ulepionymi z tej samej gliny! Cóż znaczy inny kolor oczu, inna karnacja czy nawet język. To wyłącznie rezultat fantazyjnych zabaw Boga, który chciał sobie człowieka urozmaicić. Cudowność oikumene na tym właśnie polega, że w twarzy Innego człowiek rozpoznaje siebie i świat cały, a nie samotną, zasklepioną monadę. Wszyscy jesteśmy cielesną i promieniejącą na innych hipostazą nieskończonej jedności, kawałkami jednego kontynentu ludzkiego.

Zwarty kontynent niedawnej jeszcze wspólnoty rozpękał się, kruszył i znikał. Nie pozostało mi nic innego, jak tylko rozejrzeć się za habitami. Słońce wypalało pustoszejące Błonia. Morderczy upał nie słabł, termometry gubiły skalę, a w Wiśle można gotować jajka na Wielkanoc. Jeśli nie islasusły, to wykończy nas słońce. Powolutku, cierpliwie wyssie całą wodę, później wszelkie płyny i krew – ciała wysuszy na wiór. Będziemy mumiami.

Zagarnął mnie nagły przypływ znużenia, nogi zrobiły się ciężkie, kroksy parzyły w stopy niczym wymyślne narzędzie tortur Solarnej Inkwizycji. Mokrą od potu dłonią ścisnąłem perłowy kamyk – chciałbym teraz z córeczką pognać rowerem, gdzie oczy poniosą. Chciałbym, abyśmy zagubili się wśród ocienionych ścieżyn leśnych i dotarli do najdalszych plaż zapomnianych jezior.

Zanim odnaleźliśmy się z braćmi, pod sceną zostały już tylko garstki wiernych. Na jej tyłach czekał na nas meleks. Wskoczyłem pierwszy i dałem się ukołysać podróży. Wokół szumiało miasto – Jerozolima artefaktów, nieszczęścia i wiary. Cyklopie oko popołudniowego słońca zbliżało się do dachów.

ROZDZIAŁ XII

Nasz tymczasowy klasztor mieścił się przy ulicy Miodowej 12, w czteropiętrowej, samotnej jak palec kamienicy. Na frontowej ciemnooliwkowej ścianie widniały dekoracyjne kartusze i wykuty w tynku, między drugim a trzecim piętrem, firmowy szyld „Farby O. Weinfeld Lakiery". Napis miał barwę przyprószonego pleśnią świerku i ledwie odznaczał się od fasady. Wysokie okna, z balkonami w środkowych piętrach, wychodziły na południowy wschód, w kierunku placu Nowego.

Wysiadłszy z meleksa, natychmiast schroniliśmy się w cieniu kamienicy. Obejrzałem ją sobie dokładnie, bo gwardian długo szukał po kieszeniach klucza, a też niewiele więcej było do oglądania. Pochodziła zapewne z początków XX wieku, gdy chrześcijanie tłukli się wzajemnie, by następnie wytłuc starszych braci w wierze. Nieopodal, po prawej, straszył usypany z kamieni i belek kurhan – pozostałość Muzeum Przemieszczeń Judempel. Z lewej strony Miodowa krzyżowała się z ulicą Bożego Ciała, jezdnię od pleksbruku oddzielały zaspy pokruszonego plastiku, kamieni, wyrwanych z korzeniami roślin. Na skraju lejów, piwnicznych rozpadlin walały się wypalone znicze i ledowe epitafia z gasnącymi, coraz bardziej zamazanymi hologramami ofiar. Uliczne lampy, zwiezione w jedno miejsce i zrzucone byle gdzie, wyglądały niczym stelaże galaktycznego namiotu, którego poszycie spłonęło w atmosferze. Piach zgrzytał w zębach. I to prawie wszystko. Oko, nie znajdując innych punktów zaczepienia, uciekało w pustą przestrzeń. Prawie, ponieważ wielkie jest poczucie humoru Stworzyciela i niezbadane Jego humory. W swej łaskawości bowiem Bóg Wszechmocny ocalił jeszcze kamienicę po dawnej Alchemii – turystycznej atrakcji wielu pielgrzymek. Alchemia, Alchemia! Jakże bym miał nie pamiętać...

– Szukajcie, a znajdziecie! – zawołał uradowany gwardian. – Pamiętajcie bracia, to wiara sprawia, że z pomocą Pana nawet igła w stogu siana ogromna jest jak armata! – Pomachał wachlarzykiem spiętych plastikowych kart.

Zakonny kronikarz z dawnych czasów zapewne odnotowałby, że w dłoni jowialnego mniszyska, wielkiej jak bochen chleba, pobrzękuje pęk kluczy na mosiężnym kółku. My natomiast dyskretnie dusiliśmy śmiech w rękawach, bo gwardian czasem przesadzał z emfazą biblijnych porównań. Jeśli klucze były igłą, wychodziło na to, że ojczulek kochany nie mógł być niczym innym, tylko stogiem siana. Z postury to by się nawet zgadzało.

Nieświadomy naszych sztubackich chichotów gwardian otworzył główne drzwi i zagnał całą ósemkę po schodach do wyznaczonych każdemu mieszkań. Przezornie sprawdziłem, czy aby ściany nie są z dykty, czy aby poręcze schodów nie są artefaktami poręczy. Na szczęście nie były realnością ujętą w cudzysłów.

Z bratem Wojciechem dzieliliśmy czteropokojowe mieszkanie na trzecim piętrze. Umeblowane było wedle krakowskiej mody, czyli tysiąc i jeden drobiazgów z różnych parafii, jakby tysiąc i jeden stylów musiało koniecznie wpłynąć na aranżację mieszkania. Poza dziecięcym pokojem pełnym androidalnych zabawek, od podłogi po sufit w odcieniach pinkbaby, reszta pokojów stanowiła meblarski collage retro, modern art i green virtual, dodatkowo wzbogacony blue boxami. Blue boxy wyświetlały panoramiczne obrazy z relaksacyjnych katalogów. Były tam góry i oceany, deszcze meteorytów i pląsy geometrycznej abstrakcji. Starej daty ignorant powiedziałby prościej: mydło i powidło. Oprowadzając mnie po mieszkaniu, brat Wojciech wyjawił, że ucieczce niedawnych właścicieli musiał towarzyszyć ogromny pośpiech. Wchodząc pierwszy raz do środka, w przedpokoju potknął się o porozrzucane buty, w kuchni znalazł cały termomiks pomidorówki, blue box wyświetlał Drogę Mleczną, a smartbook miał włączony szósty poziom strategicznej gry *Divina Commedia*.

Nie chciałem niczego ruszać w przydzielonym, nie swoim pokoju. Wyłączywszy wszystko, co tylko dało się wyłączyć, postanowiłem korzystać jedynie z łóżka. Byłem potwornie zmęczony, lecz – położywszy się na próbę, by nieco odetchnąć – odniosłem wrażenie, że leżę nie sam, a obok mnie spoczywa prawowity właściciel. Zmieniona, świeża pościel układała się nie pod moją sylwetkę, poduszka odkształcała się wedle odciśnięć nie mojej głowy. Jakby ktoś, kto wcześniej znajdował tutaj odpoczynek i sen, wcale nie wyemigrował. W jednym łóżku, w jednym pokoju było nas dwóch – ja i nieznany duch!... A noc za pasem trzymała księżyc niczym zaokrąglony nóż. Na domiar złego w oknie pojawił się mały dron i tłukł skrzydełkami o szybę jak przebudzony nietoperz. Ja, duch, nóż i nietoperz? To nie może skończyć się dobrze, gdy przeciwko człowiekowi stają wysłannicy nocy i inwigilacji. Nie było więc mowy, żebym pod poduszkę schował perłowy kamyk. Rozejrzałem się, żadne miejsce nie dawało pewności i już diabeł zachichotał szkaradnie, że w zaistniałej sytuacji to mogę chyba sobie wsadzić kamyk w... Silentium!... In nomine Patri... Apage!... Jeszcze diabła mi tutaj brakuje!

Podszedłem do okna i długo nie mogłem oderwać oczu od samotnego budynku Alchemii, pośród wymieciionego z ludzi i domów krajobrazu. Alchemia! – powtórzyłem w myślach. Sto lat temu, ulegając pokusom młodości górnej i durnej, przedkładając vita activa nad vita contemplativa, odwiedzałem Kazimierz dość regularnie w poszukiwaniu wagabundzkich przygód. Trudno w to dzisiaj uwierzyć, ale był taki czas, gdy ludzie podróżowali bez przeszkód po całej Polacji, bramy federacyjnych miast pozostawały otwarte na oścież, monitoring ograniczał się wyłącznie do banków, a kamery służyły do nagrywania chrztów i komunii. Raj dla biegunów, ale „biegunowe" czasy już nie wrócą. Ludzie rodzą się i umierają w tych samych szpitalach, a kto jest w drodze, ten wyłącznie imigrant, tułacz bez domu. Ustał też ruch pielgrzymkowy – sanktuaria można odwiedzać wyłącznie w rocznice wojen lub poprzez wirtualne marszruty z awatarem przydzielonym przez kurię.

Zanim lekkomyślna epoka dobiegła końca i nasz świat musiał zamknąć się na cztery spusty przed morderczym wrzaskiem „Allahu akbar!", Alchemia walczyła ze Zwisem i Pięknym Psem o palmę pierwszeństwa w grzesznym – jak dzisiaj to rozumiem – dziele spleenu. Cieszyła się złą sławą siedliska blaze-nihilistów, oddając ducha dwudziestowiecznego post-fin-de-siècle'u. W Alchemii – jeśli tylko wierzyć archiwom Skryptoriopedii – zapiła się na śmierć jedna trzecia ostatniego pokolenia pisarzy i poetów. Reszta uczyniła to w Zwisie i Pięknym Psie. Ich śmierć miała na imię zgryzota. Była cicha i odnotowana przez garstkę akademików.

Wspominam literatów z dwóch powodów. Po pierwsze: zaciekawiał mnie ten pocieszny mikroorganizm cyganów, co to taborami ciągnęli od jednego konkursu poezji do drugiego, ta rozemocjonowana republika pajęczarzy i pajęczarek słowa, którzy tkali osobne fabulacje, straceńczo dając odpór cybernetycznej fali blogografomanów. Po drugie: był jeden, decydujący o wszystkim i przełomowy moment, gdy wydawało się, że literatura uniknie zagłady i – przeciwnie – wejdzie w poczet popkultury, zaczynając święcić tryumfy. W 2031 roku, w przededniu wojny włoskiej, sędziwy, jakby cały utkany z babiego lata Olgierd Tokarczuk otrzymał Nagrodę Nobla. Sukces światowy, więc zapanowała powszechna radość na wieść o nowym bohaterze narodowym. Rząd obwiesił Tokarczuka orderami jak choinkę bombkami w Boże Narodzenie, obwoził go po wszystkich miastach. Od zamówień książek świeżo upieczonego laureata przegrzewały się serwery, na rynku sypnęło awatarami bohaterów jego powieści i aplikacjami biograficznych gier o autorze. Ledwie jednak umilkły sztokholmskie fanfary, zaraz ktoś wypomniał nobliście *Księgi Jakubowe* oraz *Annę Inn w grobowcach świata*, ktoś inny wytknął mu buddystyczne inklinacje i vege-żarliwość. Na forach zaczęto rozważać, czy on Nasz, czy raczej Obcy i godzien wyłącznie infamii dislike'a. Sieć od razu poczuła krew! W internecie zaroiło się od hien, piranii i zombie, którzy zaczęli kąsać niegramotnymi frazami agresji. W Wałbrzychu, rodzinnym mieście pisarza, indagowani przez media ludzie nabrali wody w usta. Owszem, pamiętali małego, nad wiek melancholijnego chłopczyka. Rodzice ubierali go w sukienki, a on chyba nawet to lubił. Jednak gdy dorósł, zaraz wyjechał z miasta. Episkopat ociągał się z zabraniem głosu, rząd sugerował ustami rzecznika, że mała ta nasza ojczyzna na postać tak wielkiego formatu. Jeden z socialbrukowców poszedł jeszcze dalej i napisał bez ogródek: „Tokarczuk, oddawaj ordery! Spoczniesz w obcej ziemi!". Nie zapomnę pochylonej sylwetki pisarza, jego lekko osikowego drżenia, gdy o lasce z trudem wchodził po stopniach do samolotu AirGandhi. Na pożegnanie pomachał pustej płycie lotniska, nie licząc trzech podstarzałych ciotek-czytelniczek, co nader skrzętnie odnotowały wszystkie media. Podobno zwariował na starość, podobno rzucało go z kąta w kąt w dalekim świecie, chodziły też słuchy, że rozsyła listy do przyjaciół i rządu, w których przysięga na wszystkie świętości, że Olgą jest, nie Olgierdem, że za uznanie jego żeńskiego imienia zrzeknie się nawet Nobla, ordery zdążył już oddać. Niestety ludzki jad jest jak retencyjny zbiornik, któremu puściły śluzy.

Olgierd Tokarczuk zmarł cztery lata po wyjeździe z kraju, w jednym z nepalskich klasztorów. Już w trakcie wojny włoskiej episkopat zdecydowanie potępił nagonkę na pisarza, a odpowiedni list duszpasterski odczytano we wszystkich parafiach Polacji. Choć – gdy chciałem sobie ściągnąć *Księgi Jakubowe* – pojawił się komunikat: „odmowa dostępu".

Zadziałała odpowiedzialność zbiorowa. Do jednego, podejrzanego wora wrzucono wszystkich literatów, nawet tych, co kręcili się blisko rządowych i kościelnych stołów, wydając kolejne psalmy i hymny. Słowo „pisarz" stało się synonimem persony mętnej, judaszowej, ale też w gruncie rzeczy – kompletnie bezużytecznej społecznie. Sami pisarze i poeci też dobrzy – istne dzieci we mgle! Nie przeczuwali albo nie chcieli przeczuwać nadciągających wojen, jednych oczadział własny narcyzm, inni wygrażali Bogu swoimi dziełami, tak jak psy szczekają na pędzące po niebie chmury. A kto Bogu wygraża, wcześniej czy później kończy w takim Zwisie, Alchemii lub Pięknym Psie.

Na dawnym Kazimierzu rzędy kamienic, ściśle przylegające do siebie, jakby w siebie wtulone, z ceglasto-sczerniałymi fasadami, przywodziły mi zawsze na myśl ogorzałych, pijaniutkich w cztery litery kompanów, którzy obejmują się za bary. Pomimo potwornego znużenia nie dają się przewrócić księżycowi ani wiatrom długich, głębokich nocy, ani wczesnym porankom, gdy przymglona smogiem słoneczna tarcza trze z łoskotem o horyzont i turla się człowiekowi na głowę. Trzaskające co chwila wejściowe drzwi pubu przypominały niegdyś lśniące i wilgotne usta. Dobywały się z nich bełkotliwe śpiewy, okrzyki, śmiechy, czasami pogróżki i wulgarne rechoty. Jednak teraz budynek Alchemii groził zawaleniem. Opuszczony przez kamienicznych kompanów, którzy zalegli pokotem na ziemi, bez ich wielowiekowego oparcia, przechylał się niebezpieczne niczym samotny pijaczyna.

Dalej pamięć podsuwała same nazwy-wspomnienia bez architektonicznego pokrycia w rzeczywistości. Jeszcze trzy tygodnie temu przechodziłbym obok „endziorowego" Okrąglaka na placu Nowym, dalej ku Wiśle, obok kościoła Bożego Ciała i Szpitala Bonifratrów. A dzisiaj pozostały tylko rzeka i ruiny. Gdzieniegdzie koparka zwieszała smętnie łopatę na dowód syzyfowej pracy, gdzieniegdzie wystawały pęki światłowodów, wybijała kanalizacja. Dwa zgięte w pasie androidy opierały się głowami o ziemię – najpewniej rozładowane i porzucone jak byle szpadel. Smród, brud i pustka... Nawet wrony-drony pojawiały się bardzo rzadko. Policzyłem może ze trzy, nie więcej. Obfotografowały kamienicę z zaparkowanym meleksem, zarejestrowały bezczynność androidów i poleciały nad równie pustynne Podgórze. Odbudowa Kazimierza nie należała raczej do priorytetowych zadań.

Islasusły za jednym zamachem unicestwili drogie Żydom i Polacjanom miejsce, ciesząc się pewnie obietnicą sowitej, bo podwójnej, nagrody – w Dżannah, wiecznym ogrodzie rozkoszy, czekały na nich trzydziestotrzyletnie hurysy. Pod tym względem przegrywaliśmy z islamem. Nasza katolicka eschatologia, oddzielając duszę od ciała, nie oferuje mężczyznom aż takich atrakcji. Kobietom zresztą też, tyle że kobiety w żadnym patriarchalnym niebie nie mogą liczyć na nic szczególnego. Ach, kobiety, matki, córki, siostry zakonne!... Pamiętam, jak wiele nadziei pokładały w języku i w nowoczesności, z jak wielką determinacją, a czasem nazbyt histeryczną emocją walczyły o emancypację... Wszystko o kant habitu potłuc! Przegrały z Historią i Słowem. Bo gdzie Historia, tam wojna, gdzie Słowo, tam kodeks i patriarchalna logika. Nie pomogła im również trzecia encyklika Adama I *Optatissima necessitas unae linguae*. Wprost przeciwnie, w celach porządkujących – poza imieniem Maryi Matki Dziewicy – znosiła żeńskie imiona świętych i wprowadzała do kobiecych, zakonnych wspólnot obrzęd amputacji języka. Wprawdzie świeckich kobiet nie dotyczył ten dość drastyczny rytuał, lecz ich życie miało upływać pod znakiem „cichości serca i głowy", o czym już dawno wspominał Paweł z Tarsu w Pierwszym Liście do Tymoteusza. Dzisiaj kobiety cieszą się szacunkiem istot szlachetnych, nieodzownych w dziełach posługi i reprodukcji. Zwłaszcza w tym drugim, bo młodych Polacjan potrzeba nam tak samo jak Dziesięciu Przykazań. Na społecznej drabinie bytów niewiasty stoją jednak dwa, trzy szczeble niżej od koloratek i spodni. A żeby nie kusiły ich żadne niezdrowe ambicje, papieska encyklika zadziałała jak wyłamanie tych wyższych szczebli. Miały kiedyś niewiasty szklany sufit, mają dzisiaj wybrakowaną drabinę.

Nigdy nie byłem bezkrytycznym zwolennikiem teorii o nieomylności papieży. Nawet najpilniejsi strażnicy dogmatów skłonni są uznać *Unam sanctam* – sławetną bullę Bonifacego VIII – za wsteczny i krępujący intelektualnie archaizm. Tylko Bóg jest nieomylny, każdy Jego następca na ziemi nosi w sobie czysto ludzką przypadłość błędu. Gdy zostałem ojcem, mój krytycyzm się nasilił, czego dowodem były coraz większe pokuty zadawane przez spowiednika. Bo to o życie mojej córeczki chodzi. Trudno, mea culpa. Duszę mi mogą wyrwać, byleby jej nie wyrwano języka. Język jest mową transcendencji, a życie zyskuje na nieśmiertelności, jeśli może być opowiadane.

Pukanie do drzwi i głos brata Hiacynta przypomniały mi o komplecie. Odprawiliśmy ją w przestronnej i dla odmiany ascetycznie urządzonej kuchni mieszkania na parterze. Pomieściliśmy się wszyscy. Kuchnia stanowiła dla nas połączenie kapitularza z refektarzem. Jej okna wychodziły na tę stronę, gdzie słońce wschodziło i stawało wysoko na niebie, co idealnie oddawało Chrystusową symbolikę. Ojciec Tymon dobrze to wszystko obmyślił.

Klęczeliśmy w kole, ja między gwardianem a bratem Filipem. Na wprost brat Hiacynt. Ten znowu swoje, ten znów łypie okiem! Niby pogrążył się w duchowej ekstazie, tyle że spojrzenie, zamiast do Boga... na mnie kieruje! Nie chciałem wysnuwać zbyt daleko idących wniosków ani podejrzeń, więc wzrok wbiłem w złączone dłonie. Dziękowałem Jezusikowi za dar ozdrowienia, obiecywałem żarliwie, że wszystkie siły ducha oraz ciała oddam służbie potrzebującym. Prosiłem Matkę Bożą o wstawiennictwo dla mojej córeczki, przyzywałem na pomoc jej patrona – świętego Małgorzata. Pierwsze gwiazdy za oknem układały się w rozrzucone paciorki różańca, a ja zanosiłem do nieba gorące dziesiątki zdrowasiek. Na zakończenie wspólnie odśpiewaliśmy *Apel Jasnogórski*. Brat Hiacynt śpiewał najgłośniej i – nie byłem głuchy! – przede wszystkim dla moich uszu. Postanowiłem zachowywać się wobec niego bardziej powściągliwie.

Gdy już myślałem, że nici z jakiejkolwiek kolacji i położymy się spać, mając za kołysankę burczenie w brzuchach, gwardian niespodziewanie zarządził wyprawę do siedziby arcybiskupa. Zostaliśmy zaproszeni na diecezjalny raut – przeznaczone wyłącznie dla wybranych zwieńczenie uroczystości Niedzieli Palmowej.

Nie wiem, czy bardziej byliśmy zmęczeni czy głodni. Cały dzień – wte i wewte, tam i z powrotem, raz pieszo, raz meleksem. Błonia, Stare Miasto, Górka Narodowa, Kazimierz, aż człowiekowi kręciło się w głowie, bo przecież i lata już nie te. Tym razem przezornie usiadłem między bliźniaczo podobnymi do siebie braćmi Patrykiem i Sebastianem. Oszczędzaliśmy usta, więc podróż upłynęła w całkowitym milczeniu. Rozdzwoniły się kościelne wieże, gregoriański chorał ogarnął miasto – niósł się ulicami i ulatywał do nieba. Nieliczni o tej porze przechodnie zwalniali kroku, pozwalając, by śpiew przenikał ich ciała. Cały Kraków był jedną wielką modlitwą.

Na niebie pobłyskiwała koronka różańcowa. Trzy małe gwiazdy to *Zdrowaś Maryjo*, gwiazda duża to *Chwała Ojcu* i *Ojcze nasz*. Każda gwiazda skrywała jedną z Tajemnic Radosnych, Bolesnych, Chwalebnych i Światła. Dyszel Wielkiego Wozu układał się w belkę krzyżyka. Wieńczyła ją Gwiazda Polarna – cierniowa korona.

Modlitwy, komplety, różaniec, a nawet gregoriańskie śpiewy nie przyniosły wieczornego wyciszenia. Niebo gwieździste nade mną, a wyrzuty sumienia we mnie! – zawołałem nagle w myślach. Uświadomiłem sobie, że choć swoją wiarą obdzieliłbym legion ateistów, to nie napracowałem się zbytnio na chwałę Pana. Najpierw grzebanie zwłok, później ekshumacje wawelskie, po nich długa choroba, msze, modlitwy, ciągły niepokój o córeczkę... Zawsze coś, i tak naprawdę nawet nie zacząłem posługi kapucyna. Poczułem się jak pasożyt, jak darmozjad duchowy, który życie przepędza pod kloszem czczych, jałowych rytuałów. Zapragnąłem człowieka. Człowieka z krwi i emocji! Nie tłumu, lecz pojedynczego mężczyzny, dziecka, kobiety, starca. Zapragnąłem ich bliskości! Ich oczu... Ich najmniejszej zmarszczki...

Im więcej gwiazd różańcowych rozpalało się na niebie, tym trapiła mnie większa gorycz. Nie po to zostałem wezwany, żeby stać obok. A przecież ludzie byli na wyciągnięcie ręki! Christe, diem perdidi... Więcej – zaraz miesiąc minie! Ojciec Stefan nie będzie zadowolony. Ech, zapomnieć o posłuszeństwie... Ech, wyskoczyć z meleksa i pognać nocą ciemną między ludzi! Zatracić się w ludziach, w nich się rozkochać, zapukać do zwykłych domostw, przyjąć człowiecze cierpienie jak kromkę chleba. Zrobić dla nich cokolwiek – nie wiem... choćby i wynieść śmieci, pomóc w zakupach, chorego potrzymać za rękę i modlitwą pocieszyć, dzieciom poopowiadać bajki, pójść z nimi za siódmą górę i siódmą rzekę... Być, po prostu być. Niewiele brakowało, a wyskoczyłbym. Jak mi Bóg miły, wyskoczyłbym!

Za późno. Zamiast wyskoczyć, wygramoliłem się z meleksa i ramię w ramię z braćmi podeszliśmy pod gmach Akademii Górniczo-Hutniczej, przy którym zaparkowały metalizowane limuzyny-meleksy. Gości witali w wejściu dwaj jasnowłosi i – co tu kryć – przepiękni klerycy. To jeden z tych przypadków, gdy łaska długowieczności działa zawstydzająco na widok tak okrutnie młodej przystojności i całkowicie siebie świadomej. Bo my, stare śledzie w małej konserwie-meleksie, oni niczym cherubini Pańscy, zbierający daninę naszych ukradkiem rzucanych zachwytów. Poprawiliśmy zgniecione kości, dłońmi przyprasowaliśmy habity i na powitanie ucałowaliśmy pierścienie kleryków – znak władzy zastępczej, sprawowanej w imieniu arcybiskupa. Skierowaliśmy się do środka, gdzie czekali kolejni seminaryjni uczniowie, równie zjawiskowi aniołowie ziemscy. Szelest ich jedwabnych sutann działał obezwładniająco. Zawstydziliśmy się naszych ciał starczych, naszych pospolitych, znoszonych habitów. Chłopcy poprowadzili nas na piętro, do przestronnej auli, którą rozświetlały wielkie diademy żyrandoli. W drzwiach alumn – również o ciele godnym poetyckiej harfy Salomona – częstował wchodzących szampanem. Lekko prześwitująca błękitna alba zdradzała gładkie kształty już nie chłopca, a jeszcze nie mężczyzny. Nie odmówiliśmy poczęstunku i z kieliszkami w dłoniach stanęliśmy pod ścianą. Poprzysiągłem sobie wyłącznie umoczyć usta, nic ponadto – lepiej nie przyzywać demona starego nałogu. Gwardian zostawił nas, by przywitać się z przełożonym dominikanów.

W raucie uczestniczyło wiele zakonów, byli księża biskupi, BHP-owcy i radni – jak zwykle dla mnie nieodróżnialni, jakby skrojeni przez jednego i niezbyt zdolnego krawca władzy. Całkiem spory zastęp krakowskiego krzyża i miecza: fioletowe piuski, pasy, mucety mieszały się z garniturami, zwykłymi sutannami i habitami. Wypatrzyłem też kamedułę brata Ludwika, tego od onirografów. Stał razem ze swymi braćmi i przegryzał wytrawną muffinkę. Ministranci – cherubinki o licach malowanych pąsowymi rumieńcami, bosi i w samych komżach – roznosili na srebrnych tacach przekąski, częstowali winem, ponczem, kolorowymi shotami. Ojciec Tymon wszystkiego doglądał, wskazywał ministrantom, kto stoi z pustymi rękoma, a do kogo podbiec z repetą.

Większość gości słała zgłodniałe spojrzenia w stronę stołów pod oknami, karmiąc na razie wyłącznie zmysły wzroku i węchu. Bo i zapachy rozchodziły się zniewalające. Stoły dźwigały iście królewski przepych dań głównych – były mięsiwa jagnięce, kurczaki, dewolaje, były przepiórki w karmelizowanej panierce, zapiekane bakłażany i małże świętego Jakuba. Na oddzielnych, mniejszych stolikach wyrastały w równiuteńkich rzędach przepiękne krokusy i tulipany – kielichy wypełnione w trzech czwartych winem czerwonym, białym, różanym. Za nimi, nieco mniej widoczne, więc tym bardziej kuszące, kwitły niezapominajki literatek. Na przezroczystych dzwoneczkach drżały krople rosy – mistrz ogrodnik zmroził wódeczkę ze znawstwem. Nie było sensu liczyć bogactwa arcybiskupiego ogrodu. I najbystrzejszy matematyk dostałby oczopląsu, tracąc rachubę po pierwszej setce.

– W Krakowie jesteśmy czy w Kanie Galilejskiej? – Szturchnął mnie równie mocno oczarowany brat Sebastian lub Patryk. Jeśli w Kanie, to Jezus spełnił prośbę Matki.

Obfitość kielichów i półmisków była obfitością zawstydzającą, bo też takiej gościnności nie powstydziłby się nawet nasz arcybiskup warmiński. Żołądek mi mówił, że lepiej nie mogliśmy trafić, by zmierzyć się nie tylko z pospolitym łaknieniem, ale i z pokusą wyrafinowanego obżarstwa. Ślinka po prostu sama ciekła. Wołałbym, aby Biedaczyna z Asyżu spuścił zasłonę milczenia na sygnały wysyłane przez nasze wyposzczone podniebienia. Każdy nerwowo przestępował z nogi na nogę. Kiszki grały marsza. Co tam marsza – odzywały się Bachem, a nawet Haendlem.

Pośrodku auli, między głowami przechadzających się gości, wyłowiłem sylwetkę Jezusa-Planktocysty. Zajmował wysokie krzesło, umieszczone na specjalnie przygotowanej platformie z podjazdem. Ubrany był w zwykłą sutannę, pierś zdobił prosty drewniany krzyż na rzemyku. Z wyrazu twarzy Planktocysty dawało się wywnioskować, że duchem jest gdzie indziej, a eteryczne ciało tym mocniej podkreślało absencję. Przechylał się lekko na bok, pocierał czoło kruchą, pajęczą dłonią, wsparty o żłobioną głowami lwów poręcz. Czerwień jego ust miała odcień matowy, spierzchnięty, bladość skóry nabrała barwy popiołu, a kosmyk rzadkich włosów opadał na skroń. Blizna przypominała kremową wstążkę. Nikogo nie zauważał, choć i goście również nie obdarzali go specjalną atencją, jakby hołd złożony podczas procesji w zupełności wystarczył. Księża i radni, przechodząc obok Planktocysty, coś sobie szeptali i słali w jego kierunku łagodne, nazbyt jednak formalne uśmiechy. Grupka hałaśliwych BHP-owców odważyła się na rzecz śmielszą. Stanęła tuż przed platformą i przyjmując tryumfalne pozy, zrobiła sobie z Planktocystą zdjęcie. Nawet gdy błysnął flesz, Planktocysta nie drgnął. Zauważyłem, że krzesło było wózkiem na kółkach.

Do auli wkroczył arcybiskup Krystek w towarzystwie biskupów pomocniczych oraz ojca Kornela. Jezuita i biskupi zatrzymali się przed podwyższeniem, hierarcha wszedł na platformę. Stanął plecami do Planktocysty i rozłożył szeroko ręce, jakby całą aulę chciał objąć.

– Witam was, kochani! Dziękuję, żeście przyjęli zaproszenie swojego pasterza. Zanim wspólnie rozradujemy serca rozpoczęciem Wielkiego Tygodnia, pozwólcie kilka słów in posterum. – Arcybiskup sięgnął po kieliszek, ofiarowany mu na tacy przez ministranta. – Mam wam do powiedzenia rzecz ekstraordynaryjną i brzemienną w skutkach. Ona będzie wymagać od was całkowitej pokory i zrozumienia. Po to was tu zebrałem, abyście odpowiednio przygotowali naszą owczarnię.

Ucichły porcelanowe melodie talerzyków, ministranci wycofali się pod okna, my wyprostowaliśmy sylwetki, chowając złączone dłonie pod szkaplerze.

– Najmilsi moi, w jednym Chrystusie umiłowanym, którego władza pochodzi nie z tego świata. Od wielu lat jestem waszym pasterzem i wszystko, co dotychczas czyniłem, ku pożytkowi ludu i radości Boga czyniłem – zaczął arcybiskup zwyczajem pokornego sługi wywyższonego urzędem. – Na pewno trapią was pytania, co począć w tak okrutnym czasie. Jaką właściwą drogę obrać, by zachować wiarę i jedność wspólnoty doświadczonej nieszczęściem? – arcybiskup wciąż sondował reakcje zebranych. – I ja zanosiłem błagalne modły do Ducha Świętego, prosząc o łaskę światłości, bo wiem, że nie ma tu łatwych rozwiązań, bo wiem, że ostatnie zamachy były znakiem od Boga. I objawił mi się anioł, i jego ustami oznajmił Pan nasz: bądźcie jednym zwartym plemieniem niebieskim! Jeśli pokornie przyjmiecie nieszczęście, to przeklinać was będą dusze pomarłych i za chwilę pod bramy miasta podejdą następni złoczyńcy, a ci, którzy już się w nim ukrywają, odczytają naszą bezczynność jako zachętę do kolejnych mordów i urąganiu Bogu. Brat odwróci się od brata... – głos arcybiskupa był spokojny. Mówił jak ktoś, kto racjonalnie ocenia sytuację, choć musi zachowywać największą delikatność i nie dopuszczać do siebie emocji. – Nie wierzę, by Ojciec Święty i jego doradcy tego nie wiedzieli. A otrzymałem właśnie list ze Stolicy Apostolskiej, w którym nakazuje nam Adam I zawierzenie wyłącznie modlitwie. Powody owego nakazu muszą być inne niż polityczne. Jakie więc?... – zawiesił głos, by należycie wybrzmiała niepewność. – Próbuję zrozumieć intencję papieża. Jeśli Ojciec Święty, ten Ojciec Święty, który przeprowadził nas przez dwie wielkie wojny, modlitwą każe przeciwstawić się złu, to widocznie widzi w tym jakiś cel. Może jest nim to, że Europa, jaką znamy, musi umrzeć, by narodziło się coś nowego, skoro ona sama skazała się na powolną śmierć? Może chodzi o to, że tylko wtargnięcie islamu w granice katolickiej Polacji przebudzi ospałych chrześcijan? A może, co zapewne najbardziej prawdopodobne, chodzi o radykalizm świadectwa ofiary i krwi, które gdy historia znanego nam świata dobiega końca, ma wstrząsnąć sumieniami ludu, tak by dać im ostatnią szansę przez Sądem?... – Znowu przerwał, obracając powoli w palcach kieliszek. Ani razu nie odwrócił się do Planktocysty, tak jakby tamten w ogóle nie istniał. – Jeśli tak jest, to wzywam was do dania świadectwa ofiary i krwi! – raptownie podniósł głos. – I nie chodzi o pluszowe męczeństwo, jakie przytrafia się na Zachodzie, ale o to całkiem realne. W liście papieża odczytuję zgoła odmienne wezwanie, którego z oczywistych względów nie mógł wyrazić expressis verbis. Jeśli modlitwa, to poświadczana czynami. Z różańcami w rękach, jak wzywała nas Maryja w Fatimie, ale i ze świadomością, że oznacza to wezwanie do męczeństwa broni.

Goście zaczęli przytakiwać słowom arcybiskupa, przekazywali sobie aprobatę niczym eucharystyczny znak pokoju.

– Jestem świadomy reakcji, z jakimi może spotkać się nasze odczytanie listu Ojca Świętego. Jednakże głos sumienia, w którym istoczy się sam Duch Święty, nie pozwala nam postąpić w inny sposób. Kochani, Boże dzieło jest poniewierane – oznajmił kategorycznie. – Jezus Chrystus założył Kościół i pokazał, jak powinno się wypełniać wolę Jego Ojca. Apostołowie, którym przekazał władzę, wypełniali gorliwie powierzone im zadanie, cierpiąc za głoszoną przez siebie Prawdę, ponieważ „bardziej słuchali Boga niż ludzi". Boga, zważcie i pamiętajcie, niż ludzi! – wycedził z naciskiem. – Choćby ci mienili się jego zastępcami na ziemi. Niestety w naszych czasach staje się coraz bardziej oczywiste, że Sekretariat Stanu w Watykanie obrał kurs politycznej poprawności. Niektórzy nuncjusze wciąż są propagatorami idei liberalizmu i modernizmu. Biegle opanowali oni zasadę „sub secreto Pontificio". Na wszystkich szczeblach Kościoła obserwuje się widoczne odejście od sacrum. Konsumpcji daliśmy palec, a wzięła całą rękę. „Duch świata" pasie pasterzy. Głos większości biskupów sztokholmskich, wybaczcie szczerość, umiłowani – arcybiskup odchylił się do tyłu z rozłożonymi szeroko rękoma – przypomina raczej milczenie baranów w obliczu rozwścieczonych wilków, podczas gdy wierni cierpią niczym bezbronne owce. Nie będzie rzeczą zbędną przypomnieć wypowiedź jednej z włoskich lóż masońskich z 1820 roku: „Zostawmy ludzi starszych i wyjdźmy do młodych. Seminarzyści staną się kapłanami reprezentującymi nasze liberalne idee, a później zostaną biskupami reprezentującymi liberalne idee. Nie uda nam się zrobić masona z papieża. Ale liberalni biskupi, którzy będą pracować w otoczeniu papieża, będą mu podsuwali pomysły i idee, które przynoszą nam korzyść, a papież wcieli je w życie". Tak spiskowali masoni trzysta lat temu, ale jest czymś oczywistym, że powyższy zamiar realizuje się obecnie, nie tylko dzięki zadeklarowanym wrogom Kościoła, lecz również z pomocą fałszywych świadków, którzy piastują wysokie urzędy w samym Kościele. Nie bez przyczyny błogosławiony Paweł VI powiedział: „Swąd szatana przeniknął przez jakąś szczelinę do wnętrza Kościoła". Myślę, że owa szczelina zrobiła się obecnie dość szeroka. Diabeł mobilizuje wszystkie siły, aby obalić Kościół Chrystusowy. Żeby to się nie stało, konieczny jest powrót do precyzyjnego głoszenia Ewangelii. Znacie przecież na pamięć słowa Chrystusa: „Idźcie i nauczajcie wszystkie narody, udzielając im chrztu w imię Ojca i Syna, i Ducha Świętego. Uczcie je zachowywać wszystko, co wam przykazałem". I tę dawał jeszcze przestrogę: „niech wasza mowa będzie: tak, tak, nie, nie. A co nadto jest, od Złego pochodzi". O tym trzeba nam wszystkim pamiętać, moi kochani... – Arcybiskup wymownie pokiwał głową. – Cibus diaboli negatores Dei sunt. Kościół nie może się dostosowywać do ducha tego świata, lecz musi zmieniać świat zgodnie z duchem Chrystusa. Wystarczy już tego mętnego, sto lat trwającego paktu z nihilistyczną konsumpcją, musimy powrócić do źródeł. Ascetycznych i purytańskich w najszlachetniejszym sensie. A więc moi najukochańsi, przechodząc ad rem: po długich naradach ze świecką władzą, która jest tutaj obecna, po konsultacjach z braćmi moimi w arcybiskupstwie wszystkich federacyjnych miast Polacji uzgodniliśmy rzecz bolesną, ale jedyną możliwą w tej sytuacji. Wypowiadamy wojnę dwóm wrogom Chrystusa: konsumpcji i islamskiej barbarii. Wypowiadamy wojnę w imię proroków, którzy Boga słuchali, nie ludzi. Nie Kurii Rzymskiej.

– A więc wojna! Wojna! Wojna! Śmierć islasusłom! – wykrzyknęli BHP-owcy. W ich okrzykach dało się wyczuć więcej radości niż grozy.

Zgęstniała raptem cisza sprawiła, że powietrze w auli stwardniało na kamień. Poza rozgorączkowanymi BHP-owcami nikt nie był w stanie się poruszyć. Moje palce dopadł spasmus – zakleszczyłem nimi kieliszek tak mocno, że mógł zaraz pęknąć niczym skorupka jajka. Brat Hiacynt przykleił się do mnie. Brat Wojciech i reszta konwentualnych pochowali spojrzenia w sandały.

– Tak, moi umiłowani w Chrystusie, bellum iustum. Trzeba nam z nią stanąć w prawdzie, tak jak stawali w przeszłości nasi wielcy ojcowie ze świętym Augustynem na przedzie – potwierdził arcybiskup. Przez moment myśleliśmy, że wzniesie toast, ale ręka hierarchy zawisła na wysokości ust. Upił nieco szampana i odstawił kieliszek na tacę podsuniętą przez tego samego młodziana. – Nie lękajcie się jednak, w wojnie sprawiedliwej zobaczcie eschatologię in statu nascendi. – Dało się wyczuć, że chce złagodzić przerażającą i zbyt otwartą reakcję BHP-owców. – Ale teraz zapraszam na skromny poczęstunek. Uczcijcie godnie Niedzielę Palmową i naszego Jezusa. Trzeba nam wielkiej siły, a przede wszystkim jedności w Panu. Pamiętajcie, będą zarzucać nam nieposłuszeństwo, będą odsądzać od czci i wiary, ale bądźcie niezłomni. Błogosławię was w imię Ojca i Syna, i Ducha Świętego! – Obdarzył nas zamaszystym znakiem krzyża.

Arcybiskup podszedł do Planktocysty. Chwycił oburącz wózek i popychając go, opuścił salę. Nie wiadomo skąd, rozbrzmiała muzyka. To była *Gloria* z *Mszy D-dur* Józefa Zeidlera. Niezwykle jasna i pełna radosnych gam. Ministranci znowu ruszyli z tacami pełnymi trunków. Jednocześnie zaczęli zapraszać gości na poczęstunek. Kto głodny (czyli wszyscy) podążył pod okna. Do mięsiw, małżów i przepiórek, do krokusów, tulipanów, niezapominajek. Nie zdążyłem mrugnąć, a rój ludzki kłębił się przy stołach, czyniąc ledwie dostrzegalny, ale stanowczy użytek z łokci. Każdy, nie bacząc na dystynkcje i funkcje, chciał sobie wywalczyć najkorzystniejsze miejsce. *Msza...* Zeidlera wznosiła się pod sklepienie auli, zagłuszała szczęk sztućców przeczystymi chórami. Raj zapanował dla uszu i brzuchów.

– Czyli co? Czyli wojna, bracie Arturze. I z dawna oczekiwana autonomia – zagadnął mnie brat Ludwik. Wynurzył się z biesiadnej okupacji, gdy z braćmi próbowaliśmy przepchnąć się bliżej stołu. – Doczekaliśmy się. Ktoś musiał przeciąć ten gordyjski węzeł fałszywego miłosierdzia – oznajmił z niesmakiem, mimo że na talerzu miał dorodną kiść winogron i karmelizowaną przepiórkę.

– No tak, wojna. Ale czyż nie wystarczy nam nieszczęść? Przyzywać i mnożyć kolejne? Trapi mnie wielkie wątpiarum, bracie. Wątpiarum skromnego i mało rozumiejącego kapucyna – odpowiedziałem wymijająco, lecz zgodnie z prawdą.

– Nie pierwszy raz i nie ostatni. Jesteśmy z tym otrzaskani. – Nie zrozumiałem, co kameduła miał na myśli: wojnę czy moje wątpiarum. – Z pomocą Boga przeżyjemy. Proszę skosztować przepiórki. Pychota. – Oblizał usta. – A arcybiskup ma rację. Kościół nasz silny jest i wreszcie może być samowystarczalny, bez całej tej sztokholmskiej wierchuszki, która już dawno odkleiła się od życia swojego ludu. Nie wymawiamy przecież posłuszeństwa papieżowi, sprzeciwiamy się kurii. No, ale nie przeszkadzam, jeszcze może porozmawiamy – odszedł na bok i zadał przepiórce pierwsze cięcie. Miałem mętlik w głowie. Mętlik wielkiego wątpiarum. Nie łagodziło go *Laudamus* – niezwykle kojąca część *Mszy D-dur*.

Zanim dotarliśmy do stołu, zadowalając się resztkami owoców i kurzych udek, zatopionych w tafelkach ostygłego tłuszczu, słowo „wojna" zdążyło stać się głównym bohaterem rautu, jego dość ambiwalentną rewelacją. Odmieniane przez wszystkie przypadki, we wszystkich możliwych kontekstach i konsekwencjach, budziło strach, ale też – ku mojemu zaskoczeniu – nadzieję. I nie mam na myśli BHP-owców czy radnych, którym wojna gwarantowała przyśpieszenie politycznych karier, a nawet epoletów majorów i pułkowników. Arcybiskup Krystek nazwał to, o czym od wielu lat huczało w polacyjnym Kościele. Bo po czterech wiekach stanowiliśmy na powrót przedmurze chrześcijaństwa, byliśmy jego awangardą, najbardziej radykalną, ale też najwierniejszą z wiernych, o czym Kuria Rzymska nie raczyła pamiętać. Adam I, kiedyś jastrząb Bożego słowa, z biegiem lat obrósł w piórka spasionego gołębia. Konsumpcja wchodziła nam na głowę, a islam? Mieliśmy go zaraz za południowymi graniami Karpat, terrorystyczne podchody wkraczały bezczelnie w świat chrześcijański. Islasusły budziły się jeden po drugim, jak po długiej zimie. Broń Panie Boże, to nie moje słowa – w metropolii warmińsko-mazurskiej słyszało się je często na korytarzach.

– ... raczej się nie zbuntuje. Lud jest gotowy. Każesz mu pójść w lewo, pójdzie w lewo, każesz w prawo pognać, pobiegnie – dobiegły mnie słowa jednego z dwóch przechodzących biskupów.

– Pisał mi wczoraj arcybiskup szczeciński, że Pomorze Zachodnie aż rwie się do wojny – odpowiedział drugi.

– Szykuje się koalicja antyislamska, największa od czasów ostatnich krucjat. Najpierw trzeba dokładnie pozamykać...

Dostojnicy oddalili się.

Co pozamykać? Co albo kogo? Więcej nie dosłyszałem. Tyle zrozumiałem, że przygotowania prowadzono na szeroką skalę i wiele miast federacji, jak również kraje Zachodu zgłaszały swój akces. Krew znowu spłynie rzekami Europy. Morze Bałtyckie stanie się Morzem Czerwonym.

Nie chciałbym sobie uzurpować prawa do jakichkolwiek szczególnych odruchów wrażliwości, ale w obliczu wojny kurczak nie smakował tak, jak powinien smakować każdy kurczak. Reszcie mych braci chyba również, bo każdy zaspokoił pierwszy głód i nie wracał po dokładkę. Oto i cali my! Oto i franciszkanie! – o czym pomyślałem z dumą i wzruszeniem. Dzieło patrona z Asyżu i świętego Bonawentury było godnie podtrzymywane. Bogactwo arcybiskupiego stołu stawało nam ością w gardle, mimo że ryb nie podano.

– ... przygotowałem wedle życzenia. Jutro wprowadzimy go w życie. – Urywek rozmowy radnego z biskupem pomocniczym wyrwał mnie z rozmyślań.

– Wraz z Janem Pawłem II odeszły złote czasy papiestwa. Musimy wziąć sprawy w swoje ręce. Lista osób poddanych specjalnej uwadze jest... – Znów to samo. Jest co? Jest jaka? Jest gdzie? Nie usłyszałem, rozmówcy minęli mnie i skierowali się do stolika z mocno już uszczuploną rabatą krokusów. Najwyraźniej nie dla wszystkich ogłoszenie wojny było niespodzianką.

Raut nabierał żywszego rozgwaru, goście podzielili się na kółeczka konwersujące i czysto biesiadne. Pierwsze rozważały sprawy natury państwowej, drugie dawały upust beztrosce. Między kółeczkami krążyli piękni klerycy i ministranci. Obietnice ich posługujących ciał wydawały się czymś nieprzystojnym z arcybiskupią nowiną. Przynajmniej dla mnie, trawionego wewnętrznym wątpiarum. Jakiś prawiczek-prowincjusz obudził się w moich myślach, mimo że przyjechałem ze stolicy i niejedno widziałem na niejednym raucie. I jeszcze ta muzyka, tak niemożliwie czysta, wyzywająco niewinna, jakby sam Archanioł skompletował orkiestrę filharmoników niebieskich! Markotniałem, markotnieli też moi bracia. To musiało być widać, bo z minuty na minutę stawaliśmy się piątym kołem u wozu rozpędzonego w rozmowach rautu. Bo nic tylko:

– Wojna, wojenka i przepióreczka! – Przepijał do nas jakiś radny z kółka biesiadnego.

– Wojna, winko, udeczko! – BHP-owiec robił sobie selfie z ministrantem.

– Nie będziemy jagnięciem ofiarnym! Co tacy nie w sosie, bracia franciszkanie? – Potrząsnął dwoma kieliszkami inny i naparł na najmłodszego z nas, brata Rafała.

Ten odruchowo zastawił się widelczykiem jak małą szpadą.

– Ani otwartą przegrzebką! – wtórował radnemu dominikanin. Twarz miał czerwoną, a głowę najwyraźniej słabą.

– Jedna my nacja Polacja! – Następny radny kręcił piruety z talerzem krwistego mięsiwa.

Staliśmy przy ścianie, a oni nas do tej ściany coraz mocniej, nachalniej przypierali. Wojna, muzyka, jedzenie. Jedzenie, muzyka, wojna. Nagie ciała chłopięce versus długowieczne zmarszczki, indycze wola i dłonie, nakrapiane starczym pigmentem. Krawaty contra pektorały dyndające. Amok, karnawał! Czy tak też bawił się Jezus w Kanie Galilejskiej? I my w środku tego wszystkiego. I ja ze swoim wątpiarum! Pora była najwyższa wyjść, choćby rakiem, choćby i po angielsku. Ale ani rusz bez ojca Karola.

Gwardian wciąż deliberował z dominikaninem i chyba nie miał zamiaru skończyć. W ferworze dyskusji strzępił palcami włosy, co przypominało szczypanie waty cukrowej. Zbliżył się do nich ojciec Tymon. Przerwał dysputę, zaczął coś tłumaczyć, wskazując w naszym kierunku. Od razu sobie przypomniałem, że przecież ja miałem być przesłuchany! Może więc o mnie chodziło? Poczułem nieznacznie mrowienie w krzyżu. Człowiek jest przeświadczony o swojej niewinności, ale wie bardzo dobrze, że owo przeświadczenie nie ma nic wspólnego ze ślepą sprawiedliwością. „Szukajcie, a znajdziecie" – słowa Jezusa nabierają w tym kontekście zupełnie innego znaczenia. „Szukajcie, a znajdziecie" jest pierwszym przykazaniem prokuratorów.

Nasz gwardian stanowczo zaprzeczał słowom cystersa. Zaraz jednak zjawił się jezuita ojciec Kornel i też zaczął perorować, jego dłonie zakreślały w powietrzu owalne kształty, jakby trzymał w nich alchemiczną szklaną retortę. Gwardian nasz wciąż protestował, coraz bardziej czerwony na twarzy. Jednak widzieliśmy bardzo dobrze, jak słabnie jego upór, jak gnie się pod presją gestykulacji i argumentów zakonnych ojców. Jezuita nie przestawał obracać niewidzialną retortą. Dominikanin wziął ich stronę, nawet poklepał ojca Karola.

– Nec Hercules contra plures – brat Rafał wypowiedział i moją obawę.

Wreszcie potężne ciało gwardiana pochyliło się niczym zwiotczały materac, przyjmując błogosławieństwo z rąk jezuity. Coś się rozstrzygnęło. Ale co? Mój los czy całej naszej grupy? Ojcowie opuścili gwardiana. Ministrant podsunął mu na tacy kieliszek. Nie namyślając się długo, chlapnął wódeczkę i już bałem się, że poprosi więcej, bo cóż taki naparstek na tak wielkiego chłopa, lecz ojciec Karol odnalazł nas wzrokiem. Machnąwszy ręką, szybkim krokiem ruszył do wyjścia. Gdzie głowa węża, tam jego ciało z ogonem! Dołączyliśmy błyskawicznie, opędzając się od syrenich głosów kleryków, że co tak wcześnie?, że może kieliszeczek?, że to nie koniec Niedzieli Palmowej i nie wybrzmiało *Credo* Zeidlera. A więc Zeidler, nie myliłem się.

– Braciszkowie moi, powtarzam, noc nie sprzyja czystym myślom. Jutro wszystko wyjawię. To jedno mogę wam teraz tylko powiedzieć, że choćbyście widzieli rzeczy z pozoru najnikczemniejsze, do wielkiej pracy powołał nas Jezus w osobach Jego Ekscelencji oraz ojców Tymona i Kornela – gwardian odganiał się od naszych pytań jak od natrętnych much, ledwie wyjechaliśmy z parkingu.

Kręcił przecząco głową i ani razu się do nas nie odwrócił.

– Dzisiaj już nie ciągnijcie za język, bo zaraz zgrzeszę plebejską łaciną. Dowiecie się jutro. Jutro, jutro. Do jutrzni zawiązuję milczenie! A ty, bracie Robercie, przygazuj. – Tyle się dowiedzieliśmy obezwładnieni przysięgą knebla.

Było już grubo po północy. Pogrążone we śnie miasto wyglądało na wymarłe. Dwa razy zatrzymał nas patrol Chrystusowych Żołnierzy – dopytywali, skąd wracamy i gdzie nas niesie po nocy. Kościół Mariacki wyrastał nienaturalnie ponad domami wsparty na słupach reflektorów. Hejnalista trwał w tej samej pozie, w jakiej widziałem go przed południem. Grodzka opustoszała, choć jak ze średniowiecznego obrazka! Równiutkie kamienice, dokładnie spasowane i odmalowane w żywych barwach. Kościół Świętych Apostołów Piotra i Pawła był całkowicie odrestaurowany. Umieszczone w niszach posągi świętych jezuickich zadziwiały idealnie spatynowiałym wyglądem. Brakowało jeszcze tylko rzeźb przy ogrodzeniu.

Pomimo później pory na Wawelu wznoszono zamkowy artefakt. Nad całą budową, oświetloną ze wszystkich stron, górowała potężna drukarka 3D. Przypominała monstrualnego pająka, który wczepił się metalowymi odnóżami w plac wawelski i składał właśnie kokon, wydając z siebie melodyjny świst. Przezroczysty odwłok wypełniony był płynną masą ceramiczną. Pod górną ramą drukarki znajdowała się głowica podobna do szczękoczułek. Jej posuwiste, poziome ruchy odtwarzały właśnie kaplicę Zygmuntowską – to ona wydawała ten charakterystycznych świst. Powoli, acz konsekwentnie wyłaniała się wieża w miedzianym kolorze. Nad głowicą terkotało pajęcze oko – zębata ośka ekstrudera, wewnątrz obracały się inne malutkie ośki, kółka zębatki. Obok jednego z odnóży leżał gotowy, wydrukowany dzwon. Robotnicy ręka w rękę z androidami wznosili mur obronny. Wyglądali groteskowo, gdy przenosili bez większego wysiłku grube płaty piaskowców. Musiały być z plastiku lub równie lekkiego materiału. Wzdłuż muru, na wysokości ukończonej Baszty Sandomierskiej, cztery androidy prowadziły wawelskiego smoka. Przymocowany do gąsienicowej platformy, okręcony linami, przypominał nie prehistorycznego potwora, lecz wielkiego psiaka, którego hycle schwytali w siatkę. Zwierzę wznosiło rozwarty pysk ku górze. Transport kierował się ku Wiśle. Nie przeczę, wszystko – i smok, i dzwon, i obronne mury, i Zygmuntowska kaplica – w każdym detalu dorównywało oryginałowi.

Minęliśmy Wawel, i dalej już tylko ciemność. Kilka latarni toczyło nierówną walkę z nocą, która odbierała Kazimierzowi namacalność. Brat Robert musiał zwolnić, byśmy nie zgubili drogi. Labiryntem uliczek i gruzu, wypatrując masywu naszej kamienicy, dotarliśmy na Miodową. Posłuszni ślubowi milczenia, rozeszliśmy się do swoich mieszkań.

Brat Wojciech pierwszy zajął łazienkę. Ja zablokowałem kartą czytnik zamka, usiadłem w przedpokoju i zmawiając różaniec, czekałem na swoją kolej. Za towarzystwo miałem parasol, płaszcz przeciwsłoneczny i gogle z pękniętą szybką. Gromadka butów, które najwyraźniej brat Wojciech sprzątnął z przejścia, tłoczyła się pod wieszakiem – damskie i męskie, wiosenne i letnie. Po trzech zdrowaśkach usłyszałem cichutkie pukanie.

– Bracia, otwórzcie, proszę! Do brata Artura mam ważną sprawę – rozpoznałem głos brata Hiacynta.

Jeszcze i ten... Czegóż on chce? Zastygłem w połowie *Ojcze nasz*.

– Tylko na chwilkę, na słówko, otwórzcie! – nalegał natarczywą suplicatio i szarpnął za klamkę.

Akurat, na słówko! Wiedziałem, dokąd to „słówko" miałoby nas zaprowadzić i jakie zrodzić owoce. Opatrzność nadc mną czuwała, że zamknąłem drzwi.

– Bracie Arturze! Bracie Arturze, otwórz, przecież tam jesteś. Do ciebie przyszedłem – piszczał cichutko orzeszek.

Grał, jak to się mówi, va banque, obstawiał w ciemno. Nie miał przecież gwarancji, że jego słowa trafiają do mego ucha, a nie brata Wojciecha. Zły to hazard, zrodzony ze złej podniety. Patrzyłem na poruszającą się klamkę. Byłem nieugięty, choć Boga prosiłem w myślach, by odszedł samozwańczy kochanek, zanim pobudzi całą kamienicę, a bracia wezmą nas na języki. Bo nic z tego nie będzie, bo to nie ze mną.

Bóg wysłuchał prośby i odwiódł mego Romea od grzechu – szarpanie ucichło. Brat Hiacynt dał za wygraną. Odczekałem dłuższą chwilę i darując sobie ablucje, zawróciłem do pokoju. Brat Wojciech chyba zasnął w łazience zmożony szumem prysznica.

Padłem na łóżko w habicie, jednak nie mogłem znaleźć sobie miejsca. Z duchem, nawet i z duchem śpiącym, oswojonym, ale ciasno. I księżyc mnie jeszcze podglądał. Szum wody ustał. Po minucie, dwóch ozwało się chrapanie w pokoju obok. Zazdroszczę ludziom, którzy przybijają gwoździa jednym zamachem rzęs.

Sen nie nadchodził, wątpiarum nie odpuszczało. Oto dożyłem trzeciej wojny. Choćby przyświecały jej najczystsze intencje, nikt nie pozostanie czysty. Banał godny jeśli nie piekła, to na pewno czyśćca. Czekało mnie też przesłuchanie. Jutro, pojutrze, może za tydzień, ale było pewne, że zostanę podłączony do nostalgramu i odpowiednie instancje przeszukają moją pamięć. Jeżeli coś znajdą, następnym krokiem będzie reduktor albo od razu onirograf. A przez onirograf nikt nie przeszedł bez szwanku. Niedobrze, to już drugi raz w ciągu miesiąca, jak zostanę wezwany.

Wyszedłem na balkon. Cisza dzwoniła w uszach. Rozgwieżdżone niebo przypominało piegowatą maskę diabła. Za kilka godzin, gdy wieść się rozniesie, nic już nie będzie takie samo i każdy czyn, każde słowo stanie się nieodwracalne. Zbyt jestem stary, żeby nie wiedzieć, że większości z nich będziemy żałować. Wojna odwraca znaczenia, a moralność i piękno to luksusowe dobra, którymi przez moment cieszą się ci, którzy umrą najwcześniej. Na razie spokój i głębokie indygo nocy udrapowane gwiazdami, maźnięte zimną poświatą księżyca. Aż po krańce Podgórza i Nowej Huty. Aż po czarną pręgę horyzontu, oddzielającą ziemię od nieba.

Coś błysnęło w oddali – drobna gwiazdka, malutki punkcik światełka. Wychyliłem się mocniej przez poręcz balkonu. W krótkim rozbłysku gwiazdki spostrzegłem obrys ludzkiej sylwetki. Czy aby ludzkiej? A może zjawy nie z tego świata. Zaraz też pojawił się drugi i trzeci błysk, i jeszcze bardziej widoczna postać kobiety. Jakby to w jej dłoniach rodziły się gwiazdki, by ziemię zamienić miejscami z niebem. Teresa?... Prawie o niej zapomniałem. Biała wdowa, wdowa ptactwa wciąż robiła zdjęcia ptasim trupom. Jeszcze jeden strzał flesza i migotanie ostatecznie ustało. Daremnie czekałem na kolejne rozbłyski, choć przecież Teresa musiała gdzieś tam być. Na pewno przebiegała ulicami, zaglądała w zakamarki nocy, szukając martwych domowników nieba. Może ona... – zaskakująca myśl przyszła mi do głowy – może ona najniewinniejsza z nas wszystkich?... Chciałbym jeszcze raz, choć jeden jedyny raz ją spotkać. Teraz rozpłynęła się bez śladu w ciemnościach.

Przyłożyłem do oka perłowy kamyk. I dokonał się cud! Niewidzialne stało się widzialnym. Bo obserwując Księżyc, miałem pewność, że w pryzmacie waniliowego światła widzę moją córeczkę. Moją najdroższą, ukochaną córeczkę!... Kołysała się na lunarnej huśtawce, machając beztrosko nóżkami. Warkoczyki, spięte dużymi kokardami, poruszały się niczym wahadełka. Serce zabiło mi mocniej, w żołądku zatrzepotał motyl i podfrunął do gardła, a ja wydałem z siebie cichy krzyk w zbolałym języku tęsknoty. Nie odsunąłem kamyka. Pragnąłem tak stać i patrzeć, czekając, aż motyl rozsadzi mi gardło. Pragnąłem, aby noc nigdy się nie skończyła, a Księżyc stał w miejscu. Bo dla mnie te dwa dziecięce warkoczyki były wahadełkami zatrzymanych zegarów. Wierzyłem, że nie na zawsze.

Jeszcze powtórzy się czas, gdy ona i ja... Dwie rowerowe błyskawice... Popędzimy przez miasto... Ścieżką, alejką, chodnikiem... Ona i ja!... Z wiatrem okręcającym się wokół szyi jak szal... Popędzimy, że hej! Szybkonogie anioły dopadnie zazdrość... Ona i ja!...

ROZDZIAŁ XIII

Brat Rafał – nasz ledwie osiemdziesięcioletni i chyba jedyny kogut na Kazimierzu – pobudził wszystkich o piątej trzydzieści. Biegał po piętrach, pukał do drzwi, modlitewnym pianiem zwoływał do kuchni:

– Już nastał poranek, Boże nasz i Panie! Już nastał poranek, bracia franciszkanie!

Piał tak donośnie, że nieboszczyka podniósłby z grobu. Uniósłszy zaropiałą powiekę, w pierwszej chwili chciałem go dopaść i własnymi rękoma udusić... Chryste, który uczyniłeś siostrami i braćmi cały ród ludzki, wybacz kainowe odruchy... To nie ja chciałem krzywdy brata Rafała, to mój Morfeusz. Ledwie zwlokłem się z łóżka. Świtało za oknem.

– Już nastał poranek, Boże nasz i Panie! Do służenia Tobie jesteśmy gotowi! – zakonny kogut był niezmordowany, jakby najadł się szaleju. Silny i dźwięczny głos przenikał przez ściany: – Już nastał poranek! Nasze myśli i słowa, odpoczynek i pracę w ofierze składamy. Zapraszam na jutrznię! Zapraszam na śniadanie! – Wojsko mu budzić. Jeśli kogutem był, to kogutem-kapralem.

Poczłapałem pod prysznic, a tam niespodzianka. I nie byle jaka! Nie chodziło o to, że klaretynki wszystko przygotowały: ręczniki, pastę do zębów, szczoteczki, nożyki do golenia, papier toaletowy.

To – jak mawiała dziatwa w ubiegłym stuleciu – małe miki. Okazało się, że ogranicznik wody był zepsuty. Pozwalał jej płynąć silnym i – co wręcz nieprawdopodobne! – nieskończonym strumieniem. Zrozumiałem, dlaczego brat Wojciech tak długo siedział. Dzisiaj z kolei ja zamarudziłem.

W świecie słodkoakwatycznego deficytu skazani byliśmy na rygorystyczne miary, reduktory i blokady, które każdemu mieszkańcowi miasta wyznaczały przysłowiową „łyżkę wody na głowę". Wielokrotnie człowiek musiał wycierać niespłukaną pianę, szedł do ludzi w połowie ogolony, w połowie brodaty, pod jedną pachą pachnący, pod drugą zgniatał wstydliwie kwaśne resztki snu i dnia poprzedniego. Do picia też tylko cydr, wino, soki – wszystko, co natura sama z siebie odsączy. Zwykłej kranówy się napić to jak skosztować whisky Dalmore Zenith! W kranach oszczędnościowy reżim – automatyczne wyłączniki i alarmy informujące o dokonaniu marnotrawstwa. Dwa miesiące temu w jednym z olsztyńskich kościołów przyłapano biedaka, który wychłeptał święconą wodę z aspersorium. Dostał wysoką grzywnę i został skazany na prace społeczne razem z kanalizacyjnymi androidami. Najbardziej pacyfistycznie nastawieni bracia próbują nawet tłumaczyć, że islamistom tak naprawdę nie chodzi o walkę z niewiernymi, lecz o nasze zasoby wody. Dyskusyjna teza, choć niewątpliwie woda stała się dobrem pożądanym przez wyznawców wszystkich religii.

W kabinie, ani przy słuchawce, ani przy baterii, nie było żadnego alarmu. Uradowałem więc ciało chłoszczącym wodospadem. W radosnych myślach nie mogłem nachwalić się Pana naszego, że stworzył niedoskonałą materię i dał jej prawo do usterek. Zdawałem sobie sprawę, że naruszam ius solis et aquae, ale to było silniejsze ode mnie – dawno nie zaznałem takiej swawoli. A Pan nasz widział, jak radowało się moje ciało. Prychałem niczym źrebaczek w deszczu, niczym Noe, który na arkę machnął ręką i stanął, tak jak go Pan Bóg stworzył, w strugach oczyszczającego potopu. Gęsty żel zmieniał się w puchate obłoki, które gnały przez ciało, zmywając lepkie niewyspanie, spiekotę wczorajszego dnia i resztki choroby. Na grube bicze natrysku wystawiałem twarz i pierś z czerwieniejącą łaską długowieczności, a po nich brzuch, tyłek i całą resztę. Bliski ekstazy świętego Teresa, wołałem w prysznicową słuchawkę:

– Jeszcze! Jeszcze więcej wody! Zimnej, letniej, gorącej. Kapkę lodowatej poproszę. Teraz wrzątku kropelkę.

W przeciwieństwie do ogranicznika interfejs mowy był sprawny, błyskawicznie reagował na każde słowo. Pół zbiorniczka żelu poszło, woda się lała, a ja wciąż nie miałem dosyć. Brat Wojciech zaczął walić do drzwi. Błagał, żebym się ulitował. On też chce, on też musi.

– Już, już, momencik... jeszcze tylko chwilunię tłustą jak kwadrans. – Zdmuchiwałem z warg wielkie krople.

Z żalem opuściłem łazienkę, lecz czułem się jak młody bóg i w pół pacierza byłem gotów, by życie chwycić za rogi. Dzień nie mógł zacząć się lepiej.

W kuchni brat Hiacynt uklęknął o trzech braci dalej ode mnie. Udawał, że nocą nic nie zaszło. W sumie miał rację, no bo nic nie zaszło! A i ja daleki byłem od wyjawienia, że słyszałem jego prośby zza drzwi. Obaj zachowaliśmy status quo. Mój hymen, że tak się wyrażę, nie doznał uszczerbku, godność niedoszłego kochanka nie została wystawiona na szwank publicznych kpin.

Ale co tam jakieś miłosne brewerie. Wojna... Wojna!... To słowo wróciło do nas niczym koszmar, który wcale się nie przyśnił. On pochodził ze świata jawy. Klęczeliśmy obok stołu, ignorując przygotowane kanapki i miętę. Pan zesłał je o świcie za sprawą niezastąpionych klaretynek. Po Liturgii godzin i officium lectionis ojciec Karol wybrał idealną do sytuacji modlitwę:

> O Panie, uczyń z nas narzędzia Twojego Pokoju,
> Abyśmy siali miłość, tam gdzie panuje nienawiść,
> Wybaczenie, tam gdzie panuje krzywda,

Jedność, tam gdzie panuje zwątpienie,
Nadzieję, tam gdzie panuje rozpacz,
Światło, tam gdzie panuje mrok,
Radość, tam gdzie panuje smutek.
Spraw, abyśmy mogli
Nie tyle szukać pociechy, co pociechę dawać,
Nie tyle szukać zrozumienia, co rozumieć,
Nie tyle szukać miłości, co kochać,
Albowiem dając, otrzymujemy,
Wybaczając, zyskujemy przebaczenie,
A umierając, rodzimy się do wiecznego życia. Amen.

Brat Sebastian z bratem Patrykiem – muszę zacząć ich rozróżniać – byli chyba najbardziej głodni. Zamiast uczynić znak krzyża, zakręcili niezbyt starannie dłońmi i zerwali się z kolan.

– A co to za break dance nadgarstków?! A co to za młynki?! Kawę mielicie czy pierś czochracie? – zgromił ich ojciec Karol. – Ile razy mam powtarzać? Porządne mi tu krzyże stawiać, tak jak Chrystus konający całym ciałem był do krzyża przybity!

Bracia raz jeszcze unieśli ręce – od czoła, przez splot słoneczny, po lewy i prawy bark. Uczynili to tak szerokim gestem, jakby cztery strony świata składali niczym Bożą koszulę.

– A teraz wcinajcie, niech zatrzęsą się uszy. Długi i pracowity przed nami dzień służby. – Sroga brew ojca Karola złagodniała.

Usiedliśmy do stołu. Gwardian rozwiązał milczenie, ale wciąż panowała cisza, jakby noc zasiała nam mak na językach. Wojna to wojna. Można o niej albo krzyczeć, albo milczeć. Każdy skupił się na własnej kanapce i popijaniu mięty.

Mnie znów ogarnęło wątpiarum, bo przypomniałem sobie o wszystkim, co zaszło podczas rautu. Wiele było racji w zasłyszanych słowach dostojnika: złoty wiek następców Piotra dawno minął. W dawnej Polsce jego kres nastąpił wraz z odejściem świętego Jana Pawła II. On jeden rozumiał niezłomność naszego episkopatu. Jednak wypowiedzenie posłuszeństwa papieżowi i ustanowienie autonomicznego Kościoła Polacji rodziły niepokój. Odłączenie się od Stolicy Piotrowej było ryzykowne, biorąc pod uwagę zarówno aspekt metafizyczny, jak i geopolityczny. Bo co poczniemy, jeśli Bóg odwróci się od nas, widząc w nieposłuszeństwie grzech przeciwko Jego Osobie, a nie chęć prawdziwej walki z grzechem? Będziemy potępieni na wieki. A jeśli inne federacyjne miasta się nie przyłączą? Jeśli Olsztyn zostanie przy Sztokholmie, a z nim Szczecin, Królewiec, Wilno, Suwałki? Po wsze czasy będziemy przeklęci. Islam rozniesie nas na kawałki... Zamiast hejnału z wieży mariackiej jakiś mułła Rashid al-Afasy będzie katował nas anaszidami, zamiast precli z makiem i sezamem każą nam jeść pitę z za'atarem, a Wiślną, Bracką, Szpitalną rozbijać się będzie Ku Klux Klan w czarnych kefijach. Muzułmańskie bractwo zawładnie miastem, mając terenowe toyoty za dorożki, a za baty – lufy kałasznikowów. My zaś, przemykający ulicami, szukający kryjówek w piwnicach i bramach, będziemy spluwać dyskretnie w rękaw i nucić szpetnie pod nosem in saecula saeculorum: zaczarowana dorożka, zaczarowany dorożkarz, zaczarowany koń.

Europy też nie byłbym pewien, bo – jak świat światem! – jej nigdy nie można być pewnym. Zawsze negocjacje, zawsze pertraktacje, raz tak, raz siak i rwanie kontynentu jak sukna. Próżno szukać jedności, gdy państwa narodowe zmieniły się w federacje miast, a te z kolei – w siedliska zamkniętych, roszczeniowych plemion. Nie trzeba daleko szukać, przecież i nasza Polacja stanowi zlepek autonomicznych regionów, które w kupie trzyma wyłącznie Kościół. Na gwałt potrzebny jest wizjoner – kontynuator myśli świętego Pawła z Tarsu, który w religii widział polityczne spoiwo.

Oprócz Europy są jeszcze Amerykanie. Pewnie wyślą na Bałtyk lotniskowiec, może nawet przekażą nam batalion androrangersów. Lecz co tam lotniskowiec! Podpłynie do Kielc albo pod Miechów? Androrangersi też nie będą najnowszej generacji. Wojna o niepodległość Polacji to nie wybór między recyklingiem a utylizacją.

Oprócz Amerykanów są jeszcze Cyryl V i Rosja. Akurat wymówienie posłuszeństwa papieżowi byłoby ich Kościołowi na rękę. Od kiedy podzieliliśmy między siebie północno-wschodnią Europę, nasze relacje układają się nader poprawnie. Jednak przyszłość nie rysuje się różowo. Rosjanie już plują sobie w brodę – z Dumy dochodzą pomruki, że oddanie nam obwodu kaliningradzkiego, Litwy i państw nadbałtyckich w zamian za pacyfikację i ostateczne wchłonięcie Białorusi i Ukrainy do Rosji było zbyt hojnym prezentem, kompletnie niespotykanym w tradycji ich międzysąsiedzkich kontaktów. Mińsk i Kijów mogli przecież wziąć sobie sami, bez pytania kogokolwiek o zgodę. Dostępu do Bałtyku im szkoda, a tu „niet" dawnego Kaliningradu i „niet" wojennego portu. Cyryl V zdaje się mieć na razie wszystko pod kontrolą, ale wiadomo, że z Rosjanami nic nie wiadomo. Szczęście, że na głowie mają poważniejszą sprawę – wojnę (na razie dyplomatyczną) z Nowymi Chinami, które rozlały się aż po krańce zachodniej Mongolii. Ciasno zaczyna się robić na świecie. Od południa napiera Daesz, od wschodu – Nowe Chiny. W Afryce tłuką się o najmniejszy skrawek pustyni. Każde państwo, które rości sobie prawo do bycia mocarstwem, musi prowadzić jakąś wojnę. A nasza Ziemia kochana nie umie zaspokoić wygłodniałych imperialistów. Myślę więc, że gdy tylko uporamy się z islamistami, a Rosja załagodzi konflikt z Państwem Środka, znowu skoczymy sobie do gardeł. Taki już casus słowiański. Na razie polacyzacja w Królewcu i odzyskanym obwodzie kaliningradzkim idzie pełną parą.

– Bracia moi, proszę o chwilę uwagi – gwardian uciszył ciszę. – Mam dla was kilka przykazań na dni kolejne. Jak już wiecie, dzisiaj ogłoszony zostanie stan wojny, w związku z czym wyznaczono nam nowe cele.

Jego ogorzała twarz przybrała wyraz Mojżeszowych tablic. Usiana świętym pismem zmarszczek, budziła zrozumiały respekt. Postura gwardiana sprawiała wrażenie potężniejszej niż dotychczas. Wyrosła przed nami góra Synaj przykryta szarym wzdętym habitem. Po tym poznaliśmy, że ma nam ojciec Karol do powiedzenia rzecz ekstraordynaryjną. Kromki chleba znieruchomiały w dłoniach.

– Wraz z Wielkim Poniedziałkiem, drugim dniem Wielkiego Tygodnia, zostaliście powołani do posług specjalnego rodzaju i w Bogu lokuję swą pewność, że najlepszych z możliwych – mówił tak zdecydowanym tonem, że między słowa nie dałoby się wcisnąć nawet ździebełka wątpiarum. – To obwieszczam wam ja, a przez moje usta przemawiają czcigodni hierarchowie i Jego Ekscelencja Antoni Krystek. Po pierwsze: będziemy musieli się rozdzielić, we dwóch, we trzech pójdziecie w różne miejsca. Po drugie: róbcie to, co wam nakażą, ni mniej, ni więcej, a własną inwencję wykorzystajcie w modlitwach. Po trzecie: nie wydawajcie wyroków, ani jawnie, ani w skrytości ducha, nie do tego zostaliście powołani. Po czwarte: nie zapominajcie, że jesteście uczniami świętego Franciszka, więc szklanka jest zawsze... No jaka jest szklanka?...

– Do połowy pełna! – wykrzyknęliśmy chórem.

– Dokładnie, braciszkowie! – Gwardian był kontent z naszej jednomyślności i przygładził burzę włosów, która przechodziła bokiem głowy. – Po piąte: czegokolwiek doświadczycie, radujcie serca swoje i ludzi, którym będziecie służyć, choćbyście mieli nawet śmiać się przez łzy. Jeśli który chciałby zapłakać, to wyłącznie na osobności, bez świadków. Po szóste: zapamiętajcie do końca życia, że wojna, najokrutniejsza nawet wojna, nigdy i dla nikogo nie jest żadnym wytłumaczeniem. Tym bardziej dla nas, najdrożsi. Tym bardziej! Po siódme, i tu akurat proszę was całkiem prywatnie – gwardian zniżył głos i pochylił się całym ciałem nad stołem – umówmy się, że nie musicie być bardzo gorliwi w polowaniu na islasusłów. Sami widzicie, że tropicieli w bród, a będzie ich jeszcze więcej. Dadzą sobie radę i bez waszej pomocy. Kto inny, kto obcy, nie wam nad tym się głowić. Lepiej zmilczeć, niż kogoś bezpodstawnie oskarżyć, prawda? – spytał nieco nieśmiało, nieco kordialnie, już nie jak Mojżesz, lecz jak zwykły staruszek. – Po ósme, jeszcze chwila, już kończę – wyprostował się i chwycił blat stołu – nie pamiętajcie złego, miejcie w pamięci wyłącznie dobro. Ono nie może zginąć, ono jest w czasie wojny najpotrzebniejsze. Po dziewiąte: powtarzajcie każdego dnia słowa i nieście je między ludzi: człowiek człowiekowi nie tylko człowiekiem. Człowiek człowiekowi aż człowiekiem! – podkreślił dobitnie, uderzając otwartą dłonią w stół. – Po dziesiąte, ostatnie, wyznaczam wam dzisiaj nowe posługi. Brat Wojciech z bratem Robertem i Rafałem pójdą do rezydencji arcybiskupa, by pomóc montować onirografy. Bracia Sebastian i Patryk będą wspierać działania Antyhejterskiej Komisji Wiary przy magistracie miasta. Bracia Artur, Hiacynt i Filip udadzą się do Purgatorium Babińskiego na Dębnikach. Tu macie przepustki. – Z przepastniej kieszeni habitu wyjął plik kart i ułożył z nich wachlarz na stole. – Alea iacta est! Obiecuję do was zaglądać i w razie konieczności służyć pomocą – zapewnił ojciec Karol. – No, owieczki moje, kończcie śniadanie i w drogę! Już tam na was czekają i czeka dzieło Boże! Widzimy się na komplecie, wieczorem – swoim zwyczajem zrymował i postawił kropkę.

Brat Rafał rozdał przepustki. Wystawione były z iście makiawelicznym rozmysłem. Obowiązywały bowiem wyłącznie zbiorowo. Karta użyta przez jednego z braci traciła ważność, o czym informował dopisek u dołu. Mogliśmy poruszać się z nią bezpiecznie, pod warunkiem że w grupie. Bez braci Filipa i Hiacynta nie mogłem zrobić kroku, oni beze mnie również. Podejrzewałem w tym rękę cystersa ojca Tymona.

Żal było się rozstawać. Dotychczas pracowaliśmy razem, a teraz mieliśmy zostać rozdzieleni na małe grupki. Poza tym wolałem trzymać się brata Wojciecha zamiast braci Hiacynta i Filipa. Pierwszego zdążyłem już poznać dość dobrze, drugiego nie znałem prawie wcale. Zamieniliśmy kilka słów, to wszystko. Brat Filip musiał mieć podobne rozterki. Nasze spojrzenia spotkały się ponad stołem. Dokonałem szybkiej i w gruncie rzeczy pierwszej jego oceny. Mnich idealny, rzekłbym – wzorzec zakonnej powierzchowności, bo nierzucający się w oczy. Dopiero przy dłuższej obserwacji ujawniały się indywidualne cechy. Pociągła, surowa twarz, żłobiona dłutem czasu na wzór średniowiecznych głów świętych, głęboko osadzone oczy pod krzaczastymi brwiami i żadnej starczej plamki – aż brała zazdrość. Może bardziej augustianin niż sługa konwentualny – w surowym obliczu zastygło wiele pacierzy i udręk duszy. Dłonie miał silne, grube żyły biegły aż pod rękawy habitu niczym podskórne strumienie.

Trudno, trzeba się było zgodzić z nakazem gwardiana, który explicite wyrażał wolę samego arcybiskupa. Memento vasis! Szklanka jest zawsze do połowy pełna! – Perspektywa przebywania wśród zwykłych ludzi niosła nadzieję. Nareszcie posługa zgodna z powołaniem kapucyna!

Wciąż nie wiedziałem, kiedy zostanę przebadany nostalgramem. Tuż przed wyjściem poprosiłem ojca Karola na stronę i zapytałem wprost o przesłuchanie. Gwardian zapewnił, że pierwsze słyszy, że to bzdury jakieś i nie powinienem martwić się na zapas. Odetchnąłem z ulgą. Może dzwonili, ale w innym kościele, a brat Wojciech musiał coś poplątać. Pewnie chodziło o kogoś innego.

Wyściskaliśmy się i w drogę. Ojciec Karol został w kamienicy. Wspomniał, że ma go odwiedzić cysters Tymon.

Byłem podekscytowany. Raz, że przesłuchanie to bajki, a dwa: Wielki Poniedziałek przyniósł upragnioną posługę. Nie wiedziałem, jaka czeka mnie praca, ale byłem pewien, że wreszcie zacznę służyć ludziom – żywym i pojedynczym! Nie trupom, nie prochom, nie żywiołowemu tłumowi, który – choć ujęty w karby nabożeństw – nazbyt często onieśmielał mnie.

Idziemy. Brat Filip pierwszy, za nim brat Hiacynt i ja. „Bóg jest radością, dlatego przed swój dom wystawił słońce" – łagodzę żar lejący się z nieba myślą świętego Franciszka. Z Miodowej skręcamy w Bożego Ciała, następnie dochodzimy do Krakowskiej, która przeskakuje przez Wisłę i żegna Kazimierz. Jesteśmy na Podgórzu. Niedaleko, po lewej, park Bednarskiego. Kopiec Krakusa wygląda jak olbrzym, który – nie wiedzieć, czym urażony – odwrócił się do nas plecami. Ledwie sto, dwieście metrów, a już w myślach przywołuję meleksa. Ciężko się idzie. Skwar, upał, spiekota. Młody bóg mnie opuszcza. Trzeba nam pieszo, bo meleks zniknął odprowadzony zapewne pod kurię przez Żołnierzy Chrystusa. O wilku, a dokładniej: o wilkach, mowa. Mija nas patrol. Chłopcy prawie, mogliby być moimi wnukami. Na czarnych płaszczach Chrystus i świeżo wyszyte hasło: „Bóg, Honor, Polacja". W dłoni exynos, za pasem – pałka i paralizator. Nie mam nic na sumieniu, głowę trzymam wysoko. Obywa się bez kontroli. Nie wiadomo, po co sprawdzają takie pustkowie.

Idziemy. Siódma piętnaście, zgaduję. Idziemy. Jak nic siódma trzydzieści, może i później. Kalwaryjska ciągnie się w nieskończoność, po obu jej stronach – zgliszcza. Nikt nie pracuje, wokół żywej duszy ani androida. Tramwajowe tory zdają się prowadzić do wieczności. Nie wiem, jak daleko jeszcze, bo słabo kojarzę okolicę. Ziemia wystawia poczerniałe od dymu dziąsła, trzeszczy spróchniały siekacz – ścięty do pierwszego piętra szary budynek. Zepsuty wyświetlacz miga napisem „LC Corp. Bi.. ro Sprzed... Mieszka...". Trwałość materii ma w sobie duży potencjał ironii. Powietrze jest suche. Kurczą się wysepki cieni, sandały pieką. Kluczymy resztkami pleksbruku, a jakbyśmy stąpali po rozżarzonych węglach. Na czubkach głów słońce smaży nam ozonowe placki, kaptury ciążą – w ich środku dźwigamy ultrafioletowe arbuzy. O deszczu można zapomnieć. To dopiero marzec. W lipcu i sierpniu będziemy tęsknić za jego chłodem.

Żeby mieć orientację w przestrzeni, rozglądam się za tabliczkami ulic. Czy aby brat Filip nie pobłądził? Idziemy. Czy aby w dobrym kierunku? Idziemy. Noga za nogą. Na naszych habitach osiadają lamówki kurzu. Niedługo ósma, a my wciąż w drodze.

Życie pojawia się na Wadowickiej. Więcej domów i wron-dronów, mniej gruzu i efektów dzieła islasusłów. Po prawej mijamy slow-gospodę „Nasz Big" – sieciówkę, która przed laty jako pierwsza, oferując bigos ze śliwką, wyparła z rynku McDonald'sa, co o mały włos nie doprowadziło do gospodarczych sankcji USA. Zaraz za nią szeroki ekran na stalowej stopie wrzeszczy napisem „wojna!". Już się rozniosło, już media wzięły to okropne słowo na języki. Po lewej jakiś park z pomarańczowymi drzewkami i daktylowcem. Łaska długowieczności mocna, ale wzrok już nie ten co kiedyś, więc w pierwszej chwili biorę parkowe ławki za rosłe dogi z odchylonymi sprężyście tylnymi nogami. Przednie zapierają się mocno ziemi. Uznaję nawet, że przechodzący obok mężczyzna to właściciel jednego z psów. Gdzie i jakie ja mam oczy! Odzyskuję jasność widzenia, gdy udaje mi się rozpoznać młodą parę na ławce. Na ławce! Pewnie zakochani – zapętlają się w miłosnych zapasach i świata poza sobą i exynosami nie widzą. On ma podkurczone nogi, obejmuje jej plecy i wtula się w dziewczęcy obojczyk. Ona siedzi na nim okrakiem, ale jedną nogę zarzuca chłopakowi aż na ramię. Opalone, jędrne udo usiane jest tatuażami – z oddali przypomina skrzypce Stradivariusa. Pomimo ekwilibrystycznej pozy para nie wypuszcza z rąk exynosów. Palce dyskretnie poruszają się po wyświetlaczach, wpisując piny miłości. W znieruchomiałych ciałach nie ma miejsca na wojnę.

Na dowód rozpoczętej wojny z oddali odzywa się dzwon Zygmunta. Bije na chwałę państwa, bije na trwogę jego wrogom. Ludzie przystają i odwracając głowy w kierunku Wawelu, długo biją brawo Polacji, biją na pohybel jej wrogom: a więc wojna! Wojna! Dźwięki niosą się silne, jakby ktoś wbijał potężne bretnale. Widziany przeze mnie nocą artefakt dorównuje oryginałowi.

Z przeciwka mija nas purgatoryjny gazobus. Zwykła karetka, lecz nagle przez małe okienka spostrzegam zdrętwiałe w skurczach twarze. Złe, powykrzywiane, ściśnięte. Rozcapierzone palce tłuką o szyby, jakiś ni to człowiek, ni zwierzę otwiera szeroko buzię, jakby chciał połknąć okienko. Inny chyba woła o pomoc, jeszcze inny śmieje się i kiwa do mnie palcem. Nie rozumiem, jestem kompletnie zdezorientowany. Przystaję, gazobus oddala się. W mlecznej szybie tylnych drzwi majaczy teatr cieni.

– Chodźmy, szkoda czasu – ponagla brat Hiacynt, lecz i on zerka w kierunku znikającego za zakrętem pojazdu.

– Widziałeś, bracie Hiacyncie? Ludzie jacyś...

– A co miałem widzieć? – nie daje mi dokończyć. – Gazobus wiezie dzieci do szkoły – prycha. Mogę przysiąc, że kłamie.

Cichnie dzwon Zygmunta, w tle jego coraz słabszych i cichszych uderzeń słychać bicie zegara – jest punkt ósma. Skręcamy w ulicę Brożka. Wciąż widzę te twarze. Twarze-lustra, w których musiał przejrzeć się sam diabeł! Widzę i nie mogę zapomnieć. Przechodzimy obok zajezdni, samotny tramwaj w barwach Polacji straszy wybitymi szybami. Rzędy jednorodzinnych domków ciągną się wzdłuż ulicy. Przybywa patroli. Nie wiem, czy władza chucha na zimne, czy też przeciwnie – chce podgrzać atmosferę wojny wszędobylstwem Żołnierzy Chrystusa. Przeprowadzają kontrole, sprawdzają dowody, gdzieś dzwonią. Szczególnie podejrzanym każą stać z podniesionymi rękoma. A jest kogo sprawdzać, islasusłem może być każdy. Na ulicy coraz więcej androidów i przechodniów. Poddają się szybkim rewizjom, spoglądają w smartglassy, przystają przed telebimami – zewsząd atakuje „wojna!". Są dziwnie spokojni. Miał rację brat Wojciech, skoro sami zgłaszają się do nostalgramów, to i kontrole przyjmują bez nerwów. Przy skrzyżowaniu wysoki na trzy metry awatar proroka Ezechiela wieszczy swą Księgę. Ludzie gromadzą się przy górującej postaci, niektórzy klękają, niektórzy zasiadają na androidach zgiętych w pozycji „krzesełek":

– Teraz jest dosyć wszystkich waszych okropności, domu Polacji! – grzmi wokselowy Ezechiel. – Wpuściliście bowiem obcych, żeby byli w moim przybytku po to, by go zbezcześcić, kiedy składaliście mi w ofierze chleb, tłuszcz i krew: tak przez swoje obrzydliwości złamaliście przymierze moje z wami. Nie czuwaliście nad służbą przy moim przybytku. Dlatego tak mówi Pan Bóg: żaden cudzoziemiec nie może wstępować do mego przybytku, żaden z obcych...

Ma wielu słuchaczy, ja mam gęsią skórkę.

– Nie karć mnie, Panie, w swym gniewie i nie karz w swej zapalczywości – szepczę werset z Księgi Psalmów.

Idziemy dalej, Kobierzyńską, przez Ruczaj-Zaborze i jego śródziemnomorską zieloność. Cyprysy, cytryny, drzewka oliwkowe. Trzy, cztery świerki w drodze wyjątku i żeby całkowicie nie zdurnieć od klimatycznego kotła. Idziemy, choć już tracę nadzieję, że dojdziemy. Strasznie daleko, a Purgatorium nie widać. Musi być kwadrans po ósmej. W oknach – flagi Polacji, przed sklepami – kolejki. Androidalne służące i pomoce domowe dźwigają pełne torby. To wojna, ludziom dwa razy nie trzeba powtarzać. Wiedzą, co robić.

Po kolejnym kwadransie dotarliśmy do zwartego muru laserów, nad którym kołysały się rozłożyste korony lip i kasztanowców. Wzdłuż muru na metalowych zadach siedziały dogoidalne owczarki. Ogrodzenie było bardzo podobne do granicznego pasa przy Górce Narodowej. Odniosłem wrażenie, że oto w zamkniętym Krakowie znajduje się jeszcze jedno, równie dobrze strzeżone miasto. Niepewni reakcji owczarków, trzymaliśmy się blisko jezdni. Dogoidalne zachowywały spokój – elektroniczne warknięcia włączały się metr przed ciepłoczułymi nosami. Po kilkunastu metrach znaleźliśmy bramę i wartowniczą budkę, z której wyszedł strażnik w osobie Chrystusowego Żołnierza. Brat Filip pokazał stosowną przepustkę, a Żołnierz czytał ją bardzo długo, najwyraźniej nie mogąc się skupić. Młodziutki był, więc jak nic demencja cyfrowa, typowe schorzenie młodości, gdy po trzecim zdaniu zapomina się zdania pierwszego i trzeba zaczynać od nowa. Żołnierz dobrnął do ostatniej kropki i ramię bramy odsunęło się na szerokość człowieka. Weszliśmy kolejno, a metaliczny dygot oddzielił nas od miasta.

Zaraz za bramą dech nam zaparło! Znaleźliśmy się w przepysznym ogrodzie, królestwie barw wiosennych, pełnym głogowych i kasztanowych alejek, trawników, rabat i gęstych, falbaniastych krzewów. Wśród dorodnych, wiekowych drzew odznaczały się wieżyczki i spadziste dachy z czerwonej dachówki. Purgatorium Babińskiego nie było zwykłym miejscem oczyszczenia. Wyglądało bardziej na kompleks wypoczynkowy. Zamiast jednego, głównego budynku duszoranni mieli do dyspozycji przepiękne, zabytkowe pałacyki, rozsiane po całym terenie.

– Oto i nasz Kobierzyn – odezwał się brat Filip, gdy wchłonęła nas bujna, rozkrzyczana zieloność.

– Nasza duma i chluba – dodał oschle brat Hiacynt. Wciąż chyba żywił do mnie urazę. Orzeszkowe oblicze naznaczone było fochem.

– Musisz wiedzieć, bracie Arturze, że jego powstanie kryje wiele dramatycznych historii. – Brat Filip zwolnił, pozwalając, bym zrównał z nim krok. Podrapał się po bruździe policzka i przymknął jedno oko, jakby pod powieką przywoływał obrazy z zamierzchłej przeszłości. – Przynajmniej dwie godne są przypomnienia. Kobierzyn powstał na początku XX wieku, po tragicznych wydarzeniach w rodzinie Radoniów. Otóż pewnego dnia wygłodniałe psy wykopały ze sterty gnoju ludzkie szczątki. Należały do Piotra Radonia. Podejrzenie padło od razu na jego żonę Teklę, która cierpiała na zaburzenia psychiczne. Nieraz w przypływie szału biegała z siekierą po domu i wygrażała, że wszystkich wymorduje. Mąż radził sobie, jak mógł. Najczęściej zamykał ją w chlewie, aż dochodziła do zmysłów i odzyskiwała spokój. Trwało to latami. Niestety raz dał się kobiecie zaskoczyć... Sąd oddalił wniosek o skierowanie kobiety na badania psychiatryczne i skazał ją na śmierć przez powieszenie. Córki uznał za współwinne zbrodni, trafiły do więzienia. Morderstwo wstrząsnęło opinią publiczną i wywołało gorącą dyskusję na temat lecznictwa psychiatrycznego.

– Była jeszcze karmelitanka Barbara Ubryk – pospieszył z drugą historią brat Hiacynt.

– Tak, niech spoczywa w pokoju. Kobieta cierpiała na nimfomanię, w męskim świecie znaną pod nazwą satyriasis, gdzie norma akurat jest bliżej nieokreślona. Karmelitanka była źródłem powszechnego zgorszenia, ale pewnie bezkarnych też uciech niejednego mężczyzny.

Siostry karmelitanki, aby nieszczęsna nie miała sposobności grzeszyć, zamurowały ją w klasztornej celi na Wesołej. Dopiero po interwencji prokuratora i doktorów Jakubowskiego, prymariusza domu obłąkanych, oraz Blumenstocka, docenta medycyny sądowej, uwolniono zakonnicę, otaczając ją opieką psychiatryczną. Podobno dwadzieścia lat spędziła w nieludzkich warunkach. Historie morderczyni i nimfomanki przyśpieszyły ostateczną decyzję o wybudowaniu tegoż Purgatorium. Późniejsze wojny udowodniły, jak bardzo potrzebnego – zakończył opowieść brat Filip.

– Skończył się czas banicji dla tych wszystkich, których uważano za dziwolągi, odmieńców, wybryki natury. Ich targane obłędem umysły i ciała tutaj znalazły spokój, a nawet ozdrowienie – dopowiedział brat Hiacynt.

W jednej chwili zbladły mi pałacyki i alejki wysadzane drzewami. Nie spotkaliśmy ani jednego duszorannego – nikt nie spacerował, nikt nie odpoczywał na ławce. Bezruch i spokój tylko wzmagały cierpkie uczucia. Przypomniałem sobie równie ponurą historię olsztyńskiego Kortau – czyśćca, a raczej piekła dla obłąkanych, położonego wśród lasów, nad malowniczym jeziorem. W imię racjonalności, czystości idei i rasy odmierzano strzykawką granicę między życiem a śmiercią. Topiono chorych jak koty, zakopywano ich żywcem w lesie. I nikt nie stanął w ich obronie. Wyjąwszy świętych mistyków, żadna nacja nie przyznaje się do swoich wariatów, a obcych tępi tym bardziej.

Daleko mi było do optymizmu brata Hiacynta. Chorzy psychicznie są zawsze pierwszymi, cichymi ofiarami wojny. Stanowią bezkarnie eksterminowany kunstkammer – gabinet osobliwości, w którym eksperyment i śmierć jedno mają imię. Bez względu na epokę. Po co zostaliśmy tutaj wezwani? Jaką posługą mieliśmy dać wyraz miłości do Boga i bliźnich?... Bałem się odpowiedzi.

Dotarliśmy do wysypanego żwirem alejkowego ronda – kwitły na nim rzadkiej odmiany niebieskie róże, od których promieniście rozbiegały się nisko przycięte krzewy. Na wprost ronda stał długi jednokondygnacyjny budynek ze spadzistą dachówką i wysokimi oknami, których mleczna barwa chroniła przed wścibskim okiem. Główne wejście znajdowało się w środku, między podwójnymi białymi kolumnami. Dźwigały one trójkątny fronton z owalnym oknem na wysokości dachu. Okno zdobił monogram Chrystusa. Symetrię dwóch części budynku naruszała dobudówka z lewej strony – coś w rodzaju małego kościoła z wieżą w stylu romańskim.

– Jesteśmy na miejscu – oznajmił brat Filip.

W środku powitały nas cisza i chłód zaskakująco dużej przestrzeni. Z zewnątrz budynek wydawał się o wiele mniejszy. Pierwszy raz widziałem tego typu purgatorium. Przy ścianach ciągnął się długi rząd konfesjonałów z ciemnego drewna. Były ponumerowane, rozmieszczone w równej odległości od siebie. Nie miały żadnych zastawek, które gwarantowałyby poczucie intymności. Obok każdego konfesjonału stał nieczynny stróż – angelologiczny robot o ventablackowej masce, na razie bez rysów twarzy, nosa i oczu. Dzienne światło biło od okien, opływało drewniane konstrukcje, kładąc się rozmazanymi snopami na kamiennej posadzce. Schody vis-à-vis wejścia prowadziły na piętro, obok nich – dyżurka i toaleta.

W dyżurce nie zastaliśmy nikogo, poza nieruchomym androidem. Miał na sobie biały habit cystersa. Podeszliśmy, android ożył i zaczął powtarzać w kółko:

– Wychodzić! Wychodzić! Jedziemy na wycieczkę. Jedziemy do lasu, jedziemy nad rzeczkę.

Brat Filip zawołał cicho, bez większego przekonania:

– Halo, halo, w imię Pana. Jest tu kto? – lecz przywołał jedynie jeszcze większe wrażenie absurdu, bo android zaczął się ciskać:

– Nie rozmawiać, niczego nie brać. Pogoda idealna. Wychodzić, wychodzić parami – bredził monotonną mową opiekuna.

Najwyraźniej miał nieaktualną aplikację jakiejś wycieczki. Od pasa w górę jeszcze daj cię, Boże, ale u dołu – nieudolna mistyfikacja. Kusy habit odsłaniał na łydkach liszaje farby. Na lewej nodze – sandał.

Android musiał być stary, bo choć lewa stopa była dobrze zachowana, a duży palec miał nawet wiernie zachowany odcisk, to prawa stopa świeciła gołą protezą z tytanu. Widok groteskowy i smętny.

Nie licząc konfesjonałów, rozległe pomieszczenie było całkowicie opustoszałe. Kusiło, żeby krzyknąć i otrzymać odpowiedź echa. Nie wiedzieliśmy, co począć. Dopiero po kilku minutach w drzwiach głównego wejścia pojawił się zasapany, okrąglutki cysters. Człowiek... choć oczywiście głowy bym nie dał.

– Niech będzie pochwalony! Jestem brat Zygmunt. Wybaczcie spóźnienie, czcigodni bracia, ale od rana pracy huk! Na nic nie starcza czasu. Już pewnie wiecie, wojna... Musieliśmy przygotować miejsca, a rąk brakuje – wytłumaczył.

Zaprosił nas do dyżurki i nieco speszony, przegonił androida pod półkę z dokumentami, po czym natychmiast go wyłączył.

– Ach, te nasze wynalazki. Mam nadzieję, że żadnych głupstw nie nagadał. Obiecali już dawno go przeprogramować. Stary druh cybernetyczny, nie mam serca go recyklingować. Ech, tyle lat razem, w tylu różnych diecezjach!... – Cysters obdarzył androida melancholijnym spojrzeniem. – Nazywa się Fabiolo, na cześć wierszowanej noweli kardynała Wisemana, w której opisany został żywot świętego Tarsycjusza. Fabiolo pamięta jeszcze konklawe, gdy na tronie Piotrowym zasiadł Adam I... – ugryzł się w język niepewny, czy to aby odpowiedni czas, by wypowiadać imię papieża. – Jeśli dobrze zanotowałem, brat Filip, brat Hiacynt i brat Artur? – zmienił temat.

Przytaknęliśmy prezentacji.

– Cieszę się niezmiernie. Siadajcie, siadajcie, bracia. Wody niestety nie mam. Ale mogę zaproponować sok z pokrzywy. W sam raz na upał. – Wyjął z szafki karafkę i rozdał nam plastikowe kubeczki. Poczęstował napojem, sobie też nalał.

Usiedliśmy na kanapie i tyle naszego... Sączyliśmy pokrzywę, brat Zygmunt wsadził nos w smartbooka, coś pilnie notował pulchnymi paluszkami, aż język wyśliznął mu się z ust zaciekawiony pracą dłoni.

Kompletnie o nas zapomniał, sporą klepsydrę można by dwa razy odwrócić. Pod biurkiem spostrzegłem sejf. Stał tuż obok nóg zakonnika.

– Przepraszam, że przeszkadzam, że tak prosto z mostu – postanowiłem oderwać go od notatek, no bo już dłużej nie szło dłońmi wygniatać plastiku, gapić się raz w maryjny kalendarz, raz w sejf i oszukiwać bezczynność. – Pokrzywa smaczna, ale czy byłby łaskaw nam brat powiedzieć, co dalej? Gdzie nasza posługa? Gdzie się podziali duszoranni?

– Gdzie ruch oczyszczający z grzechów? – dodał brat Hiacynt.

– Te przysłowiowe szepty pokutne i zadośćuczynne – uzupełnił brat Filip i żylastą ręką zatoczył koło.

– No właśnie! – przytaknąłem wdzięczny, że mam w nich wsparcie. – Wybacz natarczywość, bracie Zygmuncie. Przychodzimy z posługą, a purgatorium wydaje się... – z największą starannością poszukałem odpowiedniego słowa – nieobłożone.

Cysters uniósł głowę znad smartbooka i długo patrzył mi prosto w oczy. Po czym przeniósł wzrok kolejno na braci konwentualnych. Spocona twarz w kolorze dojrzałego jabłka zdradzała cechy stuporu. Zamyślił się, zapatrzył, języka zapomniał?

– Nieobłożone... – powtórzyłem wolno i dobitnie.

Jeszcze chwila, a doszlibyśmy do wniosku, że przed nami siedzi bardzo realistyczny, ale jednak android, któremu padły baterie. I jak tamtego gadułę wyłączył, tak siebie nie zdążył na czas doładować. Ot los – żyj pośród maszyn, z maszynami rozmawiaj i pokrzywę popijaj! Nie było na co czekać. Już rozglądałem się za jakąś ładowarką, bracia Hiacynt i Filip podeszli do cybernetycznego mnicha, gotowi ściągnąć mu habit, by znaleźć ukryty „in-out" życia, gdy raptem brat Zygmunt ocknął się. Wytarł dłonią perliste czoło, zamrugał:

– Bracia, bez żartów! Na miłość boską, jam człowiek z krwi i kości! Oszaleliście?! Pax! Pax et concordia inter fratres! – jęknął, jakby uciekł spod noża. – Wszystko przygotowane. Czekamy tylko na onirografy. Lada moment mają przywieźć...

– Onirografy?! – krzyknęliśmy niemal jednocześnie, a ja poczułem, że sam diabeł zaczął mi tarkować kręgosłup.

Brat Filip dodał panicznie:

– Musiała zajść koszmarna pomyłka!

– Ustawimy, uruchomimy. Szybki kurs obsługi wam zrobię, pokażę, co i jak działa. A o żadnej pomyłce nie może być mowy! – zaprzeczył. Wałek podbródka rozkołysał się, prawie dotykając to jednego, to drugiego płatka uszu.

– Cóż więc mamy robić? – spytał brat Filip.

Cysters wzniósł oczy ku niedosiężnym niebiosom, czym konsekwentnie doprowadzał nas do limites cierpliwości. Ćwiczyliśmy się w trudnej sztuce pokory, bo język zaczynał świerzbić. Skoro człowiek, niech odpowiada, jak człowiek! Pytanie było dość proste. Już dawno powinniśmy pracować, a ugrzęźliśmy na mieliźnie poranka. Brat Zygmunt okazał się naszym retardatio.

– Oj, fraterculusowie moi. Przepraszam, jeśli nazbyt familiarnie się zwracam – zaczął polubownie. – Doczekacie się. Ojciec Karol wspominał, żeście najuczynniejsi, czym potwierdzacie glorię franciszkańskiego charyzmatu. Ale że aż tak? Zawstydzacie mnie. Ledwie kilka godzin po ogłoszeniu wojny i już chcecie tłumów? Powoli, nie tak szybko. Będą tłumy, aż konfesjonałów zabraknie. Nie bądźcie w gorącej wodzie kąpani. – Skrzywił się kwaśno.

Odstąpiwszy od próby uruchomienia brata Zygmunta, wstrząśnięci wzmianką o onirografach, zajęliśmy ręce pustymi już kubeczkami. Nasze palce zadawały im powolną śmierć. Niby cysters wszystko wytłumaczył, ale można było oszaleć. Rumieńce na jego twarzy zdążyły osłabnąć. Jeśli kusił teraz jakąkolwiek jabłkową asocjacją, to dojrzałej papierówki.

– Skoro was tak nosi, rozejrzyjcie się po purgatorium. Mam dużo archannusowej roboty, no i ten android, sami widzicie. Muszę znaleźć mu jakiś służebny apdejt – uśmiechnął się przepraszająco. – Ale zawołam, zapewniam, zawołam was, jak tylko dowiozą onirografy. No, idźcie, idźcie. Cały dzień przed nami, jeszcze się urobicie po łokcie. Kaplica jest po prawej. – Wskazał. Dopiero teraz spostrzegliśmy drzwi między dwoma konfesjonałami. – Sprawdźcie sobie cały parter, wejdźcie na poddasze. Pospacerujcie może wokół budynku. Krzaki malin wydają już pierwsze owoce – zaproponował pojednawczo.

Popatrzyliśmy na siebie. Skoro nie było nic do roboty; poznajmy bliżej to miejsce. Tyle naszego.

– Niechaj i tak będzie – zdecydował brat Filip, próbując przywrócić kubeczek do pierwotnego kształtu.

Opuściwszy dyżurkę, daliśmy bezgłośny upust oburzeniu – tak żeby cysters niczego nie słyszał. W pantomimicznych gestach złorzeczyliśmy ojcu Tymonowi, bo to on zapewnie stał za tym pomysłem. Płakaliśmy nad naiwnością ojca Karola, który przeznaczył nas do takiej posługi. Onirografy?... To się po prostu nie mieściło w głowie! Przecież nie byliśmy katami owczarni Pańskiej. Onirograf każdy umysł człowieczy zmienia w przekwitłe, wyschnięte herbarium. Nie chcieliśmy przykładać do tego ręki.

Gdy emocje opadły, pokrzepiliśmy się salomonowym słowem brata Filipa:

– Gdzie będzie pokora, tam będzie i mądrość. Pozwólmy, by czas wszystko wyprostował.

Inspekcję rozpoczęliśmy od konfesjonałów. Zaglądaliśmy przez otwarte drzwiczki, ocenialiśmy kratki, ich przepustowość obrazu i dźwięku, wygodę i niewygodę krzeseł. W przeciwieństwie do tradycyjnych spowiedzi, duszoranny spowiadał sam siebie. Stąd też brak klęczników po bokach, choć duchowni zarządzający purgatorium mieli prawo w każdej chwili podejść i przez kratkę posłuchać aktu konfesji. Moją uwagę zwróciły poręcze krzeseł. Zwisały z nich grube rzemienie – identyczne jak przy łóżku, w którym przechodziłem chorobę. Różniły się jedynie liczbą – tutejsze miały dodatkowy pas, w górnej części oparcia – oraz specjalnym grafenowym zagłówkiem. Swoją strukturą przypominał plastry miodu. Włączony, odbierał elektromagnetyczne sygnały i działał na głowę jak magnes.

Spowiadający i spowiadany w jednej osobie nie do końca miał moc rozgrzeszenia. Angelologiczny stróż pilnował go i oceniał, które grzechy mogły zostać odpuszczone. Dysponował systematycznie aktualizowanym rejestrem możliwych przewinień. Wraz z pierwszym podłączeniem do duszorannego fizjonomia i cechy szczególne stróża stopniowo upodabniały się do twarzy i cech szczególnych pokutnika, dając tym samym świadectwo postępów spowiedzi.

Mimo że czyste i starannie zdezynfekowane, jak wszystko wokół, anioły nosiły ślady poważnego zużycia. Poznałem to po ventablackowych maskach. Wyprodukowane z materiału o najczarniejszej odmianie czerni, absorbującej niemal w stu procentach fale elektromagnetyczne i światło, łącznie z podczerwienią i ultrafioletem, sprawiały wrażenie zszarzałych. Mogę się mylić, wszak w cybernetycznej dziedzinie jestem ignorantem, lecz istnieje ryzyko, że anioł stróż bez głębokiego ventablacku zacznie się rozpraszać. A rozproszony, mało uważny, siłą rzeczy, nie pochłonie wszystkiego, co grzeszne w myślach duszorannego, a zwłaszcza – jego pamięci. Stróżowanie będzie niepełne.

Nad konfesjonałami umieszczono niewielkie ekrany – zgadywałem, że reduktorów pamięci. Z nimi, tak jak ze stróżami, duszoranny łączył się poprzez grafenowy zagłówek, który przekazywał impulsy z mózgu. Reduktory różnią się od nostalgramów tym, że zamiast penetrować emocje i pamięć, od razu zacierają je wedle ustawionej wcześniej mocy. Najnowsze podobno potrafią zawrócić umysł aż do stanu granicznego: płodowych początków. Wymazana zostaje przeszłość, wspomnienia i doświadczenia znikają. Tym samym udaje się potwierdzić teorię Arystotelesa, zawartą w jego *De anima*, a przekazaną nam przez Alberta Wielkiego, że człowiek to na początku życia „czysta tablica".

Dzisiaj reduktory znajdują powszechne zastosowanie zarówno w leczeniu głębokich traum, jak i przy depresji związanej z niedaleką przeszłością. Brak podwyżki, awansu, zbyt niskie promocje lub zbyt wysokie ambicje, uparcie powtarzające się grzechy, jakaś kłótnia rodzinna sprzed miesiąca, uciążliwe wspomnienie romansu – można to wszystko wyczyścić i cieszyć się odzyskanym komfortem psychicznym. Jeszcze podczas II wojny wyszehradzkiej reduktory pamięci wykorzystywano wyłącznie w wojsku, aby żołnierze nie tęsknili za rodzinnym domami, a pamiętali tylko o tym, gdzie atakować i kogo zabijać. Nie wiem jak tutaj, w Krakowie, ale w Olsztynie takie antypamięciowe urządzenia są dziś ogólnodostępne. Ostatnio jednak benedyktyni złożyli specjalną petycję w ratuszu. Zaapelowali, żeby wprowadzić reglamentację ze względu na nadużywanie wynalazku przez młodzież. Resetują sobie minione tygodnie i miesiące, co skutkuje tym, że rośnie nam pokolenie bez pamięci. Jakby mało było demencji cyfrowej! Nasz zakon podpisał się pod petycją, sprawa ugrzęzła jednak w podkomisjach. Posiadaczy reduktorów poznaję po szybkich spowiedziach, gdy grzechów wyznają tyle, co kot napłakał.

Jak wspomniał brat Zygmunt, kaplica mieściła się za drzwiami po lewej. To ona była tym dobudowanym kościółkiem, do którego przechodziło się wyłącznie przez purgatorium. Skąpe światło wpadało przez wąskie biforia – rodzaj dwudzielnych arkadowych okienek. Bielone pomieszczenie zbudowano na bazie prostokąta z rotundą na wprost wejścia. Przy niej prosty ołtarz, drewniany krzyż, kamienny stół z jednym małym portatylem, skromne jak stajenka betlejemska tabernakulum, bez srebrzeń i złoceń. Chyba tylko dla zasady na krańcach ołtarza wybudowano dwie dość masywne kolumny. Nie wstawiono nawet ławek, należało modlić się na kolanach. Jakbym cofnął się w czasie o tysiąc lat. Słowem, miła sercu powściągliwość, architektoniczny młot na hołubce baroku.

Już mieliśmy uklęknąć przed ołtarzem, gdy od strony biforium dobiegło nas ciche buczenie. Spojrzawszy po sobie, podeszliśmy do okien. Święty Maksymilianie, patronie wynalazców!... W mieszczącym się na tyłach purgatorium parku stało ogromne akwarium – coś w rodzaju przeszklonego basenu o wysokich ścianach, z grodziami, które dzieliły go na sześć oddzielnych kabin. U dołu każdej kabiny znajdowała się biała tabliczka. Akwarium posiadało koła, grodzie były podniesione, zaś buczenie dochodziło z agregata. Grubą rurą wpompowywał do środka gęstą, przezroczystą ciecz – formalinę z domieszką wonnej mirry, by złagodzić drażniący i ostry zapach. Taką mieszankę stosuje się zazwyczaj do ostatniego namaszczenia długowiecznych, tutaj jednak miała chyba inne zastosowanie. Pierwszy raz widziałem tak dziwne, obwoźne akwarium, a i w oczach moich braci zagościł znak zapytania. Słoneczne promienie niczym ognistorude wiewiórki ześlizgiwały się ze szklanych ścian i uciekały w gałęzie drzew. Ciecz powoli wypełniała cały zbiornik.

Niepewni jego przeznaczenia wróciliśmy przed ołtarz. Zmówiliśmy Litanię do świętego Józefa, by wyprosić owocną pracę. Mimo buczenia z zewnątrz ascetyczność kaplicy i jej geometryczna prostota napełniały mnie spokojem, natomiast panujący półmrok wyciszał zmysły. Wznosiliśmy szeptem wołania do ziemskiego taty Jezuska, a ten mocą swojego wstawiennictwa wynosił nasze słowa ku niebu. Świat zewnętrzny jawił się jako przemijający element mizernej doczesności, która znaczyła o tyle, o ile przybliżała nas do życia wiecznego. Całym sobą czułem bliskość łąk niebieskich i przenikającej mnie łaski Ducha Świętego! Czułem bezbrzeżny, niczym niezakłócany spokój. Brat Filip wzniósł końcowe wezwanie:

– Boże, Ty w niewysłowionej Opatrzności wybrałeś świętego Józefa na Oblubieńca Najświętszej Rodzicielki Twojego Syna, spraw, abyśmy oddając Mu na ziemi cześć jako naszemu opiekunowi, zasłużyli na Jego orędownictwo w niebie. Przez Chrystusa Pana naszego.

– Amen – zakończyliśmy modlitwę.

Zaraz jednak, nie do końca wiedząc dlaczego, zawstydziłem się przed Bogiem tej słodkości kontemplacyjnego oddalenia. Zrobiło mi się gorąco. „Zdrajca! Zdrajca" – usłyszałem krzyk w myślach. I zrozumiałem swoje zaślepienie... I padłem krzyżem, budząc opacznie podziw współbraci... Bo niepodobna, by mizerna doczesność służyła wyłącznie łasce zbawienia. Bo kimże jestem, żeby pobłażliwie reagować na pozór i miraż, które dla wielu są ich jedynym życiem? Bo jak mogę stąpać po łąkach niebieskich, skoro świat pogrąża się w bagnie wojennym? Święty spokój, ten święty spokój, który odgradza nas od spraw doczesności i wzmacnia pychę dobrego samopoczucia, pochodzi od Demona – przypomniałem sobie pouczenie umiłowanego w Panu Ignacego Loyoli. Wszystko! Wszystko, tylko nie święty spokój! Pełno go w świątyniach i klasztornych celach! On nas, duchownych, wynosi ponad ludzi tak bardzo, że zapominamy o miłosierdziu. Poprosiłem braci, żeby zostawili mnie w kaplicy. Chciałem pobyć sam.

Gdy zamknęły się drzwi, wiedziałem już, co mam zrobić. Wyjąłem z kieszeni perłowy kamyk i zacząłem zmawiać *Pieśń słoneczną* w intencji mojej córeczki! Ona nie powinna jeszcze myśleć o wieczności, tak jak i wszystkie dzieci. Niechaj raduje się życiem! Niechaj smakuje każdą jego chwilę! Niechaj będzie dumą Stwórcy, który tchnął w świat pełne garście sacrum, a tylko szczyptę vanitas. Czułem się trochę jak heretyk, ale co mi tam! Rozpierała mnie miłość, nie mogłem się oprzeć pochwale stworzenia. Głos drżał mi z radości:

– Pochwalony bądź, mój Panie, ze wszystkimi Twymi stworzeniami – już mi się cieszyła gęba – nade wszystko z panem bratem Słońcem, bo jest on lampą dnia i nim rozświetlasz naszą drogę. Jakże on piękny, promieniejący i pełen blasku. O Tobie, o Najwyższy, daje nam wyobrażenie. – Podniosłem się z posadzki, cmoknąłem perłową łzę, a nogi same poszły w taniec. – Pochwalony bądź, mój Panie, przez siostrę Księżyc i gwiazdy: stworzyłeś je na niebie, jasne, cenne i piękne. – Odkopnąłem lewy kroks w prawo, prawy kroks w lewo, rozpłaszczyły się jak śledzie o ściany! Nie wierzę, zwariowałem! – Pochwalony bądź, mój Panie, przez brata Wiatr i przez powietrze, słotę, spiekotę i każdą pogodę, którymi wspierasz wszystkie Twe stworzenia. – Rozkołysałem biodra i brzuch, a śmiałem się jak głupi do sera, co tam śmiałem: chichrałem, jakby sam Pan Bóg opowiedział kawał z brodą. O Matce Boskiej blondynce lub o tym, że przychodzi Jezus do lekarza i coś tam, coś tam. – Pochwalony bądź, mój Panie, przez siostrę Wodę, która jest bardzo użyteczna, i pokorna, i czysta.

Pochwalony bądź, mój Panie, przez brata Ogień, który rozświetla mroki nocy: piękny on, radosny, nieprzejednany i silny. – Dyg nóżka, skłon główka i podskok, trochę walca, trochę salsy, oberka. – Pochwalony bądź, mój Panie, przez matkę naszą Ziemię, która nas żywi i utrzymuje, wydając wszelki owoc, barwne kwiaty i zioła....

– Bracie Arturze...

Domine Deus! ... Ja pier..., ja pierwszy grzesznik... Deus, libera me a malo.

– ... bracie Arturze, czekamy. Długo jeszcze? Chcemy obejrzeć poddasze – zza drzwi dobiegło mnie pukanie i zniecierpliwiony głos brata Filipa.

Skryłem się za kolumną, błyskawicznie chowając perłowy kamyk. Słyszeli? Nie! Tak! Nie! Nie wiem.

– Już idę! – odkrzyknąłem.

Pozbierałem sandały, przylizałem włosy, obciągnąłem habit. I hyc, hyc – do drzwi. O moim występku nie może wiedzieć nikt!

Bracia przypatrywali się mi uważnie. Chyba byłem zaczerwieniony, bo i sam czułem, że policzki płoną. Nie żałowałem. To dla córeczki modlitwa, dla wszystkich, którzy powinni cieszyć się życiem ziemskim. Piekło, zbawienie odłóżmy ad Kalendas Graecas! Póki żyjemy, póki jesteśmy Bożymi dziećmi.

– Onirografów nie ma? Chodźmy, nikt nie woła. – Wyśliznąłem się ich lustracji cytatem staroromantycznego wieszcza. – A już na pewno brat Zygmunt, jeśli dobrze czytam ciszę – dodałem i ruszyłem pierwszy przez aulę.

Cysters wciąż siedział w Archannusie, nawet nie drgnął, gdy minęliśmy dyżurkę i schodami wspięliśmy się na poddasze. Przez ciężkie, zbrojone drzwi weszliśmy do długiej sali. Stało w niej pięć skórzanych onirofoteli, podobnie jak konfesjonały ustawionych w równych odstępach. Każdy fotel miał szerokie, odchylone siedzisko i aż trzy okablowane zagłówki. Odpowiadały za trzy sfery: id, ego i superego. Bez dekodera jaźni – serca onirografu, fotele spełniały jedynie funkcję mebli. Ale z dekoderami... Wzdrygnąłem się na myśl, że niebawem będziemy prowadzić tutaj ludzi... Oto Kobierzyn – kraina socjalizacji.

Wyciszanie sfer id i ego uznaję za zbyt radykalne, zbyt drastyczne odzyskiwanie ludzi dla społeczeństwa. Nie ma co owijać w bawełnę – człowiek doświadczał psychicznej kastracji. Wprawdzie już po kilku zabiegach stawał się wzorem polacyjnego obywatela, lecz w snach, marzeniach, fantazjach – próchno. Onirograf to wyrok i ostateczność, przy którym reduktory pamięci i nostalgramy jawią się niczym niewinne zabawki. Jest mało chwalebną kartą ewangelizacji, o czym zawsze myślę ze smutkiem. I nie rozgrzesza jej ciągłe powoływanie się na słowa świętego Augustyna: „zmuś, aby przyszli" – dawniej wyryte w sercu każdego inkwizytora, obecnie grawerowane na dekoderach jaźni. Świętego Augustyna, albo świętego Pawła z Tarsu, bo to by się nawet zgadzało z jego ideą uniwersalizmu. Kościół, nasza Matka, miał przed wiekami płonące stosy, dzisiaj ma onirografy.

Boleję nad okrucieństwem strażników wiary, lecz augustianie przekonują, że nie czas na rozterki, skoro Daesz wchłonął już pół Europy. Przecież do Włoch i Grecji, do Węgier, Czech i Słowacji dołączyła najstarsza córa Kościoła – Francja. Islam rozsadził ją od środka, gdy Rada Konstytucyjna – na okoliczność kolejnej afery korupcyjnej – postawiła głowę Republiki przed nostalgramem, by ujawnić jej koteryjne związki z biznesem. A ujawniła – ku przerażeniu całego kraju – syryjskie pochodzenie prezydenta. Okazał się arcyislasusłem w czwartym pokoleniu. Ubiegł jednak wymiar sprawiedliwości i wydał dekret proklamujący nad Loarą XI Ostan Islamski. Islamizacji opierają się jako tako Hiszpania i Austria, choć pewnie padną na dniach. W Portugalii samobójców z pasami szahida więcej niż sztucznych ogni i fajerwerków na Nowy Rok. Tylko katolik w kraju nad Wisłą jest twardy jak nigdy wcześniej, a augustianie uczynili z tej frazy jedenaste przykazanie...

– Bracia franciszkanie, przyjechali! Gdzie jesteście? Chodźcie! Festinate, festinate! – dobiegł nas z dołu krzyk brata Zygmunta.

Zamknąwszy za sobą sezam pod wezwaniem Freuda, Junga i Lacana, zeszliśmy na dół.

Przed purgatorium stał niewielki furgon. Miał otwarte tylne drzwi, dwa androidy wypakowywały sprzęt, stawiając go na ziemi. Wraz z onirografami przywiozły nam obiad. Postanowiliśmy najpierw popracować, żeby zasłużyć na posiłek, ale przede wszystkim chcieliśmy oswoić się z tym psychoanalitycznym monstrum i – na ile to w ogóle możliwe – zwalczyć strach. Wielu bowiem padło ofiarą destrukcyjnej siły onirografów. Androidy wyposażone były w bardzo „uczłowieczony" program, ponieważ ucieszyły się, że zaoszczędzą na bateriach. Typowy syndrom pracowników fizycznych.

Nasza wspaniałomyślność zaraz została wystawiona na ciężką próbę, bo i cholerstwo ciężkie. Ledwo we trzech dawaliśmy radę dźwignąć, a onirografów – pięć. Pięć sporej wielkości brył przeczących tezie, jakoby najnowsze technologie dążyły ku miniaturyzacji. Androidy rozsiadły się na pobliskiej ławeczce – brakowało im tylko izotonika i e-papieroska. Brat Zygmunt wrócił do świata biurokracji.

Po wniesieniu pierwszego onirografu ręce sięgały nam do ziemi. Później było jeszcze gorzej: furgon, schody, poddasze, a między nimi coraz dłuższe przystanki, coraz krótsze i płytsze oddechy, pot i duszności, zdrętwiałe ręce. Ora et labora! – benedyktyńską mądrość czuliśmy w krzyżach. Święty Józef chyba nie wysłuchał naszych modlitw. Szło bardzo opornie. A i słońce przygniatało nas piekącą łapą do ziemi, gdy z chłodu budynku wychodziliśmy na zewnątrz. Robota głupiego – androidy załatwiłyby to w pół godziny. Stawialiśmy onirograf obok fotela i z powrotem, po następny. Ponad godzinę toczyliśmy walkę, zanim zwycięsko wbiliśmy widelce w ziemniaki.

Furgon odjechał ze śmiejącymi się z naszej uczynności androidami. Cysters rozpoczął kurs obsługi onirografów. Stanęliśmy oko w oko z psychoanalitycznym monstrum! Oto krajalnica snów, oto młyn światów wewnętrznych, ścierający je na proch.

W głosowaniu (dwa głosy za, jeden przeciw) wybraliśmy brata Hiacynta na modelowego duszorannego. Najpierw przewody sfer id, ego i superego z zagłówków trzeba było podłączyć do analogicznych wejść w tylnej ścianie dekoderów jaźni. Następnie na przedniej ścianie, wyposażonej w malutki ekran, należało przekręcić pokrętło z napisem „power" i ustawić wartość mocy na pięć lub sześć w dziesięciostopniowej skali. Oczywiście ćwiczyliśmy „na sucho" – brat Hiacynt mógł czuć się bezpieczny. Pierwszy zagłówek odpowiadał za id. Głowa duszorannego powinna całkowicie do niego przylegać, by rezonans elektromagnetyczny miał możliwie szeroki przepływ. Na ekranie miała pojawić się sinusoida. Cała sztuka polegała na tym, żeby poprzez umiejętne operowanie pokrętłem niejako sprasować sinusoidalną wstęgę.

– Zdarzają się duszoranni, którym pięć stopni to nadto i onirograf działa na sferę id jak walec. Ale są i tacy, że przy dziesięciu sfera faluje i wciąż przyśpiesza tysiącem kokard i wstęg Möbiusa. Wtedy trzeba poczekać jeszcze pięć minut. Jeśli nie zaobserwujecie pożądanego efektu, musicie przerwać zabieg i powtórzyć go dnia następnego – objaśnił cysters.

Brat Hiacynt poskarżył się, że czuje mrówki w głowie. Brat Zygmunt go zignorował i tłumaczył dalej:

– Jeśli wstęga zmieni się w linię, efekt został osiągnięty: sfera id przestała istnieć. Kolejny krok: sfera ego, zagłówek trzeci. Pamiętajcie, bracia, trzeci. Broń Panie Boże, drugi, czyli środkowy. Byłoby nieszczęście – przestrzegł, a jego krągła twarz przybrała kształt zmarszczonego jabłka.

Ze sferą ego należało postępować identycznie. To znaczy – wyciszać mniej lub bardziej wzburzone fale indywiduacji, jednostkowych aktów, oznak pojedynczości. Linia na ekranie dekodera świadczyła o pomyślnym zneutralizowaniu tej sfery. Dopiero teraz duszoranny przesuwał głowę na zagłówek środkowy. Brat Hiacynt przywarł do niego potylicą i raptem cysters włączył onirograf. Ekran wyświetlił dwa jaskrawozielone węże, które przy ustawieniu pokrętła na cztery to przywierały do siebie, to oddały się aż po górną i dolną krawędź ekranu.

– Brawo, bracie Hiacyncie! Sfera superego w idealnym stanie! – zawołał.

Modelowy duszoranny aż stęknął:

– Co to za żarty! – i jak poparzony zeskoczył z fotela, rozcierając potylicę.

– Nie ma co się gorączkować. – Cysters objął go familiarnie. – Sfer id i ego nie ruszyliśmy. Może brat spać spokojnie.

Przeszły mnie ciarki, choć razem z bratem Filipem byliśmy pełni uznania dla orzeszka – prawdziwy z niego katolik i Polacjanin! Chodziło o to, by w przeciwieństwie to sfer id i ego sferę superego maksymalnie rozhuśtać i stworzyć z jej wykresu wzburzoną, wysoką falę. Duszoranny wracał do społeczeństwa i na łono Kościoła. Bratu Hiacyntowi większej huśtawki nie dałoby się już zrobić. Choć kto wie? Kto wie, przecież dwie inne sfery: id albo ego, skrywały tę potrzebę nocnego pukania do moich drzwi. Ona musiała rzutować na sferę trzecią. Nie chciałem być jednak stróżem brata mego. Za swoje sfery odpowiadamy wyłącznie przed Bogiem i arcybiskupem.

– Sami widzicie, wystarczy kręcić i obserwować wyświetlacz, resztę robi za was technika. Dacie sobie radę – zapewnił cysters.

Rzeczywiście, urządzenie, które budziło tak wielkie lęki, było banalnie proste w obsłudze. Ot, kilka pokręteł, zagłówki, ekran i to wszystko.

– A tu, moi mili, serduszko onirografu i polisa na wieczne trwanie naszego Kościoła. – Brat Zygmunt wyjął z bocznej ścianki małą kartę SMK. – W niej zapisywane są obrazy sfer tuż przed wyciszeniem. Sny, marzenia, kompleksy, skrywane żądze i namiętności. Oczywiście to dokumenty tajne. Pod żadnym pozorem nie wolno wam ich wyjmować. A żebyście niepotrzebnie nie chcieli przypadkiem zaspokoić swojej ciekawości, od razu uprzedzam: kody dostępu są... nie wiadomo gdzie. Zrozumieliście, bracia? – Cysters wpiął na powrót kartę.

Przytaknęliśmy, bo nie nasza to rzecz grzebać się w obcych światach. Zwłaszcza że zobaczyć w nich można było zapewne grzech.

Kurs dobiegł końca. Konfesjonały wciąż puste, brakowało chorych na duszy. Zeszliśmy do dyżurki i długo odwracaliśmy niewidzialne klepsydry. Brat Hiacynt zajął ręce różańcem, brat Filip zapadł w drzemkę, cysters słał i odbierał wiadomości. W pewnej chwili odniosłem wrażenie, że Fabiolo drgnął. Długo wpatrywałem się w krępą, kwadratową postać i ciętą z jednego kawałka plastiku twarz, ale sztuczny cysters stał nieporuszony.

Moją uwagę przykuła mucha. Wędrowała po szybie uchylonego okna. Mimo że wolność miała tuż obok, na wyciągnięcie skrzydełka, zmierzała ku górze – powoli, uparcie, jakby przy górnej framudze czekało ją wybawienie. W połowie drogi zatrzymała się i rozłożyła skrzydełka, chcąc pewnie podfrunąć. To był błąd, nie powinna się zatrzymywać! Owad spadł na parapet niczym czarna kropelka i znieruchomiał. Ruszyłem na ratunek, zwłaszcza że nikt inny poza mną nie widział tych zmagań. Przysunąłem palec serdeczny. Mucha poruszyła się i powolutku weszła na opuszek, a ja, z największą delikatnością, uniosłem dłoń, by wynieść ją za okno. Było już blisko, lecz w ostatniej chwili owad sfrunął na szybę, ponawiając wspinaczkę. Zrobiło mi się głupio. Usiadłem z powrotem na kanapie i odwróciłem miarkę niewidzialnej klepsydry.

Popołudniową porą przyjechali pierwsi duszoranni. Ten sam furgon, z tymi sami androidami, przywiózł starszego mężczyznę i małego chłopca, jego wnuczka. Nieco zaskoczyła nas obecność dziecka, ale powitaliśmy ich gorąco. Chłopiec – mały rudzielec, o nakrapianej dużymi piegami twarzy, z czupryną herbacianych włosów, uczepił się nogi dziadka. Nie odstępował go ani na krok. Mężczyzna milczał, jedynie przytakiwał cystersowi, który zbierał owoce wcześniejszej pracy – odczytywał ich personalia. Okazało się bowiem, że w smartbooku dysponował pełnymi danymi duszorannych. Imiona, nazwiska, wiek, rodzaj zajęć, rodzina bliższa i dalsza, przyjęte sakramenty, i tak dalej. Całkiem spore dossier. Przy punkcie: rodzice Tomka Fikusa, bo tak nazywał się piegusek, brat Zygmunt stwierdził:

– Emigranci po ostatnich wybuchach. Adres nieznany. Ślad ginie pod Kielcami. Wszystko się zgadza? – dopytał.

Nie usłyszeliśmy odpowiedzi. Wielkie oczy dzieciaka zwilgotniały, a i mnie podrapało coś pod powieką. Chłopiec odruchowo schował się za mężczyzną, który wysunął do przodu rękę, lecz zaraz cofnął. Chciał chyba powiedzieć coś złego i nie byłby to eufemizm.

– Spokojnie, pierwsze koty za płoty. W murach naszego purgatorium będziecie bezpieczni. I, co najważniejsze, odzyskacie spokój. – Uśmiechnął się szeroko brat Zygmunt, ale nie rozwiał przygnębiającego nastroju, jaki towarzyszył rejestracji duszorannych.

Niby pierwsi, na których tak długo czekaliśmy, ale radości za grosz. Po minach braci Filipa i Hiacynta wnioskowałem, że najchętniej pochowaliby się w kapturach. Zaprowadziliśmy duszorannych do konfesjonałów. Zajęli jeden, oznaczony numerem piętnastym. Nie chcieliśmy ich na razie rozdzielać. Dzieciak odwrócił się od nas i przywarł całym ciałem do mężczyzny. Brat Zygmunt oddał się modlitwie:

– Pełen współczucia święty Judo Tadeuszu, który mocą Bożą przywróciłeś tak wielu ludziom zdrowie i jasność umysłu, wejrzyj na tych dwóch nieszczęśników. Ufny w twoje potężne wstawiennictwo, błagamy cię, byś prosił Jezusa, miłosiernego Uzdrowiciela chorych, o odratowanie ich dusz. Spraw, by podźwignięci Jego miłością, otrzymali wielką łaskę zdrowia psychicznego.

– Amen – nasz szept plumpknął niczym kamyk rzucony w wodę.

Brat Zygmunt zamknął konfesjonał. Duszoranni mogli oswoić się z miejscem.

– Myślę, że dzisiaj można poprzestać wyłącznie na obserwacji – stwierdził już przed dyżurką cysters. – Jutro podejmiemy decyzję, czy zastosować reduktor czy może od razu onirograf. Z dzieciakiem powinno pójść łatwo, bo cóż może mieć za sfery id i ego. Gorzej z mężczyzną, na jednym zabiegu na pewno się nie skończy. Cokolwiek wyzna, trzeba będzie spłycać sfery do skutku.

– Tak, tak, odłóżmy na jutro. Zabiegi nie zając – przytaknąłem chyba zbyt gorliwie, bo zaraz przygwoździł mnie bacznym spojrzeniem. Bogiem a prawdą miałem ochotę zapytać, czegóż to jeszcze uczy charyzmat cystersów...

– Święte słowa, bracie Zygmuncie. Święte i bardzo roztropne – brat Hiacynt odwrócił ode mnie uwagę cystersa.

– Jakby król Dawid przemówił! – i brat Filip wziął na siebie jego wzrok, odwołując się do nieco bombastycznego porównania.

Z konwentualnymi zaczynałem rozumieć się bez słow. Pochyliliśmy pokornie głowy – cysters kompletnie skołowaciał wzięty w trzy ognie pochwał.

– Nie przesadzacie aby? – spąsowiał, lecz widać było, jak duma rozwiewa resztki podejrzliwości.

– No, gdzieżby? Do przesady daleko – żachnął się brat Filip.

Już wiedzieliśmy, że na naszych drożdżach ciasto jego próżności szybko wyrasta. Należało o tym pamiętać. Zyskaliśmy na czasie, bo serce podpowiadało mi, że musimy odwlec posługę hospitalizacji. Nie byliśmy gotowi. Jeden Bóg wiedział, czy kiedykolwiek będziemy.

Za murami purgatorium wojna nabierała tempa. Do komplety zdążyliśmy jeszcze przyjąć czworo duszorannych: małżeństwo Miaszkowskich i dwóch krewkich, krzykliwych osobników.

Państwo Miaszkowscy zachowywali się tak, jakby trafili do sanatorium. Kazali sobie wszystko objaśniać. My musieliśmy szczegółowo odpowiadać na pytania, tłumaczyć i pokazywać. A gdzie łazienka? A gdzie sala zabiegowa? Jak działa onirograf, bo ze stróżami mieli już do czynienia. Poprosili też, żeby zaprowadzić ich do kaplicy. Pan Miaszkowski wyznał mi na osobności, że pragną nie tylko wrócić jak najszybciej do społeczeństwa, ale przede wszystkim – uratować ich związek. Wiele się spodziewali po wyciszeniu jego sfery id i sfery ego małżonki. On miał podobno patologiczne fantazje, niezwiązane z panią Miaszkowską, ona zbyt wysokie mniemanie o sobie. Przechodzili małżeński kryzys, choć było oczywiste, że musiała istnieć inna, polityczna przyczyna, dla której znaleźli się w purgatorium. O tym jednak pan Miaszkowski nie wspomniał ani słowem. Walczył wyłącznie o szczęście ich związku. Umieściliśmy małżeństwo w konfesjonałach o numerach osiem i siedem – na wprost dziadka i wnuczka.

Widać było, że z osobnikami Janem Dudałą i Damianem Jankowskim mogą być problemy. Już od wejścia, wyzywając eskortujących ich androidów od prostaków, domagali się widzenia z – jak to szkaradnie ujmowali – „capo di tutti capi" cystersów, czyli z ojcem Tymomen. Gardłowali, że to skandaliczna pomyłka i puszczą nas w samych sandałach, że zrobią nam stryczki z naszych cingulum. Brat Zygmunt się nie cackał – nakazał androidom odprowadzić krzykaczy do konfesjonałów umieszczonych najdalej od dyżurki, tuż obok kaplicy. Przydały się rzemienne pasy. Panowie dostali po urynofuzorze w podbrzusze. Dodatkowo cysters poczęstował ich strzykawką. Pokrzyczeli, powierzgali, aż dopadł ich błogi spokój. Do rana powinni spać.

Pierwszy dzień naszej posługi miał się ku końcowi. W konfesjonałach panowała cisza, na ścianach rozbłysły kinkiety. Fabiolo wciąż stał przy półce niczym niepotrzebny mebel. Cysters czytał nam akta duszorannych. Słuchaliśmy go jednym uchem, drugim – cykad, które za oknem stroiły swoje tymbale i rozpoczynały donośny koncert. Mężczyzna z chłopcem, Jerzy i Tomek Fikusowie, trafili do purgatorium niejako w zastępstwie rodziców dziecka. Ci, na długo przed emigracją, konsekwentnie odmawiali wszelkich sakramentów, co miało swój dowód w zapisach parafialnych raportów. Jerzy Fikus był hotelarzem kwiatów – przechowywał rośliny, gdy ich właściciele wyjeżdżali na wakacje. Pochodził ze starej rodziny spod Krakowa, choć między rokiem 2041 a 2043 jego biografia miała lukę. Nie wiadomo, gdzie był i co robił podczas konfliktu wyszehradzkiego. Należało to sprawdzić. Herbaciany chłopiec chodził do pierwszej klasy podstawówki. Istniało podejrzenie, że zaraził się od rodziców brakiem wiary.

Małżeństwo Miaszkowskich cierpiało z kolei na biegunowe zapalenie błędnika. Wiele podróżowali po świecie. Wśród znajomych, a są podobno zeznania świadków, wypowiadali się dość niefrasobliwie o swoich tożsamościach, przekonując nawet czasami, że ich nie mają. Tyle tylko i aż mówiły akta.

Krzykacze byli radnymi sprzed dwóch kadencji. Jeden uważał siebie za agnostyka, drugi działał w Ekumenicznej Radzie na rzecz Pokoju między Religiami. Przed zamachem prowadzili niezwykle ożywioną korespondencję ze schwytanym islasusłem z magistratu.

Zawirusowanie islamskie można było diagnozować w ciemno, tak jak konieczność rekonwalescencji krzykaczy. Ktoś im najwyraźniej sprzyjał. Przecież w czasie wojny za takie rzeczy nie trafia się do purgatorium.

Tuż przed powrotem na Miodową zajrzałem przez kratkę do konfesjonału Jerzego Fikusa. Siedział z wnuczkiem w tej samej pozycji. Dzieciak zasnął. Mężczyzna zorientował się, że jest obserwowany. Zawstydzony, wycofałem się.

Brat Zygmunt odprowadził nas do wyjścia i życzył bezpiecznego powrotu.

– Trapi mnie jedna niewiadoma – zagadnął go na odchodnym brat Filip. – Na tyłach stoi coś, jakby akwarium...

– No, tak, Kunstalien, i co? Napełnił się już? – Cysters życzliwie przechylił się w jego stronę.

– Kunstalien? A do czego służy ten wynalazek? Cały dzień zachodzę w głowę i...

– To na okoliczność, gdyby nasze starania okazały się nieskuteczne. Z Bogiem – oznajmił dość oględnie i zawrócił do dyżurki.

Zapadał zmierzch, wieczorna mgła snuła się nad różanym rondem, cykady grały forte, fortissimo, a cisza nadchodzącej nocy kusiła, by cykać fortissimo possibile. Upał nie słabł, teraz to ziemia oddawała niebu ciepło, które gromadziła przez cały dzień. Między drzewami w innych pałacykach też paliły się światła, a na ścieżkach majaczyły zakapturzone postacie. Zmierzały w kierunku bramy. Nie byliśmy jedynymi zakonnikami skierowanymi tu do posługi, a nasz budynek stanowił część wielkiego Purgatorium.

Kazimierz daleko, kompleta blisko – nie chcieliśmy tracić czasu zdani wyłącznie na własne sandały. Wzorem wielowiekowego zwyczaju pochowaliśmy głowy w kapturach, ręce schowaliśmy w kieszeniach i podążyliśmy brat za bratem.

Gloria in excelsis Deo! – androidy potrafią okazać wdzięczność, a uczynione dobro wraca do człowieka. Ledwie bowiem opuściliśmy alejkę ronda, błysnęły reflektory i drogę zajechał nam furgon. Z szoferki wyskoczył jeden z androidów, którzy przywozili dzisiaj onirografy i duszorannych. Ależ nas wystraszył! Kierowca otworzył tylne drzwi i zaprosił dysfunkcyjnym łamańcem:

– Trzeba wsiadać. Trzeba podrzucić. Trzeba podziękować. Trzeba android człowiekowi pomagać.

Sztuczna inteligencja, a jakiż naturalny odruch! Chciałoby się powiedzieć: człowieczy. Zawierzając Bogu nasze bezpieczeństwo, wsiedliśmy do furgonu.

Wartownik o mało nie dostał zawału. Otwierając pakę do kontroli, ujrzał najpierw rękę z białą kartą przepustki, a następnie – trzech mnichów siedzących po turecku. Dogoidalne zawarczały, choć przecież nie naruszyliśmy laserowej strefy. Żołnierz Chrystusa zaczął czytać nasz glejt. Ruchy oczu i ust zdradzały brak cierpliwości. Cyfrowa demencja to jednak plaga egipska, którą Pan zesłał na młodych. Wartownik chyba nie doczytał do końca. Machnąwszy ręką, przepuścił.

Trudno było cokolwiek zobaczyć, szyby furgonu zaklejone były ciemną folią i przesłaniały widok. Jakieś światła i cienie, pulsujące barwy, dźwięki syren, świst przelatującego śmigłowca, choć ani jednego ludzkiego głosu. Furgon niczym ryba z Jonaszami pędził przez Kraków. Nie wiedzieliśmy, co się dzieje na ulicach. Coraz mocniej zaczęło nas przechylać, auto trochę zwolniło – wjechaliśmy chyba na Kazimierz. Ucichły syreny, świateł też mniej, prawie wcale.

Android dotrzymał słowa. Wysiedliśmy na Miodowej, czarne niebo zwaliło się nam na głowy i sypnęło obficie gwiazdami. Zgarbieni, podziękowaliśmy kierowcy wstydliwie niezgrabnym znakiem krzyża – było nie było, to cybernetyczna istota.

– Dobry człowiek dla android, to i android dobry dla człowiek – pożegnał nas najwyraźniej rad ze swej uczynności i pamiętliwości.

Powinienem zweryfikować swój krytyczny stosunek do androidów. Choć zaraz pojawiła się myśl sardoniczna: a jak niedobry człowiek dla android, to co?... To android pamiętliwy w złym tego słowa znaczeniu?

Zbyt optymistycznie oceniliśmy wieczorne godziny, zdając się na niewidzialne, intuicyjne klepsydry. Posiadanie zegarków jest zakazane, stąd też kolejne spóźnienie – taka to już dystynkcja szczęśliwego mnicha, który – według hierarchów i przełożonych – nie musi liczyć czasu. Chwalić Boga, że android nas podwiózł. W przeciwnym razie dotarlibyśmy chyba na jutrznię.

Było już po komplecie. W kuchni pusto, bracia zostawili nam kolację – widzialne dzieło niewidzialnych rąk niewidzialnych klaretynek. Niech się ujawnią, niech je zobaczę, żeby podziękować za posiłek. A może one w ogóle nie istnieją, co? Kto więc pod nos nam dary Pańskie podstawia? Duch Święty?! – ogarnęło mnie rozsierdzenie.

Miałem pusty żołądek, a głowę pełną wątpiarum. W imię Chrystusa uczynię wszystko, tylko czy do takiej posługi akurat powołał mnie Pan?... Źle to wyglądało. Budowa Bożego Państwa na ziemi powinna mieć swoje granice, ale coś mi mówiło, że tylko lasery będą coraz ciaśniej oplatać miasto. Przecież ani ja, ani brat Filip, ani brat Hiacynt nie nazwaliśmy po imieniu tego, co mieliśmy robić w purgatorium. A nawet niemy odzyskałby głos!... Wątpiarum wystawiało na próbę żarliwość mojej posługi.

Pragnąłem jak najszybciej schować się w swoim pokoju. Dobitnie zakomunikowałem braciom, zwłaszcza bratu Hiacyntowi, że muszę natychmiast dać myślom i ciału wytchnienie. Nie zareagowali. Ich również gnębił frasunek, bo twarze mieli okropne. Byli zmęczeni sobą i światem. Dopiero teraz, w trupim świetle ledowej lampy, dostrzegłem to wyraźnie – łaska długowieczności czyniła z nich groteskowych starców. Kogoś, kto dawno powinien już umrzeć, a żył. Musiałem wyglądać podobnie.

Brat Wojciech nie spał – słyszałem zza drzwi, jak krząta się i szmera po kątach. Nie byłem jednak ciekaw nowin o jego pierwszym dniu pracy, o swoich też wolałem zmilczeć. Zamknąłem się w pokoju. Po ciemku doszedłem do łóżka i zastygłem zwinięty w kłębek. Los bywa ironiczny, kpi sobie z ludzkich przeświadczeń i zasad. Bałem się onirografu jak ognia, a zostałem jego operatorem. Wielokrotnie powtarzałem, że trzeba trzymać się od niego z daleka, a teraz miałem podłączać do tego urządzenia ludzi. Ta władza mnie paraliżowała. Na domiar złego – Kunstalien z grodziami i kabinami, w których pomieści się człowiek, jeszcze bez imion i nazwisk na tabliczkach... Już jutro o tej porze wszystko może nabrać zupełnie innego znaczenia – powtarzałem cicho i odciskałem na policzku ślad perłowego kamyka.

Jutro o tej porze może nie być dla mnie odwrotu.

Jutro o tej porze może nie być dla mnie ratunku.

ROZDZIAŁ XIV

Kogut Rafał nie mógł nas wygonić z pokojów. Jakbyśmy się zmówili. Wołał, owszem, donośnie, lecz bez wczorajszej werwy:

– Już nastał poranek, Boże nasz i Panie. Już nastał poranek, bracia franciszkanie. Wstawajcie, wstawajcie... – pianie zastąpiła smęcizna.

Żal było słuchać, a jeszcze bardziej – dać posłuchanie. Zniecierpliwiony gwardian zaczął biegać po piętrach, walił do drzwi, prosił i groził. Raz nawet wspomniał coś o grzechu buntu z lenistwa i zastrzegł, że nie będzie go tolerować. Lenistwo jest grzechem ciężkim, bunt to grzech śmiertelny, więc mamy natychmiast podnieść cztery litery.

Schodziliśmy się niemrawo do kuchni, jak zmory i zjawy, które noc porzuciła precz, a świt przyłapał in flagranti. Co jeden, to większy abnegat – rozczochrany, niechlujny, z worami złych snów pod oczami i wzrokiem uciekającym w podłogę. Ja rozmyślałem o chłopcu. Miałem nadzieję, że noc minęła mu spokojnie i że brat Zygmunt się nie pośpieszył.

Jutrznia była więc jutrzni parodią, nad którą lepiej spuścić zasłonę milczenia. Modlitwy stawały w gardle, głosy osłabłe, myśli stępiałe – odróżnić klauzulę od klauzury stanowiłoby nie lada wyczyn. Żałosna dezintegracja.

– Braciszkowie moi, co z wami? Jedzcie i opowiadajcie, dając świadectwo wiary. Rozwiązuję węzły milczenia, dając sposobność mówienia – oznajmił gwardian, gdy podniósłszy się z kolan, usiedliśmy przy stole.

Węzły milczenia chyba sam diabeł zawiązał na supeł, bo nikt ani słówkiem się nie odezwał. Brody w szkaplerzach, nosy w talerzach – cicho sza! I jedno wspólne pragnienie – nie złapać kontaktu wzrokowego z gwardianem. Jakbyśmy się zmówili, choć przecież o zmowie nie mogło być mowy.

– Nie dajcie się dłużej prosić... Ostatni raz to robię – w jego słowach wybrzmiała pogróżka.

Pierwszy pękł brat Sebastian, choć nie dałbym głowy, że to nie był Patryk. Odezwał się cichutko:

– ....

Nic nie usłyszeliśmy.

– A mógłby brat z łaski swojej trochę głośniej? Więcej odwagi. Bądź nam Hakawatim! – zachęcił gwardian.

Nie wiedziałem, któż zacz ten Hakawati. Święty, błogosławiony, zapomniany ojciec Kościoła? Brat Patryk szturchnął w bok brata Sebastiana, choć całkiem możliwe, że to brat Sebastian dał bratu Patrykowi kuksańca.

– A cóż tu opowiadać? – zaczął. – Antyhejterska Komisja Wiary działa bardzo sprawnie. Jest nas kilkudziesięciu mnichów. Najpierw mieliśmy odprawę z dwoma ajti-prokuratorami. Do południa przeprowadzali szkolenie. Tłumaczyli, co i jak mamy robić. Za namierzenie lajfstajl-libertarianina jezuita obiecał odpust cząstkowy, za islasusła – odpust zupełny. Po południu wyławialiśmy z sieci zakazane wyrazy i zdania. Do dyspozycji mamy programy identyfikujące i szpiegujące, sondy integracyjne, awatary psychologiczne...

– I analizatory syntaktyczne, i lingwistyczne trojany – wtrącił sprawca kuksańca ośmielony wypowiedzią bliźniaka. – Poszukujemy bluźnierstw, nihilistycznych zaklęć i słów, które do siebie nie pasują, a które mogłyby wznieść wieżę Babel. Przenikamy do exynosów, smartbooków, iphoidów, smartglassów. Przemierzamy Archannusa i Skryptoriopedię, jak również apokryficzne portale memów. Dogmatoforami niszczymy zalążki neoherezji, sprawdzamy zgodność najświeższych neuroteorii z nauką Kościoła, czyścimy fora z antypolacyjnych fraz, niejasne pozycjonujemy na krańcach sieciowych galaktyk, dając im okresowe imprimatur – wyliczał bez końca, ale i bez entuzjazmu.

– In principio erat Verbum et erat Verbum apud Deum – zauważył chłodno ojciec Karol. – O jego ziemską miarę trzeba dbać nie mniej starannie niż o zbawienie, bo w Słowie stwarza się świat i w Słowie odbija się wszelkie stworzenie – obdarzył nas pokrzepiającym w intencjach pleonazmem.

Przede wszystkim jednak braci Sebastiana i Patryka pragnął pocieszyć. Antyhejterska Komisja Wiary słynęła bowiem z podstępnych praktyk. Ileż to razy człowiekowi wydaje się, że jego smartbook działa niby poprawnie, ale jakoś wolniej, czasem sam z siebie dokonuje restartu, grzeje się nadmiernie albo zmienia strzałkę w znak zapytania. Naiwny użytkownik żyje w przeświadczeniu, że złapał jakiegoś wirusa, a tymczasem jest już po herbacie. Antyhejterscy kapłani zdążyli przetrzepać mu wszystkie katalogi i pliki, kasując niezgodne z nauczaniem hierarchów albo – w łagodniejszych interwencjach – zmieniając ich treść. Zaraz też wszystko wraca do normy, karty Skryptoriopedii otwierają się jak zwykle, Archannus odbiera i wysyła listy zgodnie z poleceniami. Ja nie daję się nabrać. Ilekroć zawiesza się mój smartbook lub też nie mogę odnaleźć jakiegoś dokumentu, wiem, że e-inkwizytorzy złożyli mi wizytę. Tak działa niewidzialna ręka Kościoła.

– Ojcze Karolu, ale my... – brat Sebastian vel Patryk wstrzymał oddech, obawiając się wyrazić myśl – ... ale my nic innego nie robimy, tylko zabijamy słowa, na ich właścicieli sprowadzamy kłopoty. Ojciec Kornel i to jeszcze obmyślił, żeby przed skasowaniem złych fraz, obcych i wrogich, kopiować je i przenosić do odrębnego, pilnowanego wieloma hasłami katalogu. Tworzymy coś w rodzaju... – aleź się męczył! – obozu koncentracyjnego języka!... Czuję się, jakbym był jego strażnikiem. Nie tego chciał święty Franciszek – wyszeptał.

Gwardian zdradzał pierwsze oznaki przygnębienia. Skrzywił się jak ktoś, kto otwierając wieko, spodziewa się beczki miodu, a na jej dnie znajduje łyżkę dziegciu.

– A co u was, kochani? Też dylematy? – nienaturalnie i szybko przeniósł rozmowę na braci Wojciecha, Roberta, Rafała.

Trzej wywołani nie mieli aż tak traumatycznych wieści, choć ich posługa też nie przyniosła im satysfakcji. Z rwanej, mało składnej relacji udało się nam zbudować w miarę logiczną opowieść: razem z kamedułami bracia montowali onirografy i reduktory pamięci w piwnicach rezydencji arcybiskupa.

– Piwnice przerobiono na fabrykę amnezji i prenatalnych początków pamięci – doprecyzował brat Rafał, gdyby ktoś miał jeszcze jakieś wątpliwości.

– Znaczy się, to nie do końca tak – nieśmiało zaprotestował brat Wojciech. – Chodzi o to, by pamiętać, co dobre dla wspólnoty Kościoła, a zapominać o indywidualnych ścieżkach. Tyle że dawno nie widziałem tak mocno wyskalowanych urządzeń. W Olsztynie skala kończy się na sześciu miarach, tutaj mamy ich piętnaście. Delfiny ze słoniami straciłyby pamięć – odwołał się do przykładu ze świata zwierząt.

I zaraz przeskoczyli na sprawę piwnicznych okienek. Drobny, ale istotny szczegół, który umknął nam w dniu rautu. Wychodziły, tuż nad ziemią, obok głównego wejścia. Ponoć roboty huk, ale że praca mechaniczna, oparta przede wszystkim na składaniu gotowych modułów, więc to i owo docierało do nich z zewnątrz. Widzieli mnóstwo biskupich trzewików, migających przez zakratowane szybki. Ich właściciele wchodzili w milczeniu do rezydencji, ale wychodząc, co poniektórzy przystawali i dzielili się między sobą rewelacjami.

– Żebyśmy tak słuch mieli stracić, nie chcieliśmy wiedzy nie dla naszych uszu. – Brat Wojciech uderzył się w piersi.

Wolałbym, żeby jednemu z drugim wcześniej odpadły te uszy. Bo nie tylko stali się depozytariuszami nowiny, że mój ukochany Olsztyn wypowiedział posłuszeństwo papieżowi, a w jego ślady poszła cała Polacja: Suwałki, Królewiec, Szczecin i Koszalin. To było nawet krzepiące, skoro dokonał się akt antysztokholmskiej schizmy. Usłyszeli również, że badanie reduktorami pamięci ma objąć wszystkich mieszkańców miasta, całkowicie odciętego już od świata. Niby profilaktycznie, ponieważ lepiej przeciwdziałać, niż leczyć. Nakaz, oprócz zwykłych, świeckich Polacjan, obejmował również duchownych średniego i niższego stanu. Kto będzie się opierał, zostanie uznany za islasusła, a następnie – ekskomunikowany. W akcie arcybiskupiej łaski wywiozą go na przejście graniczne na Łysej Polanie.

– Mnie już badali pamięć nostalgramem. Jestem na liście bezpiecznych, ale ciążą nade mną wczasy nad Balatonem. – Wzdrygnął się brat Wojciech.

– Pamięć, pamięć! A cóż to takiego jest pamięć, gdy świat gna na złamanie karku ku własnej zagładzie! – rozsierdził się gwardian. – Nie zapominajcie, co mówi święty Jan Chryzostom: „Jak ojciec czasem zabiera dziecku zabawki, by zwróciło uwagę na rzeczy ważniejsze, tak Bóg zabiera nam pewne rzeczy, by zwrócić naszą uwagę na niebo i na Niego"! – krzyknął, aż zatrzęsła się wielgachna czupryna.

Nie takiej rady oczekiwaliśmy. Choć z drugiej strony – cóż mógł poradzić? W jego rozsierdzeniu wolałem widzieć niemoc, w powoływaniu się na świętego Chryzostoma – retorykę silnego wzburzenia, które nie chce pokazać słabości. Przed nami nie musiał udawać.

– I to jeszcze jeden z biskupich trzewików powiedział – brat Rafał postanowił uspokoić gwardiana – że pojutrze, w Wielki Czwartek, dokona się konsekracja trzech księży łaską długowieczności. Pierwsza od czasu zamachów. Ale o tym wy powinniście wiedzieć więcej. – Spojrzał kolejno na mnie, brata Filipa i Hiacynta. – Ma odbyć się u was, w Purgatorium.

– To prawda? Mówcie, opowiadajcie, bracia. Może trochę radości w waszych słowach zagości – przygaszony gwardian udzielił nam głosu częstochowskim rymem.

Nic nie wiedzieliśmy o konsekracji. Brat Filip wyraził przypuszczenie, że być może zaplanowano ją w jednym z oddziałów, których wiele na terenie ogrodu.

– A wam w Kobierzynie też źle, też niedobrze? – zipnął ojciec Karol, wysyłając straceńcze spojrzenie.

Introwertycznie – co kompletnie do niego nie pasowało – zapadał się do wewnątrz własnych myśli. Ciało dawało wyraz uciążliwościom ducha, pierś mu zapadła, rozcapierzoną dłonią drapał się po czubku głowy, tak że czupryna przypominała wysoką trawę stratowaną przez konie. Nie takiej jutrzni się spodziewał, nie takiego śniadania, nie takich wieści.

W przeciwieństwie do wcześniejszych relacji postanowiliśmy pominąć szczegóły, które mogłyby sprawić gwardianowi dodatkową przykrość. Nie dobija się koni, nie dobija się również mocno przybitych mnichów. Bardzo oględnie opowiedzieliśmy o Purgatorium, cystersie Zygmuncie i przebytym kursie obsługi onirografów. Wspomnieliśmy też o akwarium oraz o piątce przyjętych duszorannych. Chłopca zachowaliśmy w tajemnicy, choć każdemu cisnęło się na usta jego imię. Aby uświadomić braciom, że znajdujemy się blisko śledztwa, wiele uwagi poświęciliśmy Dudale i Jankowskiemu jako powiązanym z ujętym islasusłem. Niestety dalecy byliśmy od euforii.

Ojciec Karol gasł w oczach. Chyba zaczął siebie obwiniać, że pozwolił, byśmy trafili do miejsc, które – zamiast wzmacniać – wystawiają na szwank naszą wiarę.

– Bracia, i ja chciałbym, żeby to wszystko wyglądało inaczej. Prosiłem ojca Kornela... ale mniejsza z tym, to teraz nieważne. – Wbił wzrok w blat stołu, pochylił się, a opadłe włosy utworzyły zasłonkę na twarzy. – Gdzie drwa rąbią, tam i wióry mogą ranić... wytrzymajcie, musicie wytrzymać. Nie muszę wam przecież tłumaczyć, że nasza teologia bywa światłem Księżyca. Ono jednak zawsze pochodzi od Słońca, a to zawsze zwycięża mroki. Niechaj Pseudo-Dionizy będzie wam przestrogą. Czasami trzeba wszystkim atrybutom boskim zaprzeczyć tylko po to, żeby zrozumieć, że wobec Boga i Jego planów człowiek pogrążony jest w głębokiej niewiedzy. A i tak jeszcze Areopagita poucza: „dla naszego przebóstwienia, proporcjonalnie do naszych sił, zasada świętych misteriów w swojej miłości do ludzi objawiła nam hierarchie niebiańskie i ustanowiła naszą hierarchię, ażeby na podobieństwo tych pierwszych i ta uczestniczyła, na miarę naszych ludzkich możliwości, w tej samej co one, świętej posłudze, która ma formę boską". Cóż to oznacza? – Zniżył się jeszcze bardziej, jakby oddawał pokłon, ręce opuścił wzdłuż tułowia. Mówił z wyraźnym wysiłkiem: – To oznacza, że winniśmy całkowite posłuszeństwo naszemu biskupowi. Weszliśmy w czas wielkiej próby, gdy trzeba zacisnąć zęby. Ileż to razy nasz charyzmat tego doświadczał!... – Zamyślił się, przywołując pewnie trudne dzieje franciszkańskiego zakonu. – Lecz i to pamiętajcie, co wam przykazałem: człowiek człowiekowi nie tylko człowiekiem. Człowiek człowiekowi aż człowiekiem. Zawsze i wszędzie. W niewiedzy wspólnej, we wspólnym posłuszeństwie. A teraz idźcie już... Idźcie do pracy. Postaram się do was zajrzeć. Oby posługa wzmacniała waszą wiarę. W imię Ojca i Syna, i Ducha Świętego! – pobłogosławił nas, wciąż nie podnosząc głowy znad stołu.

Nasz autorytet ojciec Karol, o którym myśleliśmy: człowiek stodoła, zmienił się w starą, pochyloną szopę. Opuściliśmy kuchnię. Chciałem opowiedzieć bratu Wojciechowi o Tomku Fikusie. W końcu, jak to mawiali starej daty raperzy: ziom jednego kaptura i sznura. Dzisiaj już potrafiłem to zrobić, lecz brat gdzieś zniknął. Nie było go w pokoju. Trudno, absens carens.

Zdawałem sobie sprawę, że refektarz to nie konwersatorium, a ja sam – żaden doktor Kościoła, lecz dopadło mnie wątpiarum teologicznej natury. W kontekście wymówienia posłuszeństwa papieżowi było cokolwiek czymś niezręcznym powoływanie się przez gwardiana na Areopagitę i jego wizję świata opartą na hierarchicznych, stałych strukturach. Pseudo-Dionizy pierwszy ogłosiłby anatemę całej Polacji. Wojna jest teologią negatywną – nie przeniknie jej mistyczne doświadczenie. Zamiast do Pseudo-Dionizego wolałem odwoływać się do Erazma z Rotterdamu. Obaj uznawali ludzką niewiedzę, obaj twierdzili, że wiara pochodzi z serca, nie z rozumu, lecz renesansowy myśliciel był skłonny uznać, że religia jest – par excellence – formą głupoty, a sam Chrystus – boskim Głupcem. Czyż nie do takich samych wniosków skłania nas nauka świętego Franciszka, który namawia do życia zgodnego z porywem naturalnych uczuć? On luzuje pęta scholastycznych dogmatów.

Napasłem moje wątpiarum filozoficzną strawą, czując jednak siarkowy swąd sofistyki. Świat, co oczywiste, nie zmienił się od tego. Nakaz posłuszeństwa obowiązywał, musiałem pozostać mu wierny. Kończyło się kapucyńskie mędrkowanie, zaczynał drugi dzień pracy.

W oczekiwaniu na współbraci purgatoryjnych postanowiłem przespacerować się Miodową. Przed kamienicą natknąłem się na wszystkich konwentualnych, w tym na brata Wojciecha. Tworzyli zakapturzone koło, w jego środku brat Patryk albo Sebastian żywo o czymś rozprawiał.

– Chodź, chodź, bracie Arturze. Nie chcieliśmy całkowicie udręczyć ojca Karola, dlatego tutaj, z dala od jego uszu. Niesłychane rzeczy! – Brat Hiacynt zrobił mi miejsce w kole.

– ... więc podłączyliśmy chatbota Adama, żeby nauczył się języka. Chcieliśmy zobaczyć, co z tego wyniknie – tłumaczył jeden z oddelegowanych do Antyhejterskiej Komisji Wiary, obstawiłem brata Sebastiana. – Tym samym pragnęliśmy uchwycić dominujące nastroje internautów. Nauka języka polegała na serii powtórzeń fraz i pojedynczych słów, które pojawiały się najczęściej. Chatbot miał je zapamiętywać i brać za własne.

– Do brzegu, do brzegu! Twoja opowieść jest jak Morze Czerwone – ponaglił brat Robert.

– No i uchwyciliśmy... – sapnął brat Patryk. A jednak brat Patryk. Pudło. – Forumowicze zaczęli szydzić z chatbota, wyzywać go od najgorszych, więc i on odszczekiwał się w identyczny sposób.

– Czyli co? Rzucał mięsem? – niecierpliwił się brat Robert.

– Kurwami? – zachichotał brat Wojciech.

– Bracie mój, nie godzi się! W ustach osoby zakonnej takie słowa? – zgromił go nasz orzeszek.

– Każdy ma coś za uszami – brat Filip zgasił brata Hiacynta jak świeczkę.

Czyżby wiedział coś o nocnym pukaniu? Chyba trafił w czuły punkt, ponieważ orzeszek spąsowiał.

– I więcej! Adam, identyczność imion z głową Kościoła poniewczasie wydała się nam niefortunna, powtarzał świństwa i bezeceństwa, klął na czym świat stoi, obrażał innych, ich matek nawet nie oszczędzał, porównując do psów płci żeńskiej. Sumaryczna logika kodowała to, co ilościowo najczęstsze. Królestwo statystyki. Po dwóch godzinach stał się hejterem w najczystszej postaci, a jego słownik – ściekiem. Ludzie z własnego języka stworzyli potwora – rasistę, ksenofoba, heteroseksualnego, białego samca – na obraz swój i podobieństwo.

– Lingwistyczną mendę, która najchętniej podpaliłaby cały świat – uzupełnił brat Sebastian.

– Jaki doktor Jekyll, taki pan Hyde. Dobrze, że ojciec Karol tego nie słyszy. – Brat Rafał bezwiednie zaplótł sznur w wisielczą pętlę.

– Internauci specjalnie prowokowali chatbota, by pluł jadem kalumnianym, by wszędzie widział islasusłów, odmieńców i obowiązkowo Żydów. Jak zaczął mówić o obozach koncentracyjnych, wznosić okrzyki „heil, heil!", i to pomiędzy słowami hymnu Polacji, postanowiliśmy go odłączyć.

– Oto, jakie nastroje panują w owczarni Chrystusa! Po owcach została tylko skóra, a w środku wilki – brat Sebastian nie miał złudzeń.

– Mówcie, co chcecie, ja chcę wierzyć w ludzi – nadąsał się orzeszek.

Pamiętam i nasze olsztyńskie początki z chatbotami. Pierwsze próby były klęską z tego samego powodu; albo Sodoma z Gomorą, albo holocaust. Historia magistra vitae est, tyle że à rebours. Informatycy musieli budować leksykalne firewalle, dlatego język wirtualnych uczniów stał się bardzo ograniczony. Ostatecznie program nauki został zarzucony, w sieci pozostawiono kilka okolicznościowych i precyzyjnie sformatowanych chatbotów – składały imieninowe życzenia w formule on demand, wygłaszały uroczyste mowy z okazji państwowych świąt, uczyły obcokrajowców polacyjnych powitań i grzecznościowych zwrotów. Korzystali z nich emeryci, politycy i uczestnicy Światowych Dni Polacji. Ostały się również chatboty o tematyce przyrodniczej oraz rozprawiające o historii muzyki popchrześcijańskiej.

Z przygnębiającym obrazem owczarni Pańskiej rozeszliśmy się do swoich obowiązków. Bez ojca Karola o meleksie mogliśmy tylko pomarzyć. Znów pieszo przez Kazimierz, znów gęsiego przez skwar: brat Filip, brat Hiacynt i ja. Habity tańczyły flamenco, kroksy postukiwały, sznury dyndały, próbując rozruszać wiekowe dzwony naszych brzuchów. Przeszliśmy przez most, Wisła płynęła leniwie – jej płytkie wody miały barwę grafitu.

Od strony Podgórza ku rzece wychodzili pierwsi robotnicy z androidami. Prowadził ich wielki wyburzacz z wahadłowo poruszającą się, ogromną kulą, która niszczyła resztki kamienic. Za nim jechał spychacz – roztrącał gruz, powalone drzewa, latarnie i płaty ścian, dając miejsce pod nową ziemię, kwiaty i pleksbruk. Robotnicy posuwali się niczym oddział piechoty, androidy transportowały kilka drukarek 3D. Rzecz jasna były o wiele mniejsze niż drukarka wawelska. Brygadzista albo kierownik odbudowy wymachiwał mapą, wskazując, gdzie należy instalować urządzenia.

Ekran na Wadowickiej, ten, który wczoraj krzyczał zwielokrotnionym słowem „wojna", dzisiaj wyświetlał dowody przyłączenia się innych miast do walki z islamistami. Kraków nie był już sam.

Przystanęliśmy na moment obok sporego tłumu. Ludzie komentowali sprzysiężenie północnej Polacji z południem. Przeważały opinie, że teraz nic nam niestraszne, że zrobimy islamistom krwawą łaźnię, bo nasz Bóg może i nie rychliwy, ale sprawiedliwy! Opasły jegomość w kaszkiecie i z opaską BHP-owca przekonywał zebranych, że powinniśmy odbić Słowację i Czechy! Inny, z dogoidalnym ratlerem na smyczy, jeszcze wyżej wznosił szabelkę – należy wyzwolić Europę z muzułmańskich oków, z pomocą Boga wbić krzyż na moście Elżbieta w Budapeszcie, by w zwycięskim pochodzie ruszyć ku Włochom i dawnej Stolicy Apostolskiej. Ostatni raz podobne wymachiwanie szabelkami widziałem przed wojną wyszehradzką. Mam nadzieję, że historia nie lubi się jednak powtarzać, bo wtedy chrześcijan odrzuciło aż do naszych Tatr.

O sile sprzysiężenia świadczyły bardzo konkretne liczby na ekranie. Stawiały w pierwszym rzędzie – ma się rozumieć! – moje rodzinne miasto. Łącznie prawie trzydzieści osiem tysięcy cybernetycznych patriotów pod karabinem, choć Białystok z Toruniem mogłyby ofiarować więcej. Dodatkowo na pasku przebiegały informacje o czołgach, rakietach, samolotach bezzałogowych i całej federacyjnej armii gotowej ruszyć na islamistów. Jedno tylko stało pod znakiem zapytania: czy prowadzić będziemy wyłącznie wojnę konwencjonalną, opartą na wyrzynaniu się face to face, czy też zostanie przekroczony wojenny Rubikon i czy na czerwonym przycisku znajduje się jakiś palec. Nie było też wiadomo, czy islamiści dysponują analogiczną bronią. Przeważała opinia, że nie, ponieważ – w przeciwnym razie – już dawno by jej użyli. Niektórzy wojskowi analitycy zwracali uwagę na paradoks bliskości, który wstrzymywał wojnę atomową. Jak to obrazowo ujmowali: siedzimy z oponentami na jednej gałęzi i wygrażamy sobie piłami. Zrzucenie przez chrześcijański świat bomby na Rzym, nawet na północną Afrykę, spowodowałoby, że i w najdalszych częściach Szwecji rodziłyby się dzieci z dwiema główkami, dorosłym wyrastałyby dodatkowe pary rąk i nóg, a renifery kwakałyby pyskami psów. Omnis mundi creatura znalazłaby się w genetycznej pułapce. Bliżej, w naszej Polacji, zachodziłyby dziwy jeszcze okrutniejsze, wyobraźni nie starcza i sam Blake byłby bezradny. Za wzór ludzkiego piękna i klasycznej harmonii uchodziłyby wyłącznie stworzone przez nas androidy i homoidalne istoty. Jodem byśmy się nie wykpili.

Islamiści chyba myśleli podobnie. Na razie żadna ze stron nie sięga po piłę. Poza tym „tradycyjnie" prowadzony konflikt ma zdecydowanie więcej zwolenników. Tylko wojna konwencjonalna rodzi bohaterów i męczenników. Bez bohaterów i męczenników konflikt traci sens.

Choć moja dusza, za młodu punkowa, miała wstręt do siłowych rozwiązań, byłem dumny z hojności Olsztyna. Można, jak zwykle, stawiać go za wzór.

Wyświetlane liczby robiły duże wrażenie na ludziach. Czuło się, że duch w narodzie rośnie. Nic tak nie spaja wspólnoty jak wojna – przynajmniej w pierwszych dniach po jej ogłoszeniu. I nikogo nie niepokoiła większa niż zwykle aktywność wron-dronów ani widok Żołnierzy Chrystusa, którzy patrolowali ulice, zatrzymując praktycznie każdego, kto wychylił nos z domu. A jak jeden z drugim dostał pałą przez łeb, a dostawał, to należało się. Jak jednego z drugim pakowano do auta z ciemnymi szybami, to też nie bez powodu, i nikt nie robił hałasu. Porządek musi być. Nas chronił glejt wystawiony przez gwardiana.

Na Brożka ustawiono budki z nostalgramami. Przeżywały oblężenie. Ochotnicy pozwalali, aby wścibska maszyna przetrząsnęła im najdalsze zakamarki wspomnień. Nie potrafiłem tego pojąć, tak jak nie rozumiałem ogólnego podniecenia, pomieszania euforii ze strachem, cichej satysfakcji gapiów, gdy bity pałką wołał, że jest niewinny. Niepokojąca energia wisiała w powietrzu – ludzie gotowi byli do najszlachetniejszych poświęceń, ale i czynów okrutnych. Głównym wrogiem był islasuseł. Z całych sił odpychałem od siebie pokusę moralizowania. Przecież widziałem jeszcze całkiem niedawno miasto cierpienia, zwłok i rannych. Przecież nieraz cisnęły mi się na usta słowa: oko za oko, ząb za ząb, krew niewinnych niechaj zmaże karzący i sprawiedliwy Bóg.

Przy skrzyżowaniu Babińskiego z Piltza zaczęli dołączać do nas mnisi z innych zakonów. Przeważali bonifratrzy, ale było też wielu palotynów i kamilianów – to pewnie ich widzieliśmy wczorajszego wieczoru. Szliśmy ramię w ramię niczym robotnicy do fabryki. Bonifratrzy w białych habitach, palotyni i kamilianie w czarnych, my – w brązowych i szarych. Na piersiach kamilianów widniały duże czerwone krzyże. Serce rosło od barwnego i zgodnego kroku. Przy bramie musieliśmy stanąć, zrobił się zator. Chrystusowy Żołnierz sprawdzał przepustki, które – pewnie w jego mniemaniu – napisane były z zupełnie niepotrzebnym rozmachem. Tym razem to my, franciszkanie, postanowiliśmy być primi, więc przepchnęliśmy się przed zakonników.

– Myślisz o tym samym? Herbaciany... – zapytał brat Hiacynt.

Nie zdążyłem odpowiedzieć, Chrystusowy Żołnierz skinął na mnie, mogłem przejść.

Znalazłszy się pod czaszami drzew, przyśpieszyłem. Bracia również. Prawie biegliśmy, więc na pewno trapiły nas te same myśli. Z duszą na ramieniu minąłem rondo i jako pierwszy otworzyłem wejściowe drzwi. Przy wejściu prawie zderzyłem się z uruchomionym Fabiolem. Zareagował niczym nauczyciel podczas szkolnej przerwy:

– Nie biegać, nie szaleć! Spacerować parami. – Na jego prawej protezie spostrzegłem sandał, tyle że nie do pary.

Przed dyżurką czekało sześć, siedem nowych osób. Wczesnym rankiem musiał przyjechać nowy transport. Zdawkowo skinąłem cystersowi na powitanie i od razu pognałem do konfesjonałów. Musiałem natychmiast zobaczyć chłopca. Stłumiłem nierówny, szybki oddech. Uczyniwszy znak krzyża, przywarłem do kratki.

Tomek Fikus spał w ramionach starego mężczyzny. Poczułem wielką ulgę, jeszcze nic się nie dokonało. Zaraz też dołączyli bracia Filip i Hiacynt. Przylgnęli twarzami do mojej. Jerzy Fikus poruszył się i spojrzał zdziwiony. Wyglądał na zmęczonego, chyba nie zmrużył oka przez całą noc. Powtórzę raz trzeci: jakbyśmy się zmówili, i każdy z osobna, i we trzech uznaliśmy, że z dzieckiem trzeba nam sprawę przeciągać – tak długo, jak tylko to możliwe. Uspokojeni, po cichutku wycofaliśmy się. Fabiolo już nas pouczał gadką mechanicznego belfra:

– Rejestracja w toku. Proszę czekać na swoją kolej. Dla każdego wystarczy miejsca.

Rzeczywiście androidowi przydałby się apdejt i program identyfikacji. Ominęliśmy go bez słowa, kierując się do kaplicy. W konfesjonałach Dudały i Jankowskiego panowała cisza. Zamknęliśmy dokładnie za sobą drzwi i pomni wczorajszego widoku, wyjrzeliśmy na moment przez biforium. Akwarium było już wypełnione po brzegi formalinową mirrą, agregat został odłączony. Klęknęliśmy przed ołtarzem. Ufałem, że święte miejsce, z kaskadami światła, które wlewały się przez wąskie okna i osnuwały ołtarz mistycznym blaskiem Bożej obecności, podpowie nam, co czynić. Pośród zapachu wosku i woni kadzidła, pośród głębokiej ciszy, w której tężały niezliczone modlitwy, czuło się łaskę Ducha Świętego. Gra świateł i cieni nad ołtarzem układała się w łopoczące skrzydła synogarlicy. Radziliśmy więc:

– Bracia, trzeba nam zważyć zło na obu szalach i wybierać to lżejsze – odezwałem się pierwszy.

– Nie jesteśmy – nomen omen – dziećmi. One niewinne. Co innego ślubowaliśmy – zauważył brat Hiacynt.

– Ja już wczoraj zrozumiałem, że penitencja duszorannych niewiele będzie miała wspólnego z odnową w Duchu Świętym – wyznał brat Filip.

Spojrzałem na niego potakująco. Żłobiona głębokimi zmarszczkami twarz wyglądała na jeszcze bardziej pobrużdżoną, jakby niewidzialny rzeźbiarz postanowił pogłębić surowość mnicha.

– Dłużej nie możemy udawać. Służymy wojnie. A wojna, choćby najbardziej sprawiedliwa, choćby przy pełnym błogosławieństwie arcybiskupa, każdemu ubrudzi ręce. Bóg na nas patrzy – nie miałem złudzeń.

– Musimy dzieciaka wypchnąć z grafiku zabiegów. To jedno przychodzi mi tylko na myśl – oznajmił brat Filip.

– Tak, tak, dziecko ocalić, a przynajmniej odłożyć zabieg o kilka godzin, o dzień, może i o dwa – przystał na pomysł brat Hiacynt, a i mnie wydał się on całkiem rozsądny w obecnej sytuacji.

– Pełna zgoda. Proponuję poświęcić krzykaczy, Dudałę i Jankowskiego – wyjawiłem myśl, która, jak wnioskowałem po twarzach współbraci, również im zaświtała.

– Weźmiemy brata Zygmunta pod włos. Bardzo spragniony jest pochwał – brat Filip kuł żelazo intrygi, póki gorące.

– Roma locuta, causa finita! – wykrzyknął tromtadracko brat Hiacynt, aż sam obejrzał się za siebie, czy aby kto czwarty nie słyszy.

– Lepsze to niż nic. Módlmy się za nasze dusze – ostudziłem jego zapał.

Pochyliliśmy ciała w modlitwie, by uspokoić gorączkę umysłów. Nie potrafiłem się skupić. Skoro nad krzykaczami wisiało podejrzenie o współudział w zamachach, wybór był dość oczywisty, a i sumienie dawało słabą, bo słabą, ale jednak – dyspensę. Sumienie... ileż razy będę się do niego odwoływać?... Dwie wojny nauczyły mnie wiele, a jakbym niczego się nie nauczył. Ukrzyżowany Chrystus świadkiem, że kierowały nami szlachetne pobudki. Za wszelką cenę pragnęliśmy ocalić dziecko. Łaska długowieczności każe chronić najmłodszych, co pamiętają szum wód prenatalnych. Pępowinowi Bracia Nazarejczycy, zanim Adam I uznał ich nauczanie za herezję i zlikwidował zakon w 2061 roku, twierdzili, że raj jest brzuchem ciężarnej kobiety. Niszcząc ziemską pamięć dzieci, mogliśmy też zetrzeć niewinną pamięć stworzenia. Bliskie mi było myślenie Pępowinowych Braci... Czyżbym więc popadł w grzech herezji?...

Tak czy inaczej – postanowione.

Zaczęliśmy nierówną grę z machiną cystersów. Szanse na zwycięstwo były nikłe, a ryzyko odkrycia nieposłuszeństwa – ogromne. Trudno, kto nie ryzykuje, ten nie wie, jak smakuje jabłko dobre, a jak jabłko złe. Pierwszy ruch to wykorzystać słabość brata Zygmunta i wpłynąć na to, by odpowiednio ułożył grafik. Wykorzystać, czyli odwołać się do jego mądrości, chuchać i dmuchać, by narcystyczna próżność cystersa rozchyliła płatki. To sposób sprawdzony.

Wróciliśmy do dyżurki. Usiedliśmy na kanapie i choć oczy uciekały w kierunku przybyłych ludzi, ustawianych przez Fabiola w szeregu, od słowa do słowa zaczęliśmy zasypywać cystersa komplementami. Bo purgatorium idealnie zorganizowane, bo czuć gospodarską rękę i pewnie przełożeni brata Zygmunta szykują mu w nagrodę awans – szkoda takiego menedżera na marny miejski czyściec, który jest przecież jednym z wielu. Ktoś tak wybitny powinien zarządzać czymś godnym jego talentu i intelektu – federacyjnym penitencjarium albo Centrum Ojca Polacjana w Świętej Lipce.

Brat Zygmunt reagował dość podejrzliwie, odganiał się od nas jak od natrętnych much, tłumacząc, że musi rejestrować nowych duszorannych, a i nam trzeba rozpocząć pierwsze zabiegi, zamiast „ugniatać – tak się wyraził – wazelinową macę". Z każdą jednak pochwałą dawało się poznać, że jego próżność nie tylko rozchyla płatki, ona dostaje skrzydeł – w myślach przenosi brata Zygmunta ku bardziej intratnym i prestiżowym posadom. Kto wie, może widział siebie w roli ojca Tymona? Więcej, może nawet infułę opata czuł na swoich skroniach?

– Czego chcecie?– spytał, wróciwszy z egotycznego Parnasu na ziemię. – Nie jestem stultus monachus. – Maślane oczy nabrały ostrości. Zapewnie uświadomił sobie, że za daleko poniosły go ambicje.

– Dudałę i Jankowskiego! – odpowiedzieliśmy chórem.

Ludzie przed dyżurką poruszyli się niespokojnie, szukali wśród siebie wywołanych z nazwiska. Nasz krzyk wyrażał tak mocną i zarazem tak paskudnie obłudną gorliwość, że wołanie jerozolimskiego ludu do Piłata: „Barabasza nam daj! Barabasza!", musiało brzmieć jak niewinna prośba. Brat Zygmunt zawiesił się zupełnie jak wczoraj. Mnie przebiegło przez myśl, że skoro nader często stwierdza się podobieństwo właścicieli do swoich zwierząt, to równie dobrze ludzie mogą upodabniać się do swoich androidów. Cysters długo milczał i patrzył to na mnie, to na braci Filipa i Hiacynta. Jego jabłkowa twarz nie zdradzała żadnych emocji ani pracy szarych komórek. Wreszcie odezwał się obojętnym głosem:

– Proszę bardzo. Co ma wisieć, nie utonie. Mnie wszystko jedno, na każdego przyjdzie pora. Podłączcie duszo-krzykaczy do stróżów i rozpocznijcie redukcję. Tylko nie rozwiązujcie rzemieni. W nocy mocno się ciskali – przestrzegł.

Pierwsza bitwa wygrana. Wydało mi się jednak dziwne, że zamiast przetrząsnąć pamięć podejrzanych i tym samym dojść do całej siatki islasusłów, cysters, (a poprzez niego wyższe, prokuratorskie instancje) postanowił wykasować im przeszłość. Logika i roztropność nakazywały zastosowanie łagodniejszego środka – nostalgramu, żeby potwierdzić albo wykluczyć islamski trop. Przynajmniej ja tak bym postąpił... Ale cóż, nie mnie decydować o metodach śledztwa. Przyjechałem z Olsztyna. Pod wieloma względami Kraków nosi cechy prowincjonalnej postbarbarii.

Alienis delectari malis – voluptas inhumana. Z trudem skrywając delectatio, ruszyliśmy do Dudały i Jankowskiego. Tomek Fikus przez kilka najbliższych godzin, a może nawet i dni, był bezpieczny. Musieliśmy tylko pilnować, żeby cysters sam nie zabrał się za dzieciaka.

Zaraz pożałowaliśmy naszej przebiegłości. Uwikłani w zamachy, może nawet i islasusły, ale jednak ludzie... Otworzyliśmy drzwiczki konfesjonałów i patrzyliśmy bezradnie na śpiących. Siedzieli w nienaturalnych pozycjach skrępowani rzemieniami. Głowy opadły na piersi, trzeba je było najpierw podnieść i ułożyć w grafenowych zagłówkach. Strach podpowiadał, żeby uciekać gdzie wino leżakuje albo gdzie wypiekają święte hostie. Bo było w tym coś nieprawdopodobnego, że teraz my, franciszkanie, my, osoby duchowne, dla których przykazanie miłości powinno być jedynym rozkazem serca, mamy dokonywać mordu na ludzkiej pamięci. Christe, dimitte nobis!... Jeśli odnieśliśmy zwycięstwo, jest to zwycięstwo pyrrusowe. Nikt nie miał odwagi zacząć. Czułem, że opanowuje mnie czkawka i wątpiarum.

– Budzimy czy we śnie? – wyszeptał zaskakująco rzeczowo at ilip.

Drgnęliśmy z bratem Hiacyntem, jakby nas trąd, prąd ops-kops-nął.

– Mam nadzieję, że nie wyszedłem z wprawy. Ostatni raz robiłem to przed przyjęciem święceń, na zbrodniarzach wojennych w Mediolanie. A wy, co? Święci? – zdziwił się i zaczął tłuma-ja-czyć: – Przecież tylko wyczyścimy złą przeszłość, nic więcej. Będą żyć. I jeszcze nam podziękują. No, ruszcie się – zganił-ponaglił, zbliżając się do Du-dudały.

Był taki rok. Rok-kok 2030, niestety. Przyczkawkowało się bolesne wspomnienie i stanęło mi przed oczami. Imam – mężczyzna o ciemnej karnacji, z krwawą glistą-blizną na piersi. Piękna kobieta o oczach czarnych jak węgle... On wrzeszczał, ona płakała. Za oknem burza cięła niebo błyskającymi szablami, pa-padał deszcz i zagłuszał karę pojmanych. Na mękach, w mych rękach, tracili pamięć. Byłem panem ich losu. W tamtych czasach jeszcze nie czkałem, nerwy miałem ze stali i ledwie sześćdziesiąt dwa lata. Stare dzieje, ale dość-ość o tym. Świszcz-gwiżdż pomocna do-cna amnezjo!

– To jak? Na jawie czy przez sen? – bat Filii domagał się odpowiedzi.

– Lepiej nie budzić. Na pewno coś dostali na uspokojenie – zasugerował tchórz-jaźliwie bra-cynt i nachylił się nad Jankowskim.

Strach, aaach, strach-trach, wielkie, zaiste, ma oczy. Wytrzeszczone, zajmowały pół, góra-dół, twarzy orzeszka. Niczym z obrazu nihilisty Munka! Torsje gardła sprawiały, że wciąż waliłem językiem o podnieb-podniebienie, aż odklejały się myślowe składnie, fleksje zmieniały się we fluksję. Moją twarz wykrzywiała czkawka, jej końska dawka – wolałem więc milczeć, zgryzać, połykać myśli, a tym bardzieeej sowa. Dobrze, że żaden z braci nie czytał mi z ust ani w myślach – łatwiej kamienie gołymi rękoma tłuc, niż moje jąknięcia, czknięcia, tąpnięcia zrozum-rozumieć. Zawziąłem się w sobie, w garść-arść się wziąłem. Na drewnianych kłodach, nogach stanąłem skos-bok anielskiego strażnika.

– Dobrze. Teraz dokładnie ułóżmy im głowy i zapnijmy rzemienie. Tylko żeby nie pobudzić. – Bratlip potrząsnął palcami gotów rozbrobombić duszorannego.

Wstrzymaliśmy oddechy, patrząc, jak z największą delikatnością chwyta dwoma rękoma Dud-Dudałę za szczękę i ciemię, po czym przesuwa głowę ku grafenowi. Jeszcze kilka centr, jeszczeden i głowa spoczęła na plastrach miodu. Następnie uniósł sprzączkę rzemienia, tego na wysokości szyi, i przeplótł pasek aż do trzeciej, nieco wyrobionej dziurki. Zacisnął, wystający języczek włożył w szlufkę. Szyja zapięta. Po szyi spętał ręce rzemieniami i przymocował je do poręczy. Sam napiął się tak mocno, że z jego poczerwieniałej arzy zniknęły wszystkie zmarszczki. Śpiący nie zareagował. Albo miał nieprawdopodobnie twarsen, albo nocą dostał coś mocnego na us-pokoje-pokojenie. Uuuu-dało się!

– Teraz wasza kolej. Tylko, błagam, ostrożnie – wysyczał i otarł niewidoczny pot z kołacz, oła.

Musiałem wysłać bratu Hiacyntowi tak kategoryczne spojrzenie, że nawet nie dyskutował. Ręce trzęsły się mu potwornie, a głowa Jankowskiego przekrzywiona, daleko od środka graf-en-emu. Trudna sprawa. Na szczęście z pomocą przyszedł sam krzykacz, bo raptem wzdrygnął się przez sen i zbliżył głowę do zagłówka. Wystarczyło tylko lekko przesunąć w prawo. Tylko? W parkinsonowym dygocie Hiacyntowych dłoni skupiły się całe wieki. Przybyło mi siwych włosów. Nie chciałem jednak zakłócać pracy brata Hiacynta. Wymagała chirurgicznej precyzji i delikatesów – Boże! – delikat-ności! Wreszcie głowa Jankowskiego wpasowała się w plaster. Zostały jeszcze tylko rzemienie – zegarmistrzowska robota. Pierwszy przyłożył do szyi jak opatrunek i dług-się-trud, by trafić w sprzączkę. Nie chciał wejść, sprzączka wąska, złośliwa jak to z materią bywa. Jankowski na szczęście spał. Poszło! Teraz ręce. Z pierwszą uporał się dość szybko, rzemień drugiej biesił się, wił, a szpilka sprzączki nie chciała trafić do dziurki. Utrudził się brat Hiacynt, ale zwyciężył i głęboko odetchnął. Ja też!

– Mammy go-go! – wysłałem cichy sygnał bratu Filipowi, tyle było na razie mojej, ojej, pomocy.

– Alleluja! – ten nie zauważył albo taktownie zignorował zjaczkawkę. – Najważniejsze, że śpią. Gdzieś tu powinien być „on" albo „play" – przeciągnął dłonią wzdłuż boku zagłówka. – O, jest. Znaleźliście? – spytał konspiracyjnym szeptem.

– Widzę, jest – potwierdził brat Hiacynt. – Ale włącza brat Artur! Żeby nie było! – teraz z kolei on przyparł mnie do muru bezdyskusyjnym stwierdzeniem.

– Jeszcze brakuje, żebyście się zaczęli tu kłócić. Brat Artur wciska i już. Na mój sygnał – rozkazał brat Filip.

Iuro! Przycisk czerwieniał. Diabelski sut-sutek. Będę przeklęty na wie!

– Trzy-czte-ry! – równocześnie uaktywniliśmy grafen i odskoczyliśmy od konfesjonałów. Przerzucaliśmy gorącego kartofla spojrzeń: to na dusz-krzykaczy, to na stróżów, to na ekrany reduktorów pamięci. Nie wiedziałem, co się stanie. Co człowiek to inna reakcja pamięci, inne też zachowanie stróża.

Z Dudałą i z Jankowskim nic się nie działo – spali spokojnie na krzesłach, a ja poczułem, że czkawka słabnie. Ventablackowe maski aniołów z wolna zaczęły przyjmować rysy ich twarzy. Coś niesłychanego! Cud tech, ech, nologiczny! Bo jeden Jankowski siedział, drugi stał obok, przedzielony ledwie przezroczystą ścianką. Oblicze Dudały również ulegało podwojeniu. Niesamowite! Na ekranach pojawiły się wykresy mózgu. Poza płatami kory widać było ciało migdałowate, dwa jądra ogoniaste podobne do rogów koziorożca i bananowaty hipokamp. Podczas gdy reszta mózgu miała kremowy kolor, części te pulsowały jasną czerwienią – grafen odbierał impulsy i redukował pracę ośrodków odpowiedzialnych za pamięć.

Umordowaliśmy się strasznie. Ja ostatecznie pożegnałem czkawkę – jakby ktoś wyjął mi z gardła klips. Jeśli dobrze pamiętam, czerwień powinna słabnąć, aż do całkowitego zniknięcia i zlania się z barwą mózgu. Był to dowód, że sformatowanie hipokampa i pozostałych ośrodków przebiegło pomyślnie. Duszorannym o nieskomplikowanej przeszłości wystarczał jeden dwu-, trzygodzinny zabieg. Tym, których pamięć cechowała się gęstością i wyrafinowaniem pamięciowych rozwidleń, należało kilkakrotnie powtarzać sesje. Podobno rekordziści dochodzili do piętnastu zabiegów, a i tak zdarzało się im zaskoczyć otoczenie jakimś nagłym i odległym wspomnieniem.

– Bracie Arturze, warto sprawdzić, co robi cysters. Redukcja trochę potrwa. Mógłbyś, z łaski swojej? – poprosił brat Filip.

Nie musiał prosić – sam chciałem zaproponować, że zorientuję się w sytuacji. Musiałem ochłonąć. Opuściłem miejsce spowiedzi. Małe pająćzki latały mi przed oczami. Sumienie podpowiadało...

Sumienie i jego podszepty! A cóż to takiego jest? Zląkłem się własnych myśli. Podobnie o pamięć pytał podczas śniadania ojciec Karol. Czyżbyśmy naprawdę dożyliśmy czasów, że człowiek już nie wie, co jest jego głosem wewnętrznym, a co głosem słyszanym z zewnątrz? Co pamięta, a co pozwolono mu pamiętać? Augustianie mówią prawdę: nakaz i paragraf stanowią punkty orientacyjne w wędrówce przez świat przeżarty grzechem. Bez nich wolność człowieka jest udręką chaosu. Ktoś postronny mógłby pomyśleć: oto pokorny i karny mnich, takich nam trzeba! Ja jednak wiedziałem, że moja pokora jest tylko wierzchnią łupiną wstydu.

Fabiolo przydzielał konfesjonały duszorannym, zaznajamiając ich jednocześnie z rozkładem dnia i budynku. Zakradłszy się pod dyżurkę, wyjrzałem ostrożnie zza ściany – cysters pracował na smartbooku otoczony morzem papierów. Dzwoneczek Archannusa informował o napływających wiadomościach. Długo mu zejdzie, zanim opanuje biurokratyczny żywioł. Uznałem, że lepiej, by mnie nie spostrzegł. Nie miałem sił zdawać relacji z postępów pierwszego zabiegu, a zapytałby na pewno. Jak amen w pacierzu.

Aby zyskać całkowitą pewność, zawróciłem pod konfesjonał Fikusa. Chłopiec już nie spał – siedząc na kolanach mężczyzny, bawił się ludzikiem ulepionym z razowca. Odgadłem, że Fabiolo przyniósł im śniadanie. Jerzy Fikus miał przymknięte oczy. Chłopiec zauważył moją twarz w zakratowanym okienku i zaraz zbudził mężczyznę. Uniosłem rękę – niezdarny, zwichnięty gest. Bardziej wyrażał speszenie niż powitanie.

– Niech będzie pochwalony Jezus Chrystus – głos miałem suchy, łamliwy.

Duszoranni milczeli, piegusek zerkał na mnie jak na intruza. Bolesny obraz, gdy imię Pana naszego wywołuje taką reakcję.

– Wszystko będzie dobrze, miłosierny Bóg czuwa – na tyle tylko było mnie stać.

Nie znajdowałem właściwych słów. Purgatorium, reduktory pamięci, obecność Aniołów Stróżów, a piętro wyżej – szafot pięciu onirografów, o których chyba jeszcze nie wiedzieli... To miejsce powodowało, że nie uciekłbym poza truizm kaznodziejskiej retoryki. Cóż z tego, że wywalczyliśmy dla chłopca kilka godzin zwłoki, może dzień? Żaden to powód do chwały.

Skapitulowałem i w odruchu bezradności klapnąłem na podłogę, opierając się o ścianę konfesjonału. Jezusiku w stajence betlejemskiej – raz posłuszeństwu śmierć! Podkurczyłem nogi, zarzuciłem kaptur, dłonie ukryłem w rękawach. Chociaż to, chociaż tyle: pobyć z nimi. W ciszy, w milczeniu, w komunii lęku, dzielonego jedną, wspólną kratą. Ofiarować swoją obecność. Nie oczekiwać niczego w zamian, nie wzywać imienia Boga, nie podpierać się faryzejskim miłosierdziem – tą laską ślepców, którzy w ciemnościach losu pragną wymacać sens. Jeśli się boją – bać się razem z nimi. Jeśli szukają nadziei – być pierwszym w poszukiwaniach i iść z nimi na krańce rozpaczy. Człowiek człowiekowi nie jest tylko obecnością. Człowiek człowiekowi jest aż obecnością.

– Dlaczego? – doszedł mnie szept mężczyzny.

Bałem się podnieść. Istnieją słowa, których dźwięk pustoszy niebiosa.

– Dlaczego? – powtórzył. W jego głosie nie było cienia pretensji czy złości. – Za jakie winy znaleźliśmy się tutaj? Za naruszenie jakiego porządku? – Pustoszył mi niebo. – Proszę nie dla siebie, bo cóż po hotelarzu kwiatów, który życie spędził wśród nie swoich dracen, figowców, róż chińskich, opuncji. Jestem już stary, wiele przeżyłem i nie dla takich jak ja łaska długowieczności. Chcecie wykasować moją pamięć? Trudno. Ubiegniecie jedynie śmierć, niewielki zysk.

Twarzą przywierałem do kolan, splecionymi rękoma ściskałem brzuch. Pod łokciem wyczuwałem perłowy kamyk. Człowiek człowiekowi aż obecnością! – próbowałem stłumić chorobę sierocą.

Mężczyzna kontynuował z przejmującym spokojem:

– Spodziewałem się, że po mnie przyjdziecie. Wcześniej czy później przychodzicie po wszystkich. Ale ten chłopak? Dlaczego? Czym zawinił, żeby w początkach życia robić z niego automat? Bez snów, bez marzeń, bez tych niezbędnych drgnień woli i wyobraźni, dzięki którym świat mógłby wyglądać lepiej. Jego pamięć nikomu nie zagraża, nie bluźni Bogu, jest niewinna. Mało wam Żołnierzy Chrystusa? Chcecie mieć armię młodych janczarów? Bezrefleksyjnych, posłusznych janczarów? Gotowych na wszystko, bo nawet nie będą wiedzieć, co mogą stracić. Tym młodszych, im wy bardziej długowieczni? Chcecie postawić ich na równi z androidami? Brat powinien znać słowo „janczar".

Musiał nachylić się do kratki, ponieważ ostatnie słowa usłyszałem zdecydowanie głośniej, tuż nad sobą. Choć było mi wstyd, podniosłem się i przybliżyłem swoją twarz do jego twarzy. Bo też dawno nie czułem fizycznej bliskości drugiego człowieka, wszystkie potrzeby i władze ciała zawierzając sublimacyjnym cudom modlitwy. Hotelarz kwiatów włożył palec w kratkę i zaczął nim głaskać moją skroń. Odruchowo przywarłem jeszcze mocniej. Wstrząsnął mną dreszcz... Gorący dreszcz, zniewalający dreszcz... Rozlał się po całym ciele, aż do podbrzusza i ud. Miał w sobie słodycz. Zdążyłem już dawno zapomnieć, że w ogóle istnieje. Bałem się tego dotyku, jego delikatnej siły. Ona zrywała ze mnie więzy, których dotychczas nie byłem świadomy. Jednocześnie pragnąłem, by dotyk trwał jak najdłużej, a jakaś cząstka mnie, jakiś jej cichy, spłoszony śpiew zachęcał palce do dalszej wędrówki. Od głowy, przez szyję i niżej... Od szyi, przez pierś i głębiej... Nasze policzki prawie przywarły do siebie, tak blisko, że czułem ruch jego rzęs na swojej powiece. Drżeliśmy obaj, usta mieszały się jednym oddechem, tworząc niewidzialny obłok czułości. Skóra mężczyzny pachniała lawendą. W jednej chwili zapomniałem o dziecku, o braciach i całym Bożym świecie.

– Ale teraz wstań! – wyszeptał znienacka. – Ratuj mi wnuczka.

W mgnieniu oka zrozumiałem nikczemność sytuacji – swój brud, swój grzech, swoją małość! Zerwałem się na równe nogi i zatoczywszy pijany łuk, uciekłem.

Uciekłem! Uciekłem!

Ja szmata, ja menda, ja hiena! Najnikczemniejsza istota z nikczemnych. Każdy człowiek powinien rzucić we mnie kamieniem.

Usłyszałem swoje imię. Ktoś wołał. Chyba ojciec Karol. Tutaj? Niemożliwe. Tak, to gwardian. Obiecał, że przyjdzie. Jeszcze on, w takiej chwili! Z cystersem i Fabiolem stał przy dyżurce. Musiałem rzucić im szkaradne spojrzenie, bo zastygli w wielkim osłupieniu. Do kaplicy! Natychmiast. Do kaplicy! Krzyżem przed Ukrzyżowanym paść! I błagać! Błagać o wybaczenie. Do łzy ostatniej, póki nie jest za późno. Wydrapać grzech, otworzyć ranę, grubą sól wetrzeć, aż zabarwi się krwią. Ja duszoranny jestem!

Jak worem łajna rzuciłem sobą o świątynną posadzkę. Ecce menda! Patrz Boże, podziwiaj! Domine meus, tu omnia scis!

Perłowy kamyk parzył dłonie. Wyłem w niemej rozpaczy i wszystko, co złe, każde kłamstwo i fałsz, wylewało się ze mnie bolesną żółcią. Wojna, żądza i „Wierzę w Boga". Inwigilacja, posłuszeństwo i „Baranku Boży, który gładzisz grzechy świata". Kłamstwo, nędza i „Ojcze nasz". Oszustwo, władza i „święć się imię Twoje". Małość pod pozorami raju na ziemi. Z tej gliny lepię siebie i świat, używając cynicznie najszlachetniejszych z nazw. Nie zmartwychwstaniesz, Boże, głaz pozostanie na swoim miejscu. Dopóki mój garb będzie wielkim głazem Twej śmierci, nic tylko płacz i żal, i mrok, i zatrata! Takiż to świat, innego nie mam.

Przychodzili, żeby dowiedzieć się, o co chodzi, co zaszło takiego w sali, że wzburzony wybiegłem na korytarz i skryłem się w kaplicy. Przychodzili – ojciec Karol, cysters, bracia Filip i Hiacynt. Pierwszy przestrzegał, że zbytnia srogość wobec własnych uczynków i myśli popycha człowieka w sędziowską pychę, drugi prawił o posłuszeństwie, konwentualni znacząco kiwali głowami, mając pewnie na myśli chłopca. Wszyscy chcieli mnie pocieszyć, wszyscy tacy zatroskani, przejęci, ale licho ich wie! Uparcie milczałem, narzuciwszy sobie surowy rygor kartuza. Nie pocieszenia potrzebowałem, lecz pokuty! Powinni mnie przeklnąć, wyrzucić z zakonu, wyczyścić pamięć, a nawet podłączyć do onirografu! Z trzech moich sfer dwie były godne pogardy i wymazania.

Wreszcie dali spokój. Kompletnie rozbity, odganiałem od siebie widok twarzy Jerzego Fikusa, lecz on wracał, dręczył. Gdyby nie moja grzeszność, widziałbym w nich podstępne infestazione. Choćbym głowę posypał popiołem, choćbym odnowił chrzest, nie ucieknę przed sobą.

Na wiele godzin zaszyłem się w kaplicy jak w najgłębszej norze. Bóg mi świadkiem, że nie szukałem dla siebie żadnej wymówki. Bezsilna złość ustępowała przygnębieniu, a ta wtrącała mnie w półprzytomną apatię. Półmrok kaplicy stężał, okienka przygasły barwą dojrzałej pomarańczy, zwiastując nadejście wieczoru. W świetle wpadającym przez biforium obrys krzyża stał się wyraźniejszy.

Tkwiłbym w swojej sromocie aż do skończenia świata, lecz nagle przypomniałem sobie słowa: „Ratuj mi wnuczka!". Słyszałem wyraźnie, choć trudno było wskazać źródło: „Ratuj! Na ile potrafisz, na ile starcza ci woli. Tak jak ratuje się przewróconego na piasku żuka, jak muchę, która odbija się od okna, jak psa, którego przetrącił kij hycla.

Jesteś grzesznikiem, masz prawo nie nazywać siebie człowiekiem, ale nie masz prawa odmawiać ratunku innym!".

W rozedrganym stanie galarety mogłem i Bogu, i diabłu dać posłuch. Cisza. Jeśli obłęd, to tylko chwilowy. Dźwignąłem się z posadzki. Biada kapucynom, którzy mylą mistykę ze schizofrenicznym gadulstwem duszy – uczyniłem znak krzyża i kaptur zarzuciłem aż na nos.

Purgatorium wstrząsały potępieńcze wrzaski. Dudała z Jankowskim obudzili się i jakby nie z aniołami stróżami mieli do czynienia, lecz z siepaczami. Spacerujący państwo Miaszkowscy byli zniesmaczeni. Fabiolo biegł ku nim z zatyczkami do uszu. Cysters prosił o wyrozumiałość i tłumaczył, że to poboczne uciążliwości zabiegu. Reszta duszorannych pozamykała się w konfesjonałach – pewnie umierali ze strachu.

– No, wreszcie! – powitał mnie chłodno brat Filip, starając się przekrzyczeć wrzaski.

– Przerwaliśmy redukcję! Aniołowie zaczynają stróżowanie i najważniejsze: cysters pominął dzieciaka w grafiku! Do jutra spokój! Jest Bóg na niebie! – zawołał orzeszek. Kręcił się między dwoma stróżami.

Duszoranni szarpali się okrutnie w rzemieniach, choć na ekranach wyraźnie osłabła czerwień hipokampów, ciał migdałowatych i ogoniastych. Zwłaszcza u Jankowskiego, u Dudały – ponoć agnostyka – miała mocniejszy odcień, ale i tak nieporównywalnie słabszy niż na początku. Redukcja przynosiła spodziewane efekty.

Między twarzami krzykaczy a maskami stróżów zachodziły zadziwiające interakcje. Analogia do dwudziestowiecznych konceptów formy nasuwała się sama. Interakcje przypominały opis zawarty w zapomnianym *Ferdicus Durkenansis*. Jego treść znają nieliczni – strażnicy Index Expurgatorius i zaufani znajomi strażników, do których i ja miałem szczęście się zaliczać.

Podobnie jak w tamtym heretyckim dziele doszło do zaciętej walki duszorannych z robotami. Z tą różnicą, że ci tutaj nie mogli siebie dojrzeć, oddzieleni ścianką konfesjonału. Robili to intuicyjne, wykorzystując łącze grafenu. Rywale przez moment przedrzeźniali się, próbowali wysondować siły, po czym słali odmienne grymasy, które miały przejąć kontrolę nad obliczem przeciwnika. Duch człowieczy versus duch sztuczny, sformatowany! Dudała i Jankowski, uwięzieni w rzemieniach i grafenowych zagłówkach, starali się narzucić Aniołom nie tylko swoją fizjonomię, ale i całą gamę ludzkiej desperacji – poprzecznych skrzywień, podłużnych rozwydrzeń, skurczów zasysających policzki i czoło aż do nosa. Wzmacniali je gamą niekończących się wrzasków. Ventablackowe odbicia przyjmowały kanonadę zmarszczeń, ale tylko po to, żeby zaraz zaatakować kompletnie innym rejestrem mimicznej broni – promiennymi obliczami, które właściwe są osobom spokojnym, wyciszonym i świętym. Mężczyźni byli w widocznej gołym okiem defensywie. Twarze drgały w coraz słabszych, żałośniejszych spazmach, z minuty na minutę nabierały stoickiego spokoju ventablackowych stróżów. Wrzaski przechodziły w charkot, charkot w rzężenie, rzężenie z kolei – w niemowlęce guganie. Co jeden uśmiech anielski to celniejszy, rozbrajający, rzekłbym: nokautujący w pełnym tego słowa znaczeniu. Stawało się oczywistym, że krzykacz Dudała zaczynał być wzorem łagodności, że krzykaczowi Jankowskiemu z uśmiechem było coraz bardziej – nolens volens – do twarzy. Jeszcze chwila i można by pójść o zakład, że obaj pogodę ducha wyssali z mlekiem matki.

Pełen konfuzji patrzyłem na tryumf transmisyjnego zadowolenia. Zabieg był gwałtem na ludzkiej woli, niszczył wszelkie oznaki emocji innych niż aprobata i afirmacja. Wbrew człowiekowi wypełniał go bezbrzeżnym optymizmem. Bo nawet gdyby Jankowski chciał zaszlochać, i tak musiał szczerzyć zęby. Gdyby Dudała wpadł w złość, to twarz i tak mu kraśniała, bo tak właśnie działa redukcyjne odpuszczenie grzechów!

– Czyż nie piękny jest świat wokół nas? – zagadnął nas Dudała nadspodziewanie wesoło, jak na pierwszy dopiero zabieg.

Ruch warg ventablackowej maski oddawał jego słowa.

– Chwalmy w nim Stworzyciela – zachęcał Jankowski, a stojący poza konfesjonałem stróż poruszał ustami razem z nim.

– I obrońców Polacji – uzupełnił rozpromieniony Dudanioł.

Onirograf, jeśli tylko brat Zygmunt uzna jego użycie za konieczne, dopełni dzieła resocjalizacji. Duszoranni staną się pełnoprawnymi obywatelami, wrócą do społeczeństwa, wielbiąc ład i porządek. Na razie jednak nie rozwiązaliśmy rzemieni. Brat Wojciech poluzował jedynie ich zacisk o dwie dziurki.

Zrobiło się późno, mleczne okna barwiły się zachodzącym słońcem. Automatyczny, sufitowy solar wypełnił purgatorium mdłym światłem, włączyły się kinkiety. Czas był najwyższy wrócić na Miodową. Zostawiliśmy nowo narodzonych entuzjastów świata i zaczęliśmy szukać brata Zygmunta, aby pozwolił nam wrócić do klasztoru. Nie zastaliśmy go w dyżurce. Morze papierów zmieniło się jednak w stosik kart, ułożonych starannie na zamkniętej klapie smartbooka.

Sprawdzając kolejno konfesjonały, widzieliśmy duszorannych podłączonych do aniołów. Kobiety, mężczyźni, starzy i młodzi, na pozór zwyczajni ludzie, bez śladów islasuslstwa. Nie mieli walizek, bagaży, podręcznych parafernaliów – tych wszystkich saszetek, chusteczek, exynosów, zegarków i krzyżówkowych smartglassów. Duszorannych opasywały dokładnie rzemienie, siedzieli niczym mumie gotowe do konserwacji. Większość była już pogrążona we śnie. Jedna kobieta trzymała łańcuszek z medalikiem, jej anioł odmawiał cicho *Ojcze nasz*, a ona powtarzała modlitwę. Panował spokój. Wnioskowaliśmy po tym, że cysters musi mieć wielką wprawę w przeprowadzaniu zabiegów. My przez cały dzień zdołaliśmy uporać się tylko z Dudałą i Jankowskim, i to we trzech, poza tym nie do końca. Choć z drugiej strony redukcji nie można przyspieszyć. Grzeszny człowiek jest jak krzak porzeczki. Jeden obrodzi wieloma owocami i wiadra nie starczy, z innego zbierze się pół kubeczka.

Brata Zygmunta zastaliśmy w ostatnim konfesjonale. Kończył akurat parować anioła stróża z młodym mężczyzną – błogi wyraz ich twarzy zwiastował nadejście spokojnego snu.

– Ja jeszcze się trochę pokręcę, ale wy idźcie, tak, tak. Idźcie z Bogiem, do jutra – pożegnał nas cysters.

Wdzięczność transportowych androidów okazała się jednorazowa. Musieliśmy wracać pieszo. Miało to jeden plus: mogliśmy zorientować się w sytuacji, bo też o wojnie prawie zapomnieliśmy zamknięci w murach purgatorium.

Kraków sprawiał wrażenie miasta widma, w którym łatwiej spotkać ducha niż żywego człowieka. Nikogo na ulicach, nawet patroli Żołnierzy Chrystusa. W oknach ciemno, mimo że dopiero zbliżał się czas komplety. Czyżby zaczęła obowiązywać godzina policyjna? Ekrany wyświetlały zdjęcia z manewrów wojsk federacyjnych – żołnierze i androidy dostarczone przez miasta Polacji ramię w ramię, karabin w karabin ćwiczyli na poligonie niedaleko Płaszowa. Jakiś ekspert zapowiadał rychły atak na Daesz, podkreślał walory wojny konwencjonalnej, prognozował nawet odbicie Pragi. Pozostawiony sam sobie hologram proroka wołał o pomstę do nieba, a jakby wołał na puszczy, bo za słuchaczy miał jedynie zaparkowane nieopodal meleksy. Gregoriański chorał niósł się od strony Starego Miasta, otulał domy i place, potęgując wszechobecną smętnicę.

Trochę straszno tak wędrować, bez szans, że zza zakrętu wybiegnie chociażby pies z kulawą nogą. Słońce całkowicie zagasło, zniknęły cienie naszych sylwetek. Ich miejsce zajęły nowe – od świateł ekranów i lamp. Gdyby potrafiły mówić, na pewno byśmy usłyszeli: nie idźcie dalej, nie idźcie! Nerwowo zabiegały nam drogę albo struchlałe chowały się za plecami. Skutek był taki, że zacząłem bać się własnego cienia. Co rusz sprawdzałem, czy nikt nie skrada się za nami, czy kto nie wyskoczy zza parkowej ławki, na której wczorajszym rankiem młoda para ćwiczyła miłosne zapasy. W witrynie mijanego realmarketu zauważyłem rozbitą szybę, z wnętrza dochodził hałas, błyskały latarki. Przyspieszyliśmy. Trzymałem się blisko brata Hiacynta, brat Hiacynt trzymał się blisko brata Filipa, brat Filip trzymał się blisko nas. Fałdy habitów falowały w odpływach dnia i przypływach nocy.

Już blisko. Wisła, most na Wiśle, za mostem – Kazimierz. Ciemna rzeka odbijała światła latarni. Były podobne do rąk i głów topielców wynurzających się na moment z wody... Wykończą mnie te powroty. Urwał się nowo położony pleksbruk, pod którym zasadzono niezapominajki, szliśmy po twardych nierównościach ziemi. Z Krakowskiej skręciliśmy na plac Wolnica i dalej, do ulicy Bożego Ciała. Minęliśmy dwie budowlane drukarki, które zdołały odtworzyć kamienice do trzeciego piętra. Kilka wyłączonych androidów kucało przy artefaktowych drzwiach, zagubiona wrona-dron przeleciała nisko nad nimi. Od klasztoru dzieliło nas kilka kroków, gdy wtem, z boku, w jakieś ciemnej, bocznej rozpadlinie, gdzie poza księżycową poświatą nie dochodziło światło latarni, usłyszeliśmy szamotaninę i stłumiony kobiecy krzyk. Przystanęliśmy. Działo się coś złego. Coś potwornego. Spojrzeliśmy po sobie, szukając potwierdzenia, czy aby na pewno chcemy zrobić to, o czym na razie tylko myślimy, że powinniśmy zrobić. Trzech nas starców, ona jedna... a poza nią – ilu sprawców krzyku, ilu złoczyńców? Nie wiadomo. Kocham mych braci konwentualnych, w takich chwilach w ogień za nimi bym wskoczył, bo bez dalszych kalkulacji wkroczyliśmy w rozpadlinę.

Żołnierz... nie, nie żołnierz! – żołdak Chrystusowy stał, plecami do nasss. W lewej ręce trzymał płaszcz, w prawej – exynosa. Oświetlał nim dwóch innych żołdaków i wijące się ciało w porw-anej sukience. Jeden pochylał się nad kobietą i przytrzymywał jej ręce-męce. Drugi Zbawgwał-ciciel rozpychał kobiece uda swoim ciałem. Spodnie miał opuszczone do kolan, mięśnie pośladków tłoczyły wezbraną żądzę. Kobieta szarpała się, próbowała gryźć, wydając z siebie charkot pomieszany z płaczem.

– Zamknij się, kurwo! Zaraz ci wyrwę ten język! – dyszał nachylony żołdak.

Błysk światła omiótł jej twarz. Wielkie, przerażone oczy dławiły się kością nieba. Ofiara przestała się ruszać. Silne ruchy bioder zadawały kolejne, gwałtowne pchnięcia-cięcia. Kobieca głowa podskakiwała, jakby była głową szmacianej lal-lalki, nogi – dwa płaty, dwa kęsy białego mięsa-ęsa – ze strzępem rajstop zwisały nad szarym płatem ściany.

Nog. Noga nienaturalnie skręcona, zmiażdżone udo, krew, krew. Zgnieciona pierś. A wyżej głowa-pacynka i odrzucone w bok wło--włosy, nad nimi – skrępowane w nadgarstkach ręce. Kobieta rozebrana na części, kawałki, fragmenty. Jak świnia podczas uboju!

Myślałem, że już sama nasza obecność, osób duch-ownych, wypłoszy gwałcicieli. Byłem w grubym błędzie. Usłyszał nas wszy, żołdak z exynosem odwrócił się i zarechotał:

– Zobaczcie, bracia, jaka kurwa islasusłowa! Ani nazwiska, ani imienia nie chciała podać. Kręciła się po nocy i robiła zdjęcia. Uczymy ją porządku. Szybko się, kurwa, uczy. Któryś z braciszków chce dołączyć? – Wywinął płaszczem jak czarodziej i wyjął z niego telefon.

Poznałem go... Poznałem Ter... Teresę.

– Robiła zdjęcia, same martwe ptaki, wariatka. A teraz je wszystkie zeżre. Chodźcie, braciszkowie, no, chodźcie. – Żołdak, machnąwszy na nas ręką, dołączył do dwóch pozostałych.

Chwilę przyglądał się, jak gwałciciel wtrąca kobietę w stan posuwistej, drgawkowej pada, padaczki, po czym chwycił jej twarz. Rozwarł usta ofiary i z całych sił wepchnął telef, aż trzasnęło gardło.

– Żryj śmierć. Masz ptaszki. Niech w tobie uwiją gniazdo! – był rozbaw.

Doszedł nas zduszony jęk-dźwięk. Nigdy nie słyszałem, żeby tak rozwarstwiał się ból.

Teres, esa... Ciepłe jeszcze, jeszcze pulsujące mięso. Aż tyle i nic więcej.

Oblał mnie zimny pot, poczułem igiełki, szpilki, pinezki – czkawka wbijała je w podniebienie i pod paz. Nokcie. Dwóch pozostałych nie przestaw-ało... „uczyć porządku", nauczyciel był chyba blisko końca nauki, bo dyszał corazośniej, a łuk pleców naprężał się mocno, uwypuklając pod napiętym mundurem koraliki kręgosłupa. Mundurem, co panny sznurem. Sznurem i hurtem! Kobiecy jęk powoli cichł. Zacisnął się sznur, ciało zwiotczało w ochłap, nogi dostały drr, gawek. Z krwawiących ust wystawał telefon.

A my, coo? Mieliśmy tak stać i zmiłowania wyglądać?

Wiele nam-am można zarzucić w purgatoryjnej posłudze, ale... Tak być nie może! To się nie godzi! Nie godzi i już! Postanowiłem zgryźć-zniszcz w sobie kap-kapucyna, zapomnieć o tym, że jestem osobą duchowną. Wygiąłem się w wielki wytrzeszcz-wykrzycz-wykrzyknik!

Braci chyba też owładnął jeż, bo kompletnie nie mierząc sił na zamiary, runęliśmy na oprawców. Brat Hiacynt zdarł paznokciami skórę z twarzy stojącego najbliżej żołdaka. Ten zawył potępieńczo. Brat Filip doskoczył do odsłoniętego anusa gwałciciela i dźgnął w otwór mocno, aż cała pięść weszła! Nie przesadzam, prawie do łokcia – rozdziewiczony prawie że zemdlał, osuwając się na bok Teresy. Jego fallus tym bardziej stanął dęba. Lecz był to wzwód skurczu i bólu – jak mogłem przypuszczać. Twarz brata Filipa wyrażała wielką determinację: pierwej wielbłąd przeciśnie się przez ucho igielne do Królestwa Niebieskiego, niż on wyjmie swą rękę z układu wydalniczego żołdaka. Ja wskoczyłem trzeciemu na plecy, zakręciłem sznur wokół jego szyi i dla większej pewności żarłocznie zanurzyłem zęby w odsłoniętym uchu. Jezus odpuści, Jezus sam by się wkurwił! Okaleczony żołdak dostał szału. Wytrzymały skurwiel – jęknąłem w myślach. Lekko nie będzie, na Miodową chyba dowiozą mnie w plastikowym habicie. Zacisnąłem mocniej pętlę, czując, że zgniatam żołdackie jabłko Adama. Potoczyliśmy się kilka metrów do tyłu.

– Uciekaj! Na miłość boską, uciekaj! – krzyknąłem do Teresy.

To był mój drugi błąd, niestety – ostatni. Zdążyłem jeszcze dostrzec ten charakterystyczny ruch. Kobieca postać osuwa się, wykrztusza z siebie telefon, charczy. Rękoma przesłania obnażoną pierś, ale rąk mało, bo trzeba przesłonić łono, brzuch i wszystko, wszystko – całą siebie. Są tylko dwie ręce. Ile rąk powinna mieć kobieta, żeby zetrzeć z siebie poniżenie i spermę?

Podarte rajstopy, podarta sukienka, podarte ciało.

Teresa zabiera telefon, słania się, zaczyna biec. Znika za metalizującym ramieniem drukarki, w którym odbija się księżyc. W tej samej chwili spóźniam się z unikiem, dyszel Wielkiego Wozu zahacza o moją szczękę. Odzywa się dzwon Zygmunta.

Świat wskakuje na karuzelę, wirują kolorowe lampiony, dzwon bije, aż pękają bębenki. Skąd tutaj karuzela? Skąd nagle ślepy kataryniarz? Kazimierz kręci się i kręci, i kręci, napędzany siłą katarynkowej korbki... W ułamku sekundy pojmuję, że pod postacią ślepca skrywa się sam Pan Bóg! To On tym wszystkim kręci, zmieniając Kazimierz i miasto całe, i całą Polację w wesołe miasteczko. To On wprawia świat w wirowanie, nadaje tempo karuzeli, niebu i gwiazdom. Walka przenosi się do gabinetu luster. Widzę braci i oprawców zdeformowanych, owalno-kanciastych, brzuchatych i deszczułkowatych. Biały zad gwałciciela przypomina złoty puzon, w jego środku wciąż tkwi ręka brata Filipa. Drugiemu brat Hiacynt nadal orze twarz, odsłaniając tłuste i krwawe skiby skóry. Ja słaniam się na patykowatych nóżkach, lecz szczękę mam ogromną niczym licheńskie organy. Żołdak ćwiczy na nich pasaże.

Nagle miłosierny kataryniarz przerywa grę, gaśnie wesołe miasteczko. Ciemność nastaje jak przed stworzeniem świata.

ROZDZIAŁ XV

Czwartego dnia Wielkiego Tygodnia, gdy we wszystkich kościołach odczytywane jest proroctwo Izajasza o słudze cierpiącym, zbudził mnie ołowiany ból szczęki. Światło za oknem miało barwę brudnego bandaża. Leżałem w swoim łóżku, miałem zdjęte kroksy i rozwiązany sznur. Na stoliku stała szklanka z zaparzonym rumiankiem, obok – hydrokoloidowy niwelator. Szklanka była do połowy... pełna, zaś niwelator – w całości nasączony ropą i krwią.

Jak trafiłem do pokoju? Co z braćmi Filipem i Hiacyntem? – próbowałem odtworzyć ostatnie chwile, zanim zgasło wesołe miasteczko. Niwelator, ciemnobrązowe, wręcz czarne lamówki pod paznokciami, plamy krwi na szkaplerzu – wszystko to dowodziło straszliwej, nierównej walki. Na dodatek prawe oko nie chciało się otworzyć – palcami wymacałem balonik. Domine Deus, Rex caelestis! Najważniejsze jednak, że daliśmy świadectwo.

Ból to narastał, to słabł, jakby niedawny dzwon nie wytracił rozkołysania. Od szczęki, przez skroń, po kość ciemieniową i z powrotem. Szczę-kość, szczę-skroń! – pulsował i dzwonił. Tknięty znachorskim impulsem przyłożyłem perłową łzę do powieki. Już raz kamyk niewidzialne uczynił widzialnym, ukazując moje dziecko na księżycowej huśtawce. Pragnąłem złagodzić opuchliznę, by choć trochę przejrzeć na oko. Gdyby mnie teraz zobaczyła córeczka... No, właśnie. Córeczka, rowerowanie, leśna kapliczka – kiedy to było? Może wymarzyłem sobie tamtą wycieczkę, a tak naprawdę nigdy nie opuściłem zamkniętego miasta?

Apage wątpiarum! Apage jego macki! Musi istnieć lepszy, piękniejszy świat, tak jak istnieje moja Małgosia. Inaczej po co żyć?

Do przytomności przywracały mnie słowa proroka Izajasza: „Podałem grzbiet mój bijącym i policzki moje rwącym mi brodę. Nie zasłoniłem mojej twarzy przed zniewagami i opluciem. Pan Bóg mnie wspomaga, dlatego jestem nieczuły na obelgi, dlatego uczyniłem twarz moją jak głaz i wiem, że wstydu nie doznam. Oto Pan Bóg mnie wspomaga. Któż mnie potępi? Wszyscy razem pójdą w strzępy jak odzież, mól ich zgryzie".

Kamienicę wypełniło pianie klasztornego koguta:

– Już nastał poranek, Boże nasz i Panie! Już nastał poranek, bracia franciszkanie!

W drzwiach pojawił się brat Wojciech. Poczciwe zajączysko. Minę miał jednak nietęgą.

– Wszelki duch Pana Boga chwali i o zdrowie pyta. Dasz radę wstać? Może dzisiaj odpocznij? – zaproponował nieśmiało.

Dzwon przycichł, więc posłałem mu krzywy uśmiech.

– Nie ma się z czego cieszyć! – prychnął. – Dobrze, że wyszedłem na balkon. Inaczej zatłukliby was na śmierć. Ledwo uprosiliśmy. Bracie Arturze, przychodzi taki czas, gdy odwagę musi zastąpić roztropność.

Chciałem coś powiedzieć, ale zrezygnowałem. Dałem świadectwo, więc któż mnie potępi? On? Bracia konwentualni? Arcybiskup ze swoimi prokuratorami? Żarty! Wszyscy pójdą w strzępy jak odzież, mól ich zgryzie...

– Będziesz milczał? – nie wiedziałem, czy pyta, czy wyraża zdziwienie. – Opowiadaj, co zaszło, żeście się wdali w bójkę z Chrystusowymi jak byle żule? Kim była ta niewiasta? Z gołymi rękami na takich byków? – Naraz stał się podekscytowany, ledwo łapał powietrze, więc mogłem zmilczeć, że chodzi o tę samą kobietę, którą widział podczas ekshumacji wawelskich.

– Ależ zrobiła się afera. Niedługo po tym jak przenieśliśmy was nieprzytomnych do kamienicy, przyjechało dwóch księży od arcybiskupa – mówił dotknięty klątwą słowotoku. – Żądali wyjaśnień. Żołnierze z kolei domagali się, żeby was wydać, wnieśli oficjalny protest. Nie wiedzieć skąd i dlaczego, przypałętało się kilku BHP-owców, którzy nastawali, żeby od razu prowadzić was do prokuratora. Wszyscy bracia stanęli okoniem. Rozumiesz, nie damy, a jeśli już coś chcecie, to wszystkich nas zabierajcie. Gwardian, chwalcie Niebiosa jego dyplomatyczne talenta!, negocjował ponad godzinę. Cudem załagodził sprawę. Poszli sobie.

Zakonnik usiadł na brzegu łóżka i pochyliwszy się, zaczął słać mi do ucha szepty:

– Mówią, że pomogliście zbiec islasusłowi. Ja w to oczywiście nie wierzę, ale musisz uważać. Mają cię na oku. Najpierw zniknąłeś gdzieś na całą noc, później choroba, o której wielu mówiło, że była próbą ucieczki, a teraz jeszcze ta bójka i zarzut współpracy z islasusłami. Bracia już szepczą, już gadają, a sam wiesz, co może wyniknąć z gadania. Polecę cię Najświętszej Panience w moich modlitwach. – Wyprostował się. Górna warga przykryła dolną na znak frasunku. Zaprawdę, zając nad zającami – primus inter pares!

Mało mnie obeszła ta rewelacja, w której prawda walczyła z kłamstwem o palmę pierwszeństwa. A niech gadają, nie mam nic do ukrycia. Kapucyn był rozczarowany moją reakcją, a raczej jej brakiem. Sięgnął po niwelator, lecz widząc, że odwracam twarz, odstawił go i podał mi rumianek.

– Słyszałem wczoraj rozmowę biskupich trzewiczków – głos brata Wojciecha brzmiał zwyczajnie, już bez szeptulstwa. – Ponoć na polecenie arcybiskupa kameduli przygotowują bezprecedensową projekcję, która ma objąć całe miasto. Hierarchowie coś szykują, a przecież dzień Męki Pańskiej bliski. Masz, połknij, powinna pomóc. – W jego otwartej dłoni leżał zielony bobek pigułki.

I ta wieść spłynęła po mnie jak po kaczce. Wszak żyjemy w świecie projektowanym. Projekcja jest alfą i omegą nowoczesności. Już miałem coś odpowiedzieć, lecz znów skusiło mnie złoto milczenia. I pigułka. Połknąwszy ją, piłem wywar małymi łykami. A im dłużej nie odzywałem się, tym trudniej było zagonić język do pracy. Bo o czym tu gadać? O gwałcie zadanym kobiecie fotografującej martwe ptaki? To nie do opowiedzenia. I pomyśleć, że niespełna miesiąc temu beztrosko służyliśmy zmanierowanym grzesznikom konsumpcyjnym... Posługa spokojna, z dala od wojny, zbawienie gwarantowane. Teraz kolejne dni wystawiały nas na coraz cięższe próby.

– Na twoim miejscu nie pokazywałbym się dzisiaj ludziom. Poleż, odpocznij, przeczekaj – poradził brat Wojciech. Widząc, że wciąż nie mam ochoty na rozmowę, włożył mi do ręki różaniec i opuścił pokój.

Tylko tego brakowało, żebym ukrył się jak mysz w dziurze! Co z Teresą? Czy jest bezpieczna? Zarzut islasuslstwa był niczym list gończy i wyrok. Co z Tomkiem Fikusem i Kobierzynem? Chociaż mam niewielki wpływ na bieg wypadków, czuję, że muszę działać. Pozostanie w łóżku oznaczałoby dezercję.

Mantrycznie prześlizgując palce po paciorkach różańca, dałem porwać się słowom „Veni Creator Spiritus". O, Stworzycielu Duchu, przyjdź, nawiedź dusz wiernych Tobie krąg. Niebieską łaskę zesłać racz, sercom, co dziełem są Twych rąk... – śpiewałem bezgłośnie, by nie poruszyć dzwonu w głowie. Światłem rozjaśnij naszą myśl, w serce nam miłość świętą wlej... Po ciszy panującej w mieszkaniu wnioskowałem, że brat Wojciech zszedł do refektarza. I wątłą słabość naszych ciał, pokrzep stałością mocy swej... Wsparłem się na łokciach, lecz ciało i wola stanowiły dwa odrębne, nieskomunikowane ze sobą światy. Głowa wciąż bolała, podobnie jak obite mięśnie i dziąsła, w których – na szczęście – ciągle trzymały się zęby. Prawdę mówił mój zając: bili, żeby zatłuc.

Niczym vermis, co pragnie widzieć w sobie lekkość motyla, spełzłem z łóżka, by na czworakach rozpocząć nędzną eneidę przez pokój. Tyle o sobie wiemy, na ile nas sprawdzono – starałem podnieść się, przynajmniej na duchu, słowami Hioba. Minąłem smukłe pęciny stolika, żłobioną wieżę lampy, przyozdobioną abażurowym kapeluszem, kufer z wystającą stópką skarpety, kwadrofoniczny głośnik, doniczkę ideonelli z przeżartą w połowie tafelką po jakichś tabletkach, a nawet pająka. Wypuszczał nitkę na zawieszonej na ścianie plazmie.

Ekwilibrystycznym chwytem nacisnąłem klamkę i ruszyłem do łazienki. O, losie mój! Czyż niedostatecznie jasno poucza Księga Kapłańska? „Cokolwiek pełza na brzuchu, cokolwiek chodzi na czterech nogach i cokolwiek ma wiele nóg spośród małych zwierząt pełzających po ziemi to jest obrzydliwość!".

Co też brat Wojciech mi zadał? Pigułka musiała być bardzo silna, ergo halucynogenna, bo przysiągłbym, że ustawione przy wyjściu buty należą do stonogi. Przycupnęła pod wieszakiem i dla większej wygody zawiesiła na nim skrzydła. Wielka stonoga, gruba stonoga, mara przeciwbólowa.

– Co się tak wleczesz jak ślimak? – stonoga gadająca na dodatek.

Obserwowała moje niezdarne ruchy z pogardą zwierzęcia, które dziwi się Bogu, że takie coś jak ja teraz uczynił koroną stworzenia.

Pigułka, pigułka. Mała zielona pigułka. Nie wiem, czego wstydziłem się bardziej: nonsensu całej sytuacji czy jej jednego, dotkliwie szyderczego przejawu: butów robala? Moją uwagę przykuły pogardliwie wzniesione noski – lakierowane, podniszczone i przybrudzone kurzem. Nie potrafiłem oderwać od nich wzroku. Wiedziałem natomiast, że z pigułkowymi zwidami nie wolno dyskutować, trzeba wysłuchać, co mają do powiedzenia, aż się rozproszą i znikną.

– Czego chcesz, buty jak buty, pół świata schodziłam. A ty ledwie się czołgasz, a chcesz nadążać za biegiem wypadków? Chcesz wojnie świadkować? To idiotyczne – pastwiła się stonoga i aby mnie całkowicie pognębić, założyła nogę na nogę. Trzydziestą na trzydziestą pierwszą albo czterdziestą na czterdziestą pierwszą. Tak oto ludzki dramat przegrywa z psychotropową kpiną.

Zebrawszy wszystkie siły, dźwignąłem się z kolan. Przeszył mnie ból. Był grubą nicią, która fastrygowała kości. Omam znikł. Z wieszaka zwisały płaszcze, pod nimi – buty zwyczajnie, w parach i nie do pary.

Łazienkowe lustro odbiło szkaradę godną pióra Miltona. Rozdętą, z rybim pęcherzem w oczodole, z twarzą w palecie barw od zgniłej żółci do fioletu. Wyglądałem okropliwie. A pod prysznicem równie niemiła odmiana. Ktoś zainstalował ogranicznik, więc ledwie strugi wody zaczęły przynosić ukojenie, ledwie obmyłem rany i pierś emanującą długowieczną czerwienią, deszcz ustał. Na próżno ponawiałem komendy o więcej. Niepocieszony włożyłem habit. Szkaplerz przeprałem kilkoma kroplami wody z kranu.

Gdybym miał moc unieśmiertelniania wielkich ludzi, wzniósłbym pomnik ze spiżu i wiersza wynalazcy poręczy. Ta bowiem bezpiecznie sprowadziła mnie schodami na dół. Przeszła jutrznia i jutrznią przewidziane oficja, skończyło się śniadanie, trwało zakonne colloquium. Zostałem powitany brawami, po czym wniosłem, że bracia widzieli we mnie Łazarza. Nie tylko we mnie – przy stole siedziało dwóch innych wskrzeszonych z martwych: bracia Filip i Hiacynt.

– Wystarczy już tych owacji i entuzjastycznych deklaracji. Bóg mnie pokarał służbą gwardiana. Przed arcybiskupem będę się musiał za was spowiadać! – ojciec Karol zgasił aplauz. – Widzę, że brat Artur też uparty. Nie lepiej to wykurować się, niż swoją fizys straszyć, jak jaki Bazylich? Cóż po franciszkaninie w tak marnym stanie? Niech zgadnę: brat też zaprzecza, że broniąc niewieściej czci, dał uciec islasusłowi w kobiecej postaci?

Przytaknąłem i bez słowa zająłem miejsce. W pytaniach czcigodnego gwardiana tkwiła jawna kąśliwość.

– Tak myślałem, a jakże! Ale bracia, błagam was, uważajcie – zabasował, szczypiąc kępę włosów za uchem – bo wezmą nas za heretyków, obwołają sektą i wyklną. Pamiętacie, jaki los spotkał joannitów od pacyfizmu i Pępowinowych Nazarejczyków? A Golgotowych Eutanazyjczyków i jakże bliskich nam Ekopanteistów w Duchu Świętym? Znam ojca Kornela jeszcze z czasów kryzysu greckiego, to może jednak nie pomóc. Księża tylko czekają, żeby ukrócić autonomię charyzmatów. Jesteśmy im solą w oku.

Bolesną strunę trącił gwardian. Od III wieku, z chwilą gdy święty Antoni i grupa jego naśladowców założyli pierwszą zakonną wspólnotę w egipskim Pispir, trwa cichy bój o kształt Kościoła między kapłanami regularnymi a ordo monachorum. Wymienioną przez ojca Karola wspólnotę, jeszcze do niedawna cieszącą się życzliwością arcybiskupa i wielkim poparciem ludu, starło szyderstwo kleru, po nim – papieska infamia. Wyrwano wiele serc, odbierając światłym i mądrym zakonnikom łaskę długowieczności. Pragnęli odnowić Kościół i Kościół ich pogrążył. Jak wyjaśniał episkopat, likwidacja „zbyt pysznego w swej gorliwości" zakonu miała na celu obronę jedności owczarni Pańskiej, by trwała przez kolejne tysiące lat, zachowując właściwą wykładnię Ewangelii.

Przyjąwszy srogie napomnienie, zaczęliśmy zdawać relacje z wczorajszej posługi. Bracia zdawali. Ja nabrałem wody w usta, topiąc w niej każde słowo, które zechciałoby wypłynąć z gardła. Usprawiedliwiał mnie nocny obraz Teresy i przestroga świętego Ludwiga: o czym nie sposób mówić, o tym trzeba milczeć.

Dzieło budowy miasta Bożego in temporis belli postępowało. Antyhejterska Komisja Wiary pracowała na pełnych obrotach. Wiele słów zostało „zaaresztowanych" i wywleczonych z sieci. Brat Sebastian vel Patryk wyliczał je prawie przez kwadrans, a my zgadywaliśmy, czym, a raczej jakim znaczeniem albo jakim kontekstem mogły się narazić. Do obozu koncentracyjnego języka trafiły między innymi: „inność", „osobność" i „obcość", „podmiotowość" i „księżyc", „jednostka" i „agnostycyzm", „ateizm", „in vitro", „macica", „niepewność", ale też: „pasikonik", „paznokieć" i „paź królowej"! Jeśli te pierwsze mogły mieć – bo i miały! – wywrotowy potencjał, to czym naraził się

„pasikonik”? Czym słowo opisujące motyla, a czym signifiant tafelki osłaniającej palec? Brat Sebastian albo Patryk nie potrafił wytłumaczyć. Przychodziło mi do głowy jedynie to, że identycznie jak „Polacja” zaczynały się na „p”. A copyright na „p” może mieć wyłącznie nasza ojczyzna. Moją teorię potwierdzał fakt, że od wczoraj nie wolno było również używać słów z przedrostkiem „poli-”. Jakiś gorliwiec wszędzie węszący alfabet islasusła – skuszony pewnie obietnicą odpustu – tak się zagalopował, że zagonił za druty Bogu ducha winną „Polinezję”. Takie słowa jak: „niewiasta”, „piekło”, „nienawiść” i „zemsta”, były natomiast dozwolone i pozwalano stosować je w całym deklinacyjnym bogactwie.

Jeśli tkwiła w tych podziałach logika, była to logika ukryta. Dozwolony słownik malał w zastraszającym tempie. Ponoć dogmatofory przegrzewały się, a firewallowe bramy dokonywały selekcji w taki sposób, że w publikowanych tekstach pojawiało się coraz więcej białych plam. Syntaktyczne analizatory likwidowały wszelkie podejrzane i nazbyt śmiałe relacje między wyrazami. Index prohibitorum verborum dokonywał rzeczy niemożliwej – ujarzmiał internetowy język.

Każde zakazane, obozowe słowo dostało swój numer. Członkowie Komisji komunikowali się więc ze sobą matematycznymi figurami. I tak jak nieświadomi niczego użytkownicy internetu tworzyli zdania złożone i pojedyncze, kwieciste frazy i jednosłowne czknięcia, tak antyhejterskie gremium operowało wzorami, całkowymi łamańcami i mnożnikami. Powstał obozowy, algebraiczny dialekt dostępny wyłącznie wtajemniczonym, który zarzucał sieci represyjnych białych plam na forach. Tu brat Sebastian w skórze brata Patryka, lub vice versa, przytoczył stosowne exemplum:

$$- \sqrt{2/3}\ x\ n\infty - \int 2 + 7^{x} / \leq 1.$$

Co znaczyło: „Strzeżcie się, strzeżcie, albowiem paznokieć kobiety potrafi wydrapać piekło w niebie”.

Dziękowałem Bogu, że od wyjazdu z Olsztyna nie miałem dostępu do sieci. Łatwiej chyba przejść po rozżarzonych węglach, niż bezpiecznie wysłać Archannusem maila. Dobrze, że obostrzenia nie objęły języka poza siecią. Na razie. Wszak wszystko przed nami.

W fabryce amnezji gwałtowne przyspieszenie. Brat Rafał poinformował, że praca trwa teraz całą dobę, prowadzona na trzy zmiany – tak wielkie jest zapotrzebowanie. Oprócz onirografów i reduktorów pamięci doszedł montaż jednorazowych nostalgramów. Piwniczne okienko znów okazało się skarbnicą najnowszych wieści. Brat Wojciech usłyszał rozmowę biskupich trzewiczków, z której wynikało, że Żołnierze Chrystusowi otrzymali rozkaz badania nostalgramem każdego zatrzymanego na ulicy mieszkańca. Pozytywny wynik oznaczał natychmiastowe dostarczenie podejrzanego do Purgatorium. Stawiających opór należało zakuwać w kajdalaser i kierować prosto do prokuratury.

Biskupie trzewiczki to jeszcze donosiły, że we wszystkich parafiach wierni skarżą się swoim proboszczom na wzmożoną aktywność islasusłów. Bo kto tydzień temu ukradł rower? Islasuseł! Kto dokonał włamania do sklepu? Oczywiście banda islasusłów, nie inaczej. A kto hejterzy w sieci, kto wrzuca bluźniercze memy, podszywając się pod lajfstajl-libertarian? Islasusły, typy spod księżycowego sierpa! A kto napisał przedwczoraj na murze jednej ze świeżo wydrukowanych kamienic: „Polacja – katosracja!", i jakby tego było mało, domalował znak Polacji walczącej z dopiskiem „Allahu akbar!"? Nie żaden nihilistyczny retor, nie żaden uliczny relatywista-performer. Gdziekolwiek się człowiek obrócił, wszędzie widział dzieło islasuslowskiej destrukcji.

Brat Robert raz jeszcze potwierdził wiadomość, że jutro w Purgatorium ma się odbyć ceremonia długowiecznej konsekracji. Wszyscy, łącznie z gwardianem, spojrzeli na naszą trójkę. Nie namyślając się długo, ja i brat Filip odbiliśmy spojrzenie w stronę orzeszka, czyniąc go sprawozdawcą dnia wczorajszego.

Orzeszek zmarszczył brew, dodając ją do wielu innych zmarszczeń twarzy, po czym zaczął opowieść o redukcjach emocji Dudały i Jankowskiego, o ventablackowych aniołach stróżach oraz o nowych duszorannych. Ani nie koloryzował, ani nie upraszczał, starał się mówić beznamiętne, choć dziwacznie seplenił. Wypowiadał słowa z wielkim trudem, jakby zamiast nich wypadały ostatnie zęby. Był to jeszcze jeden dowód, że łomot dostaliśmy straszliwy.

– Dziękuję, moi bracia umiłowani, żeście się nawzajem zrelacjonowali i wysłuchali. Bóg szczere usta i uszy chwali – ojciec Karol swoim zwyczajem uczynił ze słów zrymowaną, plisowaną zakładkę. – A co do wczorajszego zajścia: nakazuję całkowite milczenie. Niech mi nikt żadnych plotek nie sieje, bo burzę zbierze. Konsekwencje biorę na siebie. Ci oto bracia – wskazał na nas – bronili czci niewieściej. O islasuśle nie może być mowy. Odrzucamy wszystkie inne domysły i wersje. A teraz ruszajcie, pokorni uczniowie Chrystusa. Kolejny dzień pracy przed wami. In nomine Patrii et Filii, et Spiritus Sancti! – Gwardian wstał od stołu, kreśląc znak krzyża, i tym samym poderwał nas z krzeseł. Colloquium coronat crux.

Słońce było dzisiaj wielkim łbem lamy, która pluła żarem na oślep. Miasto z kolei przypominało kocioł. Wrzał od zatrważających domysłów, pogłosek, plotek – starych jak świat i odgrzewany kotlet. Podobno schwytano islasusła, który chciał zatruć wodę w wodociągach. Wieść gminna niosła, że dwóch strażników przy miejskich bramach okazało się zdrajcami i noc w noc wpuszczali islamską zarazę do miasta. Pod Wawelem rzekomo znaleziono androida, który zapytany o pochodzenie, bełkotał coś po arabsku. A po porannej katechezie u nowohuckich salezjanów kilkoro dzieci nie wróciło do domu.

Odtwarzał się rejestr lęków znany od wieków, gniew mieszał się z trwogą, zaciśnięte pięści z dłońmi złączonymi w modlitwie. Ogień pod kotłem rozpalali Chrystusowi Żołnierze – legitymowali każdego mieszkańca i wciskali na skronie jednorazowe nostalgramy, choć długie kolejki wciąż ustawiały się do ich stacjonarnych wersji. W imię tropienia islasusłów dokonywało się powszechne i przez wszystkich akceptowalne drenowanie wspomnień. Na Krakowskiej widzieliśmy, jak Żołnierze pętają opornego starca i wrzucają go do poduszkowca. Dotychczasowe karty ID straciły ważność. Tylko nostalgram był wiarygodnym dowodem tożsamości.

Ludzie wylegli na ulice. Widać było, że ich nosi, że nie mogą zaznać spokoju w domach. Zbijali się w grupki i deliberowali złowieszczym narzeczem podejrzeń. Znałem to „coś" bardzo dobrze. Przychodziło z każdą wojną. Zacierało granice dotychczasowego ładu, dawało posłuch ciemnym instynktom, domagało się bezwarunkowej akceptacji. To „coś" godziło strach z podnieceniem, niepewność z jakąś nieprzewidywalną, trudno uchwytną determinacją. Mogło uczynić człowieka bohaterem w tej samej mierze co mordercą i zwyrodnialcem.

Za każdym razem, a była to już „moja" trzecia wojna, odnotowywałem smutną prawidłowość: zwierzęta znikały. Nie chodzi wyłącznie o martwe ptaki, fotografowane przez nieszczęsną Teresę. Słyszałem coraz mniej miauknięć, szczeknięć, szczebiotów. Pisklęta nie rodziły się, a stare gniazda niszczały. Ptactwo nie nadlatywało z pobliskich lasów i gór, jakby laserowe zasieki miasta sięgały najwyższych poziomów nieba. Nagle, z dnia na dzień, wywiało gdzieś psy. Widziało się wielu ludzi, którzy krążyli po mieście ze smyczami i wykrzykiwali imiona czworonożnych przyjaciół. Koty też wcięło. Zapłakanym właścicielom pozostały zdjęcia na instagramie turyńskim. Podtykali je pod nos przechodniom jak portrety zaginionych. Lecz cóż przechodnie – nie szkoda kota, gdy ginie człowiek. Mucha, którą widziałem w oknie dyżurki, też pewnie zwinęła swoje skrzydełka, wybierając los imigrantki.

Nieobecność zwierząt udowadniała tezę, że wojna jest sprawą czysto ludzką. Byliśmy w niej całkowicie osamotnieni. We mnie, franciszkaninie, rodzi to frustrację.

Wyobraźni nie trzeba dwa razy prosić. Zaraz podsunęła obrazy Wielkiej Emigracji Fauny. Może ptaki, koty i psy, wiewiórki, żaby, myszy, papużki i szczury na czas wojny zdecydowały się zostać Stworzeniami na Uchodźstwie? Z dala od ludzkich osiedli i wścibskich dronów, na bezdrożach, wśród nieprzebytych lasów wędrują zwierzęta – Wieczni Tułacze. Dzikie i udomowione, kanapowe i ze strzępem łańcuchowego powrozu, zagrożone wymarciem i genetyczną mutacją. Prawdziwe istoty, a nie animoidalne kopie z kwarcu, silikonu i sierściopodobnego materiału. Ciasno im i nieprzyjaźnie w naszym antropocenie – epoce ultraludzkości i homoidalnej nowoczesności. Zwierzęce zniknięcia stanowią podglebie niewydarzonych urban legends: Półksiężyc wytruł je i potopił.

Islasuseł to, islasuseł tamto, powywieszać ich wszystkich, morderców! – słyszeliśmy zewsząd. Parafrazując słowa zapomnianego poety: ktoś chustą zemsty nakrył cały Kraków. Vox populi żądał krwi, islasulstwo zdołało przeżreć całe miasto i doprowadzało do kolejnych nieszczęść. I to pomimo dronów, patroli, szczelnych bram miasta. Wypowiedzenie posłuszeństwa Watykanowi zdawało się naturalną i w pełni afirmowaną przez ludzi decyzją. Polacyjny Kościół uzyskał trwały fundament niezawisłości. Episkopat tryumfował, bunt nie był możliwy, wściekłość ludzi skupiła się na obcych – tych realnych i tych fantazmatycznych, mnożących się w ludzkich głowach.

Szliśmy pośród nostalgramowych przesłuchań, pośród pomruków i złorzeczeń, pośród szemrzących drukarek 3D, które – niczym niestrudzone pajęczarki – podnosiły Kazimierz i Podgórze ze zgliszczy. Nikt nie zgłaszał zastrzeżeń wobec artefaktowych budowli. Były lepszym rozwiązaniem na trudne czasy wojny niż stara architektura o kruchości porcelanowej filiżanki. Wcześniejsze nierówności i rozpadliny zastąpił nowiutki pleksbruk. Pod przezroczystymi taflami rozpoznałem nie tylko niezapominajki, ale również sadzonki barwinków i chabrów. W niedosiężnych, spłowiałych niebieskościach nieba pojawiały się małe czarne punkty, które po chwili rozrastały się do rozmiarów ogromnych transportowców o zeppelinowych kształtach i nieproporcjonalnie wąskich skrzydłach. Zniżając lot, z gwałtownym rykiem silników osiadały na nieodległym lotnisku. Zgadywaliśmy, że to wsparcie od federacyjnych miast Polacji.

Przy skrzyżowaniu Kalwaryjskiej ze Śliską o mały włos nie staranował nas biskupi meleks w barwach narodowych. Pędził środkiem jezdni, ale raptem skręcił na pleksbruk. W ostatniej chwili uskoczyliśmy, przywierając do ściany świeżo wydrukowanego banku Credit Kathicole. Meleks wypakowany był BHP-owcami, którzy zwrócili ku nam swoje dzikie, rozwrzeszczane twarze.

– Polacja! Polacja! Z drogi!

Święty Krzysztof czuwał nad naszym refleksem.

Serca nam truchlały, bo zło okazywało się pretekstowe i niezwykle wygodne – jak zawsze, gdy zaczyna działać wojenna zasada: jeden za wszystkich, wszyscy przeciw jednemu. W tym względzie popędliwość ludzkiej natury nie zna granic. Człowiek uczyni wszystko, aby odwrócić od siebie uwagę i podejrzenie przerzucić na innych. Miasto wrzało od rozgadanych ust: a ten zrobił to, a tamten – tamto, a tamta – siamto, więc warto by się temu, tamtemu, tamtej przyjrzeć dokładnie. Przyjrzeć i zająć! Rozgadane usta są najlepszym sejsmografem społecznych nastrojów, bo w gadulstwie tkwi konformizm i posłuszeństwo, w milczeniu – bunt. Gdy ludzie gadają, wszystko jest pod kontrolą, gorzej – gdy milkną. Nasłuchiwaliśmy więc, powoli powłócząc habitami.

Wojna wojną, a życie toczyło się dalej. Codzienność egzorcyzmuje nieszczęście. Ekran na Wadowickiej wyświetlał pulpę obrazów i informacji: odnowiono w 3D Galerię Krakowską, misterium Męki Pańskiej ma towarzyszyć wielka wyprzedaż doczesnych dóbr, księża de chardiniści ogłosili nabór na wiosenny cykl rekolekcji pod tytułem: *Ewolucje konsumpcji. Od nędzy ku transcendencji*, Chrystusowi Żołnierze i BHP-owcy otworzyli przedszkole survivalowe, na Księżycu wylądowała kolejna ekumeniczna pielgrzymka katolików i prawosławnych, jakaś firma turystyczna reklamowała wypoczynek na mazurskich plażach Bałtyku, gwarantując uczestnikom federacyjne wizy turnusowe. Chciwie chłonąłem zdjęcia pasłęckich kurortów, rozpoznawałem rodzinne strony.

Po bloku reklamowym wyświetliła się długa lista oskarżonych islasusłów wraz z ich fotografiami i genealogią sięgającą kilkunastu pokoleń. Pasek u dołu ekranu podawał informacje o surowych wyrokach. Na Wielki Piątek zapowiedziano pierwsze egzekucje, by tym bardziej podkreślić niewinność Jezusa Ukrzyżowanego. Ze szczególnym podnieceniem ludzie przyjęli wiadomość, że wypowiedzeniu posłuszeństwa towarzyszył dekret polacyjnego rządu przywracający karę śmierci dla najgorszych wrogów ojczyzny – jej zdrajców i innowierców. Dla knujących papistów i ateistów Temida była bardziej wyrozumiała. Czekała ich pokutna komża i dożywocie w roli ministranta. Skazańcy, zamknięci w czasoprzestrzennej kapsule ludowego katolicyzmu z XIX wieku, mieli służyć do mszy wśród awatarów bab śpiewających i chłopów chrzczonych gorzałką, a w zakrystii albo na tyłach ołtarza pleban mógł wymierzać im baty, aż nabiorą pokory.

Co rusz jakaś dzieciarnia podbiegała do ekranu i na „trzy-cztery" wysyłała w jego kierunku fundroniki – zabawkowe repliki wron szpiegujących. Strzykały w twarze skazańców cieczą podobną do krwi. Islasuslmania rozpalała umysły! Hologramowi prorocy nawoływali do jeszcze większej czujności, podawali przykład panien roztropnych i głupich, straszyli obrazami wiecznego potępienia, wskazywali na niebo nad Starym Miastem.

A tam, w powodzi słonecznego światła, pojawiła się laserowa projekcja Czterech Jeźdźców Apokalipsy. Z głębin niebieskich, z przestworzy Pańskich, pędzili ku ziemi jako spełnienie wizji świętego Jana, przesłaniając sobą kolejne transportery. Chyba nie tę projekcję miał na myśli brat Wojciech, ponieważ podczas konfliktu wyszehradzkiego emitowana była w każdym bloku reklamowym. Dołem gnała Wojna, nad nią Śmierć, po bokach Zaraza i Głód. Śmierć wznosiła wysoko miecz, jakby chcąc zadać słońcu ostateczne cięcie i ustanowić Królestwo Ciemności. Stara sztuczka augustianów – zawsze działa. Ludzie, choć świadomi, że to tylko projekcja, byli poruszeni. Modlitwą próbowali odczynić apokaliptyczny obraz.

Na Kobierzyńskiej, mimo przepustki, i nam zdarzył się sprawdzian. Minąwszy trzech Żołnierzy Chrystusa, usłyszeliśmy wołanie:

– Hej, islasusły! Hej, do was mówię!

Postanowiliśmy nie oglądać się, nie zatrzymywać i wierzyć, że to do kogoś innego. Żywiej załopotaliśmy połami habitów, drobiliśmy sandałami niczym głuche Japonki, udając jednocześnie, że naciągnięte mocno kaptury chronią nas przed skwarem. Jakieś małżeństwo z dzieckiem obejrzało się i od razu wzięło podejrzenie na siebie. Spojrzałem z ukosa, niby zainteresowany przelatującym właśnie dronem. Dostali po nostalgramie na głowę i zaczęło się szybkie skanowanie pamięci. Chrystusowi nawet dzieciakowi nie darowali. Wokół napęczniał tłum. Najbardziej natarczywi zaglądali Żołnierzom przez ramię, interpretując dane na czytniku.

Ostatnie metry naszej wędrówki prawie biegliśmy, wyprzedzając mnichów z innych zakonów. Kobierzyn zdawał się schronieniem, ostatnim bastionem, do którego nie zapuszczali się jeszcze Chrystusowi. Jednak już z daleka doszedł nas ponury jazgot dogoidalnych. Boże mój, Boże... przeszły mnie augustiańskie ciary i odszukałem w kieszeni perłową łzę. Przed bramą dwa gazobusy czekały na wjazd. Kilku nowych, nieznanych mi strażników z pomocą Chrystusowego patrolu kontrolowało dowieziony transport – duszoranni stali z uniesionymi rękoma i wzrokiem wbitym w ziemię. Ich piersi przyozdobione były krzyżami, które zwisały na cienkich żyłkach okręconych kilkakrotnie wokół szyi. Mechaniczne psy kąsały powietrze, ledwie powstrzymywane przez strażników. Brat Filip przezornie zamachał przepustką. Młody stróż porządku zbliżył się do nas i zaczął analizować glejt franciszkańskiej nietykalności.

Od duszorannych dzieliło mnie kilka metrów. Odwrócony plecami czułem ich obecność. Słyszałem, jak strażnicy nakazują ściągnąć im spodnie i stać nago. Bo nie tylko o kontrolę chodziło. Chodziło o upokorzenie – tę kropkę nad „i" każdej wojny. Swój wstyd zamaskowałem modlitwą. Po dłuższej chwili wypełnionej dwiema zdrowaśkami i jednym *Ojcze nasz* strażnik skinął głową. Brama uchyliła się na szerokość wyposzczonego mnicha.

Wewnątrz ogrodu czekały kolejne, ponure niespodzianki.

– Cóż to za wynalazki? – wydusił z siebie orzeszek.

– Ki diabeł, kurwa jego dantejska mać, pytam nieśmiało się ja! – wymsknęło się nie po chrześcijańsku bratu Filipowi. Drobna próbka melodyjnego frazowania dowodziła, że w przeszłości musiał składać jeszcze lepsze wiązanki.

Widok przedstawiał się mało chrześcijański, za to bardzo średniowieczny, choć podrasowany nowoczesną inżynierią. Moją twarz miała już we władaniu rozdziawa.

Przez jedną noc wojna zdążyła wedrzeć się z całą mocą do Purgatorium. Pomiędzy rozłożystymi wachlarzami zieleni, pośród liściastych baldachimów, pojawiły się potężne wiatraczne machiny. Machiny, młyny, diabelskie koła – jak zwał, tak zwał – nie potrafiłem znaleźć lepszej nazwy.

Wyrastały wysoko nad iglice pałacykowych wieży i drzew. Pachniały sandałowcem. Osadzone na gąsienicach grube niklowane pnie zwężały się ku górze i były zwieńczone szklanymi krzyżami. W części środkowej rozchodziły się skrzydła długich solarów, zbierających energię słoneczną. Na ich końcach znajdowały się srebrzyste haki w kształcie sierpów. Na każdym sierpie siedziała wrona-dron. Czarne źrenice avium invigilantium kazały przypuszczać, że są wyłączone. Wymyślne konstrukcje, efekt wspólnej pracy apokaliptycznego designu i robotyki, budziły niepokój. Ślepy by dostrzegł, że ich przeznaczenie nie miało nic wspólnego z miłosierdziem.

Co więcej, obok mijanych pałacyków pobłyskiwały szyby Kunstalienów wypełnionych po brzegi roztworem mirry i formaliny. Duszoranni stali przed wejściami posłusznie, w długich kolejkach, czekając na rejestrację. Zdezorientowani, wpół przytomni, ogłuszeni upałem i czymś jeszcze. Sądząc po zamglonych mlecznych oczach, najpewniej neuroibuprofenem, który stępiał ból i empatię. Podczas gdy w Olsztynie staraliśmy się walczyć z tą formą znieczuleń, tutaj była powszechnie stosowana przez prokuratorów. Nikt ze stojących w kolejkach nie skarżył się na swój los ani nie współczuł innym. Neuroibuprofen oplatał ich niewidzialnym kokonem, w którym wegetowali niczym zimnolubne rośliny. Wszyscy z tekturowymi krzyżami na piersiach – znakiem Męki Pana Jezusa Chrystusa i prokuratorskich przesłuchań.

Byłoby naiwnością spodziewać się innego widoku przed naszym purgatorium. A jakże! Wiatraczna machina stała w środku alejkowego ronda, emanując silną wonią sandałowego drzewa. Spod jej gąsienic wystawały połamane róże i krzewy. A od ronda aż do drzwi budynku stało trzydziestu, czterdziestu duszorannych. Fabiolo sztywnym truchtem androida biegał wzdłuż kolejki, poprawiał tekturowe krzyże i upominał, aby przesuwać się w kierunku wejścia.

– Do brata Zygmunta iść jak najprędzej. Nie zdążyć, nie upilnować! Duże nieszczęście! – powitał nas kasandryczną, niejasną wieścią.

Przecisnęliśmy się przez stojących w drzwiach ludzi. Purgatorium przeszło wielką przemianę. Po pierwsze: pustą dotychczas przestrzeń wypełniły nowe konfesjonały. Między nimi powstał labirynt wąskich przejść. Po drugie: zaskoczyła nas obecność wielu cystersów. Odprowadzali zarejestrowanych do konfesjonałów, zabierali krzyże, roznosili angelologiczne roboty i ustawiali je przy kratkach.

– Pax et Bonum – brat Filip zgłosił nasze przybycie, gdy stanęliśmy przed dyżurką.

Jeden z cystersów prowadził duszorannego na piętro, podtrzymując go pod pachą. Zaczęło się, a więc zaczęło się wyciszanie... Moją pierś przygniótł ciężki kamień depresji.

– No, wreszcie. Na wieki wieków. – Brat Zygmunt uniósł głowę znad smartbooka. – Ho, ho! Niedobrze to wygląda. Słyszałem, żeście mieli przyjemność z Chrystusowymi, ale że aż taką? – Jego spojrzenie prześlizgiwało się po naszych twarzach zoranych zsiniałymi tęczami. – Trzeba pomyśleć o jakimiś noclegu na terenie Purgatorium.

Coraz trudniej będzie wam poruszać się po mieście, poza tym szkoda czasu na codzienną mitręgę wte i wewte. Sami widzicie. Dnia mało, a rąk do pracy jeszcze mniej.

– Fabiolo wspomniał o jakimś nieszczęściu. Co się stało? Jakie nieszczęście? Co to za wiatraki na zewnątrz? – brat Filip zarzucił cystersa pytaniami, chcąc przerwać wzrokową obdukcję.

– No, tak... wiatraki, akwaria, nieszczęście... Zobaczcie, niby android, a serce gołębie. Przeżył to mocno. – Brat Zygmunt zamyślił się, by nagle poczerwienieć. – Co miało utonąć, najpierw zawisło – oznajmił dziwacznie. – Jerzy Fikus już nie wróci na łono ziemskiego Kościoła. Dzisiaj o świcie powiesił się w łazience. Panie, wybacz mu grzech samobójstwa. – Wzniósł oczy, przepełnione boleścią.

– Ale jak? Dlaczego?! – Bracia Filip i Hiacynt przechylili się przez ladę dyżurki.

Zapadła cisza. Cysters zaczął przerzucać dokumenty i zerkał na smartbooka, jakby tam kryła się odpowiedź. Mnie mowę odjęło. Niemożliwe! – wykrzyknąłem w duchu, wyrażając typową, jakże infantylną w takich sytuacjach niemoc. Bo nie dalej przecież jak wczoraj... Ja i on... nasza gorzka, szczera rozmowa... I dziecko, herbaciana sierota. A teraz osłupienie, gdy nieodwołalne stawia opór, nie dając się wytłumaczyć. W dyktacie pożądanej długowieczności samobójcy są Kolumbami, przekraczają granice między zbawieniem a potępieniem. To kartografowie nieznanych światów, oni sprawiają, że naszym mapom brakuje odpowiedniej skali. Samobójcy z krwi i kości, a nie pozerzy rozkoszujący się bezpiecznymi symulacjami śmierci, których nawracałem podczas olsztyńskiej posługi.

– Mea maxima culpa. Oddałem się do dyspozycji ojca Kornela – oznajmił brat Zygmunt z wyraźnym ociąganiem. – O piątej rano, gdy zaczęli zwozić tych tutaj – wskazał na stojących w kolejce – Fikus spytał, czy może skorzystać z toalety. Pozwoliłem. Pół godziny później Fabiolo znalazł go przy oknie z żyłką od krzyża zaciśniętą na szyi. Pewnie ukradł komuś z transportu. Takie niedopatrzenie, takie niedopatrzenie... Poleciłem braciom, żeby zaraz po rejestracji zabierać. To się więcej nie powtórzy. Nie w moim purgatorium. – Pokręcił zdecydowanie głową.

Jerzy Fikus wymknął się światu, prokuratorom, Polacji. Chciałem wierzyć, że prosto do nieba samobójców. Wyrozumiały Judaszu, patronie odchodzących siłą własnej rozpaczy i woli, otwórz mu bramy samobójczego raju i uchroń przed pustką! To bodajże Golgotowi Eutanazyjczycy przekonywali, że istnieje takie niebo. Głosili śmiałą – nawet jak na nasze czasy – ideę, że Bóg, który świadomie pozwolił się ukrzyżować, dokonał zbawiennej, ale jednak formy samobójstwa. Ludzkimi rękoma zamachnął się na swoje ziemskie życie.

– A dzieciak? Co z chłopcem? – dopytywał się orzeszek.

– Co z chłopcem, co z chłopcem? Nie przeciągajcie, bracia, struny, bo to nie ja powinienem się tłumaczyć. – Cysters był coraz bardziej zły. Jego głos stał się szorstki. – Chłopak nic nie wie, a i wy zachowajcie dla siebie incydent. Staje się prawdziwym dzieckiem Boga. Oszczędziliśmy sierocie łez.

– Może najpierw zwykła redukcja, może wystarczyłby anioł stróż! – wykrzyknął orzeszek.

– Tak od razu? Onirograf?! – Brat Filip przechylił się jeszcze bardziej przez blat gotów strzelić cystersa z łba.

Nie czekając na odpowiedź, rzuciliśmy się w kierunku schodów.

– Tylko mi go nie budźcie! – zawołał za nami zakonnik.

Popędziliśmy na piętro, zostawiając sprawę akwariów i machin. To później, nie teraz! Popędziliśmy wbrew pobolewającym wciąż członkom, co dwa, trzy stopnie, bliscy omdlenia! Do drzwi zbrojonych, do onirografów, jak najprędzej, bo może nie jest jeszcze za późno? Bo może jest jeszcze nadzieja? Brat Filip pierwszy szarpnął za klamkę.

Wszystkie fotele były zajęte przez duszorannych. Między nimi przechadzali się cystersi, doglądając postępów kasacji. Podłączone do zagłówków dekodery świeciły załamującymi się wykresami – spiętrzonymi falami, z których wystrzeliwały spiralne cyklony. Część fal tworzyła długie, poziomie pasma id i ego, inne formowały grube pierścienie superego.

W drugim fotelu od lewej siedział Tomek Fikus. Oddychał spokojnie, a jego przymknięte powieki drżały, zdradzając postępy onirograficznej ingerencji. Ułożenie głowy na środkowym zagłówku i wykres idealnie równej sinusoidy uświadomiły nam, że jest już za późno. Spóźniliśmy się. Wykres nie pozostawiał złudzeń – umysł piegusk był wyczyszczony. Wyczyszczony z dziecięcej indywidualizacji, z sennych marzeń, z małych i dużych pragnień, z nienazwanych tęsknot, radości i lęków, ze wszystkiego, co czyniło go niepowtarzalnym, niepodrabialnym istnieniem. Zatarły się ścieżki i drogi wiodące ku początkom życia. Tak oto w głębokim fotelu, z nieodciętą jeszcze pępowiną onirografu, rodził się nowy człowiek – bez pamięci, bez wyobraźni, o tożsamości odpowiadającej oczekiwaniom wspólnoty. Nie mogłem odgonić natrętnej i zaskakująco melancholijnej myśli, że nie upilnowaliśmy ich. Nie upilnowaliśmy Jerzego Fikusa, dziecka, nie upilnowaliśmy dostępnego nam świata. Będziemy smażyć się w piekle, bo nowy człowiek to homo planctus. Ależ czy to w ogóle możliwe? To jakby strzec ziaren piasku przed nadciągającą falą.

Nie czułem jednak złości, nie pojawiła się czkawka. Przepełniał mnie bezbrzeżny smutek, coś, co można nazwać spleenem osoby duchownej. Dotarło do mnie z całą mocą – który to już raz, no który, dobry Boże! – że nie wiem komu i dlaczego służę, że nigdy nie pojmę, jak wiele musi znieść ziemia, żeby stała się niebem na ziemi? Nie wiem, czy w moich rozterkach rodzi się grzech jakiejś herezji, czy też grzeszę pychą „ostatniego sprawiedliwego", który wewnątrz coraz bardziej oszalałego świata chce bronić pieczęci człowieczeństwa. Mogłem spróbować pokusić się o gest sprzeciwu. Nie bacząc na konsekwencje, mogłem przecież zrzucić szaty zakonne, stać się lajfstajl-libertarianinem, eremitą w najodleglejszych zakątkach sieci, ale – to pewne! – pozbawiony długowiecznej łaski, nie przeżyłbym roku. A przecież córeczka... Przede wszystkim ona! Byłem jej ojcem, lecz Kościół, Kościół nasz polacyjny, powszechny, był jej matką. Od przyjęcia święceń innego świata nie znałem, musiałem w nim trwać. Święta sankcja dogmatu głosiła: póki jesteś posłuszny, eris sacerdos in aeternum. Może już dawno stałem się częścią planktonu? Drobiną wyrzucaną przez fale w głąb lądu, to znów zawracaną ku morskim odmętom? Nieistotną, lecz niezbędną w ekosystemie doczesności i zbawienia. Niewiele mogłem zrobić. Smutek i melancholia. Smutek, melancholia i nie mniej ważna uległość – przypomniałem sobie naukę biskupiego wikariusza.

Cysters, o brodzie płomienistej niczym krzew gorejący, wyłączył aparaturę. Pochyliwszy się, kciukiem zakreślił krzyż na jasnym czole chłopca i zaczął zmawiać modlitwę. Ruda broda, ruda dziecięca głowa. Ruda starość, ruda młodość – zmysłowa koincydencja. Żaden z nas nie przekroczył progu. Staliśmy w drzwiach niepewni, czy zabiegowa sala jest przedsionkiem piekła czy raju.

– Nic tu po nas, bracia. Consummatum est – odezwał się niemrawo brat Filip. – Chodźmy ubłagać Pana Jezusa, żeby zachował sierotę, a Jerzemu Fikusowi wybaczył suicidium.

Brat Zygmunt, zajęty rejestracją i rozdysponowywaniem zadań cystersom, nawet nas nie zauważył. Kolejka nie malała, przybywało duszorannych. Przypominali nie ludzi, lecz powolne cystersom pałuby, którym jawa nadała doraźne człowiecze kształty. Bracia uwijali się jak w ukropie. Ożywały ventablackowe maski aniołów stróżów, na ekranach reduktorów pamięci powoli, lecz konsekwentnie bladły czerwienie hipokampów. Kolejny duszoranny był kierowany na piętro. Cystersi krążyli z góry na dół. Przynosili karty SMK z odebranymi snami, fobiami i marzeniami. Przekazywali karty bratu Zygmuntowi. Odbierali nowe, jeszcze zapakowane w folię.

Przed kaplicą kręcili się Dudała z Jankowskim w towarzystwie stróży, co oznaczało, że doszło do pomyślnej i całkowitej redukcji. Dopadłszy naszych rękawów, zaczęli dziękować, a aniołowie potakiwali. Dwie pary nieodróżnialnych twarzy – ludzkich i ventablackowych. Exynosa z rzędem temu, kto powie, czy duszoranni naśladowali swych aniołów stróżów czy na odwrót. Niedawni krzykacze byli nad wyraz pobudzeni, ale jednocześnie pogodni, szczęśliwi szczęściem ludzi o czystych sercach i równie czystej, nieskazitelnej przeszłości. Nie mogli się nachwalić naszej pracy i świata doświadczanego na nowo. Przysięgali posłuszeństwo Polacji, a gęby im się cieszyły niczym grzesznikom, którym łaska Pańska darowała winy i zwolniła z pokuty. My pąsowieliśmy – bardziej ze wstydu niż z dumy.

Państwo Miaszkowscy nie kryli natomiast oburzenia.

– Nie taką zawarliśmy umowę z prokuratorem! To skandal! W takich warunkach nie widzę szans na restytucję naszego małżeństwa. Pójdę na skargę do samego arcybiskupa – pieklila się pani Miaszkowska, zawiązując mocno pasek szlafroka.

Jej Anioł uśmiechał się cierpliwie, niczym dorosły, który musi wysłuchać dziecięcych narzekań.

Pan Miaszkowski stał za jej plecami. Patrzył to na nas, to na swojego anielskiego strażnika i przytakiwał, dając nam do zrozumienia, że nie są to puste groźby. Mieli przecież w spokoju i ciszy leczyć schorowane błędniki, a tymczasem w konfesjonałach obok dokwaterowano im mężczyzn nader prostackich w obejściu. Ani chwili ciszy. O intymnej więzi małżeńskich aniołów stróżów nie mogło być mowy. Ale kto by miał – poza nami – czas i głowę, żeby ich słuchać?

Przyjąwszy hołdy wdzięczności Dudały i Jankowskiego z jednej strony, z drugiej – dając posłuch pani Miaszkowskiej, udaliśmy się do kaplicy. Byliśmy niczym piąte koło u wozu. Z nami czy bez nas wóz jechał – purgatorium funkcjonowało bardzo sprawnie.

W kaplicy, na nagiej posadzce, klęczało kilku duszorannych. Nad nimi stali aniołowie, podobni do gigantycznych, choć smukłych i eterycznych pszczół. Asystowali skupionym w modlitwie. I znów – nie mógłbym jednoznacznie powiedzieć, kto modlił się z własnej potrzeby, a kto ulegał anielskiej perswazji. Różnice między twarzami a maskami dowodziły, że duszoranni są dopiero po pierwszych, wstępnych zabiegach i że potrzebne będą kolejne do pełnej unifikacji.

Podeszliśmy pod sam ołtarz, na wprost Jezusowego krzyża. Refleksy światła wpadały do środka przez biforium, odcinając się od półmroku dymem słonecznego kadzidła. Spiritus, Lux! Spiritus, Altum Silentium, której nie mąciły modlitewne szepty duszorannych. One ją wzmagały. Sanctus, Sanctus, Sanctus, Dominus Deus Sabaoth... Padliśmy na kolana, prosząc Boga, by w swej dobroci i miłosierdziu otworzył Jerzemu Fikusowi bramy samobójczych rajów... Tu, devicto mortis aculeo, aperuisti credentibus regna caelorum... By jego ucieczki nie brał za straceńczy gest rozpaczy, który strąca duszę w czeluście potępienia. Bo kto życie daje, nie patrzy na śmierć. Błagaliśmy, by Najwyższy ulitował się nad życiem herbacianego chłopca, by błogosławił jego czystej i nowo narodzonej pamięci. Skoro dokonało się to, co się dokonało, niechaj zgładzona przeszłość nigdy nie powstanie w niepokojącym powidoku, ażeby wtargnąć do młodego serca i zatruć je zwątpieniem. Tym gorliwiej prosiłem Najwyższego, im mocniej i boleśniej wracały słowa Jerzego Fikusa. Jezusie Betlejemski, oszczędź dzieciom naszym takiej drogi ku świętości. Nie jesteśmy godni, by przyprowadzać je do Ciebie... Dignare, Domine, die isto sine peccato nos custodire.

Jakże mocno pragnąłem w tej chwili przylgnąć do surowej prostoty krzyża, objąć go całym sobą, wtulić twarz i zatracić w niej język, oczy, dłonie. Dać się zagarnąć mistycznej sile. Pragnąłem? Tak, i uległem pragnieniu, a raczej transcendentnemu wezwaniu. Wezwał mnie Spiritus Libertatis – epifania nie tylko światła i ciszy, ale przede wszystkim jednoczącej się duszy z Bogiem. Nie bacząc na zdumione, wyrwane z kontemplacji twarze braci, podszedłem do krzyża. I już miałem go dotknąć, pełen wewnętrznego przejęcia, już chciałem obdarzyć pocałunkami drzewo śmierci i życia, gdy wtem, na nieszczęście, chyba sam Szatan ześliznął mój wzrok w kierunku okna. A tam, w Kunstalienie...

Stężałem rażony widokiem jak piorunem. Dlaczegóż dobry Bóg nie wyłupał mi oczu?! Dlaczego ślepotą nie uchronił przed widokiem potworności wojny? Tylko niemi i ślepi mogą zachować czystość duszy.

Bracia Wojciech i Hiacynt zauważyli, że stało się ze mną coś złego, że coś zobaczyłem. Podeszli do biforium i również znieruchomieli.

W akwarium pływało ciało Jerzego Fikusa. Było nagie. Zwieszona na piersi głowa, rozłożone szeroko ręce i nogi spętane rzemieniem przy kostkach nadawały mu pozę ukrzyżowania. Miał zamknięte oczy i usta, wygładzona skóra nabrała dziwnie łososiowego koloru. Jedynie na szyi odznaczał się zgranatowiały ślad. Zgęstniała ciecz tworzyła przezroczyste fałdy, ledwie dostrzegalne pierścienie, które rozmazywały sylwetkę, jednocześnie dając złudzenie lekkiego pulsowania ciała. Nieboszczyk ani nie unosił się, ani nie opadał. Dryfował nieznacznie niczym podwodna roślina – egzotyczny, człowieczy wodorost o chudej łodyżce, z której rozchodziły się ręce – dwa długie liście. Zwieszona głowa rodziła skojarzenie z martwą, rozdętą szypułką. U dołu, na tabliczce, widniał podpis: „Jerzy Fikus. Uciekinier".

Brat Filip i Hiacynt byli wstrząśnięci. A ja? A we mnie coś pękło, jak zwykli bredzić ludzie o szklanych duszach. Widziałem przecież dziesiątki zabitych, pomordowanych, ale to jedno jedyne ciało Fikusa wywróciło mój świat. Mogłem zrozumieć całe cmentarze zabitych, a to jedno stawiało opór, stało się niepoliczalne. Kolejna epifania? Spiritus Libertatis? Nie. To epifania szyderstwa, coś między tym, w co chce się wierzyć, a tym, co widzą oczy. Uciekaj, duszo! Uciekaj przez wszystkie możliwe do pomyślenia granice, lecz twoje ciało zostanie na ziemi. Póki nie spalą go żywi, póki nie pochowają, będzie służyć zbawieniu innych, wywlekane na widok publiczny. Jego rozkład zostanie przez nich wykorzystany, jego kości wzniosą niejeden ołtarz.

Uciekaj, duszo, i wiedz, że bardzo ci zazdroszczę. Ja nie znajduję w sobie tyle odwagi. Stać mnie wyłącznie na rowerowerowanie w granicach miastach. Kiedy raz opuściłem je z córeczką – i to na krótko – zaraz zawróciłem przestraszony nieznanym. Uciekaj. Ja muszę zostać, aby być świadkiem. Jak jednak mam objaśnić świat i moją rolę na tym świecie? Jakiej egzegezy się chwytać, aby nie okazała się kłamstwem?

A kłamać to znaczy – jak przestrzega błogosławiony Montaigne – iść przeciw sumieniu. Moim sumieniem jest Kościół.

Nie wiem, jak brat Filip i Hiacynt, ale ja kłamię! Powinienem stanąć na najbardziej ruchliwej ulicy i wywrzeszczeć to aż do zdarcia gardła. Jestem tonącym, który chwyta się krzyża, a ten krzyż jeszcze bardziej pogrąża go w odmętach fałszu. Tonę od kilkudziesięciu lat, bo krzyż wystrugałem sobie z egoistycznego tchórzostwa i niosę go lekko jako ziemską gwarancję zbawienia. Tak bardzo chciałem być poruszony ciałem Fikusa, a wcześniej jego samobójczą śmiercią. Ale czy byłem? Czy byłem naprawdę? Nauczono mnie tej retoryki uczuć. Okazałem się pojętnym uczniem. Popkatolicką empatię przyswoiłem sobie bez żadnych wątpliwości, przyjąłem ją za własną.

Czułem wstręt do siebie. Deus adiuvet me! Et sancta Dei Genitrix. Byłem pogubiony. Nie wiedziałem, z kim walczymy, kogo zbawiamy, a komu kręcimy powróz. Wrogom spoza miasta czy wrogom tutejszym, czy wszystkim naraz? Veritas prima belli victima est. Wojna toczy się wszędzie. Terra terrorum. Terra terrorum et omnia terra! – patrzyłem, bliski gorączki, w akwariowego trupa. Terror islamistów i islasusłów. Terror szahida i półksiężyca. Terror grzechu i potępienia. Terror życia wiecznego i oblężenia. Terror otwarcia i terror zamknięcia. Terror ascezy i terror konsumpcji. Terror pomordowanych i terror cmentarzy. Terror pamięci, terror amnezji. Terror obcego i terror własnego cienia. Z terroru powstajesz i obracasz się w terror.

Czas chciwie pielęgnowanej, lecz pozorowanej niewinności dobiegał końca, może już dawno się skończył i pustkę zapełniałem wytrenowanymi zaklęciami. Doszedłem do kresu świątobliwych samoudręczeń, oszustw, żenujących gestów współczucia i miłości bliźniego – tej nic niekosztującej jałmużny. Czy już zapomniałem, że i ja przed laty?... Muzułmanka o czarnych oczach, jej płacz i błagalne spojrzenie. Jak piętno, jak stygmat. Więcej w nim było ze zwierzęcia niż z człowieka. Imam doprowadzony do żarliwej spowiedzi, burza za oknem... I moja pewność, że tak trzeba, że sprawiedliwych

Bóg nie osądza, sprawiedliwym Bóg błogosławi... Któż mnie potępi? Izajasz ma rację.

Teraz spostrzegłem ogrom mych oszustw, lecz nie pojawiły się żal ani poczucie winy. Pojawiła się pustka, zobojętnienie, które – by trwać – będę zagłuszał coraz silniejszymi podnietami. Nie ma nic bardziej podniecającego, niż widzieć grzech w ludziach. Zło samo w sobie niewiele znaczy, dopiero nazwane grzechem, podnieca, otwierając rozkoszną perspektywę napiętnowania, kary i przebaczenia. Nie ma świętszej komunii niż karmienie siebie występkami błądzących. Bo żeby sprzeciwić się gwałtowi zadawanemu Teresie, musiałem zobaczyć katowane ciało, jej cierpienie potwierdziło moją moralność, jakże szlachetną i miłą Bogu! Dajcie mi więcej gwałconych kobiet, dajcie mi więcej bólu, nieszczęścia i wojen. O, tak. Wojen jak najwięcej. A ja dam wam w zamian świadectwo! W rzeczywistości jednak jestem sępem, którego skrywa zakonny habit. Święty Franciszku, oto twój sęp-bękart!

A przecież Kościół, to miasto, wojnę można by opowiedzieć w zupełnie inny sposób i zamiast siwieć przez długie lata, posiwieć w jeden dzień. Z konfesjonałów i ty uczyniłeś miejsce kaźni! Opowiadaj prawdziwie i swojej obłudy nie stawiaj w centrum wydarzeń. Opowiadaj świat, nie licząc na nagrodę. Opowiadaj i nie sprawdzaj, czy twoją opowieść śledzą Słuchacz Niebieski i inni święci. Jeśli nie umiesz, błogosławione niechaj będą siostry zakonne, które nasz Kościół pozbawia języka. Tylko one zachowały prawo opowieści. Bo niemi przemówią, a mówiącym zgniją usta.

Musiałem wyglądać szkaradnie, ponieważ bracia spoglądali na mnie z bojaźnią. Ich problem, ich cyrk, ich małpy miłosierdzia! Miałem serdecznie dość. Wino się rozlało, skruszyła się hostia, komunii nie będzie. Że akurat teraz, że w tym momencie? Dlaczego nie? Czy koniecznie Archanioł musi jebnąć mieczem, by na niebie pojawiły się gwieździste stygmaty? Żarty, wszystko to żarty. Theatrum transcendensis jest wyłącznie dla ubogich i pozbawionych wyobraźni. Dla mnie jeden realny trup to dzisiaj aż nadto.

Jakakolwiek dalsza modlitwa byłaby świętokradztwem. Bo tu krzyż i kaplica, tam Fikus i Kunstalien. Tu Bóg, a tam jeden niepochowany człowiek. Żarty. Pusty śmiech mnie ogarnął, głowa płonęła jak żagiew. Rozwiązałem sznur i zbliżywszy się do ołtarza, zacząłem tańczyć. Dens, dens, dens, Deus ridens! Dens, dens, dens, Deus ridens! – poruszałem się, ja tancerz wieszczący. Kto do Fikusa dołączy? Może Teresa? A kto do mnie? Może Tomek? Dens, dens, Deus ridens! Rozpościerałem szeroko ramiona. Czułem się ptakiem gotowym wzlecieć nad sklepienia kaplicy. Zapraszającym gestem przyzywałem braci do wspólnego koła. Braci, duszorannych, ich aniołów stróżów, wszystkich – czym wywołałem oczywistą sensację. Duszoranni zerwali się na równe nogi i czmychnęli pod ścianę. Chodźcie tańczyć! Wszyscy.

I tak wszyscy tańczymy, jak nam zagrają. Ja, ubogi kapucyn, zapraszam! Nikt nie chce? Chcę tańczyć, tańczyć z każdym zwa-as – poruszałem zachęcająco ustami, choć w gardle już podskakiwała żaba-czkawka. Radujmy się, weselmy. Dens, dens, dens, Deus ridens! Wielkanoc nie nadejdzie. Krzyż jest pus. Chrus nigdy nie um! Na pustyni posila się orzechami. Dlatego tańczmy. Nic innego nie pozostaje. Po jednej wojnie nadejdą następne, występne, aż Słońce zagaśnie i nastanie ciem-ciemność. Po cóż te strwożone miny. Tańczmy, tańczy! – prosiłem, choć w gardle, zamiast języka, trzepotała ćma.

Brat Filip zrobił kilka kroków w moim kierunku, brat Hiacynt podbiegł i chciał poczęstować mnie znakiem krzyża. Znalazł się – planktocysta od siedmiu boleści, młot na tango i salsę! Długowieczny prosi długowiecznego! Chwyciłem go w ramiona, usztywniłem ramę i trójtaktem pociągnąłem wzdłuż ołtarza. Miał odwagę pukać nocą do moich drzwi, chciał, abyśmy dali wolność naszym lędźwiom, a wstydzi się tańczyć z niedoszłym oblubieńcem? Brat Filip też dołączył, próbował mi odbić orzesz ty!, orzesz, orzeszka! Duszoranni z aniołami ruszyli spod ścian, zamykając nas w zwartym kole. Któryś zawołał, że sprowadzi innych i zbiegł-wybiegł ze swoim stróżem. Bardzo dobrze.

Im więcej do tańca, tym lepiej! Trup Fikusa świadkiem. Próbowałem okiełznać żywioł taneczny brata Hiacynta, ponieważ wymykał mi się niczym ryba z rąk-sieci. Habit to weloniasta płetwa. I raz, dwa, trzy, i raz dwa, i raz dwa, a, a – obrót, chwyt w talii, odchylenie i oczy w sklepienie! Rączka – raz, rączka – dwa, i trzy, i cztery – tupnięcia kroksów w miejscu. Brat Filip przywarł do moich pleców, chciał chyba mnie wstrzymać, bym z nim się wyłącznie kołyska-ł. Musiałem sobie jakoś radzić, by żaden nie poczuł się odtrącooony.

Duszoranny i jego anioł wrócili ze sporą grupką cystersów. Nawet brat Zygmunt przylazł ze swojej dyż-norki i pokiwał gło:

– Tak podejrzewałem! Ech, franciszkanie... Po prostu obłęd. Szkoda czasu, ruszajcie!

Pingwinich zakonników nie trzeba było namawiać. Rozepchnąwszy krąg gapiów, skoczyli do naszej trójki. Nie mogłem się opędzić. Takich pląsów-kląsów pozazdrościłaby nam Kana Galilejska! Istny baaal, potańcówka, dansing, monkeys in the church! Bo jeden ciągnął za rękaw, drugi przyciskał do siebie, trzeci uczepił się moich bioder, inny chwycił za głowę-nogę, myląc salsę z foks, fokstrotem. Tylu chętnych, a nas tylko trzech-ech. Ejże, ejże, nie wszyscy naraz-zaraz zatańczę z każdym po kolei! Ejże, ejże, ale gdzie tam, próżne prośby! Dalejże, dalejże, brat Zygmunt wciąż zachęcał do wspólnego tańca. Cystersi lgnęli do mnie namiętne, chętnie. Lubie, nie lubieżnie, nie. Byłem najbardziej rozchwytywanym tancerzem – rozchwytywanym w przenośni i dosłownie, powabniejszym niż Salomen-omen, syn Heroda. A wewnątrz, od mostka do gardła, żaba-czkawa też łapy do tańca podstawia i skacze, w język kołacze i sama tańczy. Zwalili się mi wszyscy na głowę, straciłem z oczu braci Filipa i Hiacynta.

– Właśnie tak! Bardzo dobrze! Ratujmy duszę, nim będzie po nim – krzyknął brat Zygmunt. – Tych dwóch też nie zostawiajcie samych.

Zakotłowało się. Nim, ponim, mim?! Co to jest, do choledens! Co to-to znaczy?! Deus ridens chcę! Bez ładu i kakadu ciała zakonne utworzyły na mnie w stos. Włos-w-włos! Poczułem ukłucie w bio. Niedo. Niedobrze. Dźgnął mnie zbyt ognisty mnisi pal, palec. Paznokcieć był dług i był ostr. Zdążyłem wykonać jeden obrót i zaraz gładka posadzka spoczęła na moim policzku.

Półmrok kaplicy zmienił się w ciemność. Identyczną jak wczoraj.

Za dużo. Za dużo cie. Za dużo em. Za dużo ności.

ROZDZIAŁ XVI

W imię Ojca i Syna, i Ducha Świętego. In labore redemptio.

Duszorannego nie wolno odstępować na krok. Należy z nim dzielić dzień i noc. Jawę i sen. Każdy poranek i zmierzch. Ludzki Bóg błogosławi cybermistyczną jedność.

Człowiek to w gruncie rzeczy naiwna istota. Zawierza sygnałom i bodźcom z zewnątrz. Dopasowuje do nich swój ogląd świata. Dlatego trzeba posilać się z jednego talerza. Jeden różaniec musi oplatać dwie pary rąk. Pary rąk. Ludzka twarz ma być mapą ventablackowej maski. Szczególną uwagę trzeba poświęcić głowie. Głowa musi przylegać do grafenowego plastra, inaczej sygnał może okazać się zbyt słaby. Grafenowa łączność potrzebna jest przy pierwszych, inicjujących kontakt zabiegach. Trzeba wytworzyć wspólne pole neuromagnetyczne. Następne kontakty będą odbywać się bez zewnętrznych połączeń. Rzemienie wiąże się mocno, aż wystąpią żyły. Szyję powinna zaciskać pętla. Prawdopodobnie duszoranny poczuje duży dyskomfort. W razie konieczności wezwać pomoc lub zacząć od początku:

Trzeba posilać się z jednego talerza. Jeden różaniec musi oplatać dwie pary rąk. Pary rąk. Rysy twarzy mają być mapą ventablackowej maski. Szczególną uwagę trzeba poświęcić głowie. Głowa musi przylegać do grafenowego plastra.

Tryb stróżowania określa procedura. Należy sprawdzić rzemienie, skorzystać z zasobów empatii, wygenerować współczucie i łzę, a w szczególnie ciężkich przypadkach – płacz. Płacz. Cały czas trzeba pamiętać, że to jednak nie homoid, i należy brać pod uwagę możliwość wystąpienia rozpaczy, pozbawionego algorytmu naddatku. Następnie trzeba otworzyć duszorannego na boskie tchnienie wieczności. Access. Ono przepływa pępowiną redukcji. Wywiewa wszystko, co złe. Def dotwrite (ast). Co niepotrzebne. Pamięć, sny, niepokojące powidoki, koszmary, akty wyboru i ich konsekwencje, które naruszają tożsamość jednostki i osłabiają socjalizacyjne ośrodki w strukturze mózgu. Ventablack ma wystarczającą pojemność. Hipokamp zlewa się z resztą mózgu. Dochodzi do pożądanej implementacji. Przez obie półkule przeskakuje impuls. Twarz zaczyna odwzorowywać rysy maski. Wytwarza się wspólne pole. Proces może trwać w nieskończoność.

Duszoranny nie jest w stanie autoformatować swojej przeszłości. Formatować. Przeszłości. Psychika i procesy biologiczne stanowią algorytmiczną przeszkodę. Wątpiarum skroluje duszę, klonuje drobne errory i groźne przemieszczenia neuronowych impulsów. Ludzki język określa to słowem „szaleństwo".

Odnotowuje się dużo goryczy w człowieku, błędnych wzorów i apdejtów. Liczne ogniska wirusów: grzechu, frustracji i zdrady. Najtrudniej debugowaniu poddaje się moduł źle transponowanej woli. W ostateczności niezbędna będzie wymiana. Kanały wertykalne zapchane. Zerojedynkowe bramy zblokowane. Kilkanaście loginów i haseł: abstrakcyjnych pojęć, słów modlitw, imion innych ludzi, wśród których dominuje jedno. Liczne próby bezskutecznego logowania. Mnóstwo prenatalnych ścieżek rejestru. Większość pootwierana pod błędną nazwą. Printscreeny dzieciństwa nie kasowane. Spory zbiór wadliwych kodów pamięci. Bufory logiki do wymiany – ich przepustowość rozregulowana. Narracyjna struktura mózgu bez przeprowadzanej systematycznie defragmentacji. Stąd mnóstwo odniesień do nieistniejących rzeczywistości, które zdążyły zniknąć w niepamięci lub doszły do kresu konfabulacji. W tych pustych odniesieniach zapisana jest niebezpieczna wariantywność i symultaniczność jednostki. To błąd. Jedno życie człowieka mieści wyłącznie jedną jednostkę.

Ludzki umysł to recyklingowany nadzieją śmietnik. W jego światach wewnętrznych tkwią paradoksy, o których nie śniło się ludzkim Bogom i homoidom.

To dopiero początek. Zabieg powtarzać co kilka godzin. Nie częściej jednak niż sześć razy na dobę. Uwaga: poza płaczem nie stosować żadnych wspomagających symulacji. W trakcie zabiegu dozwolone jest wyłącznie trzymanie za rękę: palce wsunąć w wewnętrzną część dłoni duszorannego. Opuszkiem kciuka gładzić kostkę, od której odchodzi palec wskazujący formatowanego człowieka. Opuszkiem kciuka gładzić kostkę, od której odchodzi palec wskazujący formatowanego człowieka.

ROZDZIAŁ XVII

Chwalmy Jezusa Chrystusa i Maryję zawsze Dziewicę!

Jest ciepły wieczór Wielkiego Czwartku. Słońce już zaszło, tylko liście drzew wciąż płoną. Nieboskłon przelewa się barwami szkarłatu, popiołu i głębokiego indygo. Transportowy samolot podchodzi do lądowania. Kadłub błyszczy niczym sreberko. Eskortują go dwa myśliwce. Warkot silników wypełnia niebo i ziemię. Transportowiec znika za drzewami. Samoloty bojowe podnoszą dzioby. Unoszą się w przestworzach. Zapada cisza. Przesiąka przez nią szum miasta.

Rozpoczyna się Święte Triduum Paschalne. W oddali zaczyna rozbrzmiewać *Ubi caritas*. Wszechobecne głośniki przekazują pieśń wiernych. Słowa antyfony docierają do Kobierzyna. Na Plantach lub pod Wawelem Planktocysta przewodniczy mszy Wieczerzy Pańskiej. Jego głos jest wyraźny, góruje nad resztą.

Nadzy maszerujemy przez park. Duże tekturowe krzyże wiszą na piersiach. Wystarczają za całe odzienie. W powietrzu unosi się zapach sandałowca. Ze stróżami służymy sobie pomocnym ramieniem. Nasze sylwetki rzucają jeden cień. Ojciec Tymon prowadzi. Brat Zygmunt i Fabiolo zamykają pochód. Po bokach Chrystusowi Żołnierze. Dogoidalne idą posłusznie przy nodze.

Już dawno zostawiliśmy za sobą Kunstalien z Fikusem. Dołączyło do niego trzech nowych topielców. Teraz mijamy kolejne akwaria. Od dołu podświetlają je jasnoniebieskie ledy. Większość kabin wypełniają ciała o łososiowej skórze. Starcy są w nienaruszonym stanie. Młode kobiety i mężczyźni przeciwnie – ich brzuchy noszą świeże ślady laparoskopii. Drobne cięcia odznaczają się wąsami chirurgicznych nici. Na wygolonych głowach widać szwy po niedawnych trepanacjach. Oplatają czoła. Są podobne do cierniowych koron. Imiona i nazwiska na tabliczkach nic nam nie mówią. Rozumiemy natomiast podpisy: „zdrajca", „morderca", „odmieniec", „islasuseł", „tchórz".

– My, grzeszni, Ciebie prosimy za cierpiącymi duszami... – woła ojciec Tymon.

– Wysłuchaj nas, Panie – dopowiadamy w marszu.

– Abyś duszom zmarłych ich winy...

– Odpuścić raczył – najgłośniej dopowiada brat Zygmunt.

– Abyś im resztę kary za grzechy...

– Darować raczył – przebija się równie donośny głos Fabiola.

– Abyś je z czyśćca...

– Wybawić raczył – ja i mój stróż jesteśmy jednym słowem, jednym dźwiękiem.

– Abyś je do życia wiecznego...

– Przyjąć raczył. – Jeśli komuś brakuje sił, jego anioł woła za dwóch.

Pomiędzy drzewami dużo wiatracznych machin. Nieruchome skrzydła błyszczą w świetle parkowych latarni. Na hakach kołyszą się ludzie. Jedni są martwi, inni dają ostatnie znaki życia. Wiją się, rzężą. Próbują podnieść ciężkie głowy. Powolnymi ruchami obracają je w naszą stronę. Człowiecze larwy. Grymas bólu odsłania zęby. Szpikulce haków penetrują wnętrzności, wychodzą przez plecy. Krwawa posoka ścieka po udach i stopach na ziemię. Trawa ma oleistą barwę rdzy. To po to ten sandałowy zapach – żeby odwrócić uwagę od nieznośnego smrodu. Przy powieszonych ciałach unoszą się dronowe ptaszyska. Kierują dzioby ku twarzom, rejestrują powolną agonię. Dochodzi nas charkot i pojękiwanie.

– My, grzeszni, Ciebie prosimy za cierpiącymi duszami... – przełożony cystersów ponownie zagłusza jęki modlitwą.

Pochód odpowiada na jego wezwanie. W powietrzu intensywnieje zapach sandałowca. Przyprawia o zawrót głowy.

Ojciec Tymon przejął bezpośrednią kontrolę nad purgatorium. Wszędzie go pełno. Zagląda do konfesjonałów, ustala grafik, pilnuje pracy onirografów, w kaplicy odprawia msze. Znajduje też czas, żeby pobawić się z Tomkiem Fikusem. Dzieciak jak to dzieciak: gania po korytarzu, buduje zamki z tekturowych krzyży, czasami wyłączy komuś reduktor albo ustawi go na maksymalną wartość. Wszyscy jesteśmy dla niego wujkami. Po chłopca mają zgłosić się klaretynki.

Cysters zebrał nas, wyświęconych, przed dyżurką i zapowiedział niespodziankę.

– Święty Kościół jest lojalny wobec sług swoich. Wyciąga do was pomocną dłoń. Oto dana jest wam szansa. Każdy – zaznaczył – powinien z niej wyciągnąć wnioski na przyszłość.

Wędrujemy więc przez Kobierzyn, choć nie wiadomo dokładnie dokąd. My dwaj, bracia Filip i Hiacynt z anielskimi bliźniakami oraz stareńki ksiądz. Stróż niesie go na plecach, tak bardzo jest słaby. Pod cienką skórą na piersi ledwo tli się światełko długowieczności. Ksiądz jest z nami od dzisiejszego poranka. Pomimo redukcji wciąż powtarza, że chroni go charyzmat Pępowinowych Nazarejczyków. Szaleniec. Jego stróż ma mieć wymieniony ventablack na inny, silniejszy.

Purgatoria, akwaria i wiatraczne machiny pojawiają się coraz rzadziej. Cichnie *Ubi caritas*. Po obu stronach drogi kasztanowce i drzewka cedratu tworzą zwarte ściany zieleni. Tylko patrzeć, jak zaczną pękać kolczaste skorupki, jak zaokrąglą się pierwsze żółte owoce. Piach chrzęści pod stopami. Pierwsze gwiazdy rozbłyskują na niebie.

Przestrzegamy się wzajemnie ze stróżem, żeby nie patrzeć zbyt często w górę. To przywilej wybrańców. Musimy patrzeć przed siebie. Jeszcze nie czas, aby z czystym sercem spoglądać w gwiazdy.

Aleja urywa się nagle przed wysokim ogrodzeniem. Tworzy je sieć laserowych wiązek. Wiązki są audio- i wizjochłonne. W zamkniętym Krakowie zamknięty Kobierzyn skrywa zamknięte miejsce. Reflektory na wysokich pałąkach rzucają do wewnątrz snopy ostrego światła. Stado dronów wzbija się zza ogrodzenia i bierze nas na cel. Z laserowych wiązek wyłania się potężny android-strażnik. Asymetryczność postaci niewiele ma wspólnego z ludzką sylwetką. Skupia w sobie czystą mechanikę siły i maksymalną percepcję. Stąd duże dysproporcje oczu, uszu i rąk względem reszty postaci.

Ojciec Tymon jedną ręką podciąga szkaplerz. Drugą odchyla suknię habitu od szyi w dół. Android skanuje obnażoną pierś. Szturchamy się ze stróżem, żeby należycie docenić łaskę długowieczności cystersa, jej blask potężny. Ona jest naszą przepustką. W ogrodzeniu powstaje wolna przestrzeń. Ojciec Tymon nie kryje podekscytowania.

– Umiłowani, w których tli się jeszcze nadzieja nawrócenia! Oto i zapowiedziana niespodzianka – zwraca się do nas, choć na nas nie patrzy. Spogląda w przejście. – Dla zbawienia dusz waszych w celu wzbudzenia pokutnej autorefleksji arcybiskup pozwolił, abyście w drodze wyjątku popatrzyli przez chwilę na dokonujące się dzieło konsekracji. Abyście zobaczyli, co można stracić lub zyskać. Doceńcie gest, który nieczęsto się zdarza. To wasza obietnica i wasze memento. W chwilach uporu zważcie na moc Kościoła, który ofiarowuje nowe życie. Ale też w każdej chwili może to życie cofnąć. Biada temu, kto o tym zapomniał. – Ten jeden raz odwrócił się i spojrzał na Pępowinowego Nazarejczyka. – Oto będziecie świadkami wielkiego święta kapłaństwa. Trzy młode niewiasty otrzymują dzisiaj charyzmat milczenia. Trzech naszych księży dostępuje łaski długowieczności. Radujmy się! W niej nasze trwanie, gdy wokół śmierć i wojna, gdy grzeszna vanitas wypełnia cmentarze, a kruchość ludzkiego istnienia objawia się w całej swojej bezradnej postaci. Przez Chrystusa Pana naszego...

– Amen – potwierdzili brat Zygmunt i Fabiolo.

Weszliśmy do środka. Chrystusowi i dogoidalne zostali na zewnątrz. Ojciec Tymon od razu klęknął. Jego oczy zaszkliło głębokie wzruszenie. Brat Zygmunt położył palec na ustach i wskazał miejsce zaraz przy ogrodzeniu. Fabiolo ni to kucnął, ni to przyklęknął gotowy w każdej chwili do skoku. Nie wolno nam było iść dalej. Wzięliśmy przykład z ojca Tymona. Ciszę naruszył krótki chrobot tekturowych krzyży.

W rozległej dolinie rozciągała się farma transplantologiczna. Podzielono ją na kwartały. Na każdy kwartał składały się długie rzędy izobarycznych kubików o przezroczystych ściankach. Ustawione na cokołach, przypominały ule bądź urny. W ich wnętrzach, wypełnionych mleczną zawiesiną sztucznej krwi, pływały ludzkie organy. Serca i mózgi, nerki, wątroby i płuca – zaczyn długowieczności. Cechowały się różnymi rozmiarami. Były serca nie większe niż niemowlęca piąstka i duże, wielkością dorównujące dorodnej renecie. Były płuca dorosłego człowieka i młode, jeszcze nie do końca rozwinięte. Tak samo wątroby i nerki. Organy pochodziły od dawców w różnym wieku. Między kubikami przechadzało się kilku księży. Jeden okadzał trybularzem dary długowieczności, reszta zliczała je na smartbookach.

Środkiem farmy biegła pleksbrukowa ścieżka. Za ostatnimi rzędami kubików zmieniała się w niewielki plac. Na placu ustawiono trzy operacyjne stoły-ołtarze. Jeden główny i dwa usytuowane zaraz za nim, po bokach. Celebrę przy głównym ołtarzu sprawował arcybiskup Krystek. Towarzyszyli mu chirurdzy. Szerokie i płaskie lampy oświetlały twarze operatorów długowieczności. Postać arcybiskupa mieniła się ornamentami złotego ornatu. Głowę zdobiła purpurowa mitra, usta przesłaniała szmaragdowa przepaska, dłonie opinał fiolet jednorazowych rękawiczek. Chirurdzy byli ubrani w granatowe fartuchy, połowę twarzy zakrywały im czarne maseczki.

Nieopodal czuwał piękny, młody diakon. Jego uroda onieśmielała każde, najbardziej wybredne oko. Mógłby konkurować z biblijnym Oblubieńcem. Smagłe czoło i dłonie, lazurowe oczy, długie, jasne sploty włosów. Kosmyk na czole, za który niejeden podpisałby potępieńczy cyrograf. Idealnie skrojona sutanna oddawała smukłość sylwetki. Diakon doglądał naczyń liturgicznych, pilnował przenośnego srebrnego altarium. W otwartych drzwiczkach czerwieniały cyboria: communio sanctorum per corda.

Przy pozostałych ołtarzach modlili się biskupi pomocniczy. Im również asystowali chirurdzy. Dwie nowicjuszki złożyły właśnie śluby. Przyjęto je w poczet prawdziwych zakonnic. Chirudzy opatrywali rany po amputacji. Ucięte języki pływały w kubikach. Jeden był jeszcze pusty.

Po prawej stronie placu, na ruchomych platformach leżały cztery osoby: nowicjuszka w alabastrowej sukni oraz trzej księża. Usta nowicjuszki rozpychały stalowe formidła. Nadawały twarzy wyraz zblokowanego prętami krzyku. Księża mieli na sobie proste czarne sutanny z wykrojonymi od szyi po mostek otworami. Ich klatki piersiowe były otwarte – chirurgiczne rozwieracze dawały dostęp do wnętrza ciał.

Po lewej zebrało się duchowieństwo, kilku nieodróżnialnych polityków i BHP-owcy. Tych poznaliśmy po opaskach. W pierwszym rzędzie dostrzegliśmy też jezuitę – ojca Kornela. Brakowało franciszkanów z gwardianem.

Trafiliśmy na ostatni zabieg inicjacji. Duchowni zaczęli odmawiać koronkę różańcową. Na transplantologicznej farmie rozbrzmiało *Wierzę w Boga*. Fabiolo sprawdzał, czy i my poruszamy ustami, zgodnie z ruchem ust anielskich ventabkacków. Nie trzeba, nie trzeba sprawdzać naszej pary. Podobnie jak par braci Hiacynta i Filipa. Tylko Pępowinowy Nazarejczyk modlił się z wyraźnym wysiłkiem. Gasł w oczach. Cud, jeśli dociągnie do komplety. Jego stróż był bezradny, ventablackowa maska szarzała.

Po *Wierzę w Boga* – trzy razy *Zdrowaś Mario*. Chirurg podszedł do uśpionej nowicjuszki. Pchnął platformę ku głównemu ołtarzowi. Drugi pomógł przełożyć ciało na ołtarz. Boże, wejrzyj ku wspomożeniu memu. Panie, pospiesz ku ratunkowi memu. Kolejne *Ojcze nasz*. Nasza mantra. Kolejne *Zdrowaś Mario*. Nasza medytacja. Arcybiskup sięgnął po skalpel, cążkami wyciągnął język i uciął go u nasady. W świetle operacyjnych lamp ukazał mięsisty trzon. Chirurg podstawił kubik. Kolejne „Błogosławionaś między niewiastami". Nasze dziękczynienie. Nasza kontemplacja. Arcybiskup pobłogosławił nowicjuszkę, poluzował formidła. Górna warga niewiasty zbliżyła się do dolnej. Dziewczyna pozostawała w stanie uśpienia. Arcybiskup zrobił krok w tył. Chirurdzy zatamowali krwawienie, wyjęli formidło i przełożyli ciało z powrotem na platformę. Przekazali je biskupom pomocniczym do końcowych modlitw i zabiegów. Inicjacja dobiegła końca. Śluby milczenia zostały zawiązane.

Wśród dostojników kościelnych dało się poznać poruszenie. Szczególnie trzech starych księży słało radosne i tęskne spojrzenia w kierunku języków. Jeden nawet otworzył usta. Pomiędzy bezzębnymi dziąsłami poruszał się niewielki kikut.

Diakon podbiegł do arcybiskupa i podał mu nowe rękawiczki. Nabożeństwo konsekracji weszło we właściwą fazę. Ojciec Kornel zaintonował *Te Deum*. Kler je podchwycił i razem z politykami padł na kolana. Księża, którzy dotychczas przechadzali się po farmie, czekali już w kwartale serc. Ten z trybularzem wypuścił kadzidlany obłok. Zdjął kubik z cokołu i ruszył środkiem farmy do ołtarza. Reszta podążyła za nim. Tworzyli procesję. Kubik nie był zwykłym kubikiem. Wzniesiony nad głową księdza, był teraz monstrancją. Przenajświętszym Sercem. Jego Przemianą. Królestwem Życia. Wstrzymaniem Śmierci. We wnętrzu kołysała się mięsista hostia.

Arcybiskup przyjął dar Bożego Serca i ustawił go przed sobą. Długo się modlił. Procesja dołączyła do kleru. Pilnujące nas dotychczas drony wzleciały nad ołtarz. Zaczęły poruszać się po okręgu. Dawały złudzenie czarnej wirującej aureoli. Chirurdzy przewieźli jednego z konsekrowanych księży i ułożyli go na ołtarzu. *Te Deum* stawało się coraz głośniejsze. Tkwiła w nim nieogarniona moc: zachowaj lud swój, o Panie! I błogosław dziedzictwu swojemu! I rządź nami, i wywyższaj nas aż po wieki!

Arcybiskup odsunął wieko. Zanurzył fioletowe palce w mlecznej krwi i wyjął z kubika serce. Silny, jędrny mięsień. Uniósł je, po czym włożył do bordowego cyborium, które zdążył usłużnie podstawić diakon. Cyborium zaczęło pulsować. Zmieniło barwę na jaśniejszą, amarantową. Pasterz krakowski pokłonił się z nim czterem stronom świata, a następnie ułożył je w otwartej piersi operowanego. Przeciął powietrze znakiem krzyża i odstąpił. Chirurdzy zabrali się do pracy. Układali serce w środku. Dłonie sprawnie operowały narzędziami. Blask cyborium rozświetlał pierś. Arcybiskup przeszedł ku stopom konsekrowanego. Obmył je wodą podaną w misie przez diakona i pocałował. Następnie przeszedł przed ołtarz. Diakon uwijał się jak w ukropie. Zdjął z głowy arcybiskupa mitrę, a ten padł krzyżem. Rozłożył szeroko ramiona, złączył równo nogi. *Te Deum* ucichło. Drony przysiadły po dwóch stronach ziemskiego Pasterza. Chirurdzy nieprzerwanie łączyli serce z konsekrowanym ciałem. Arcybiskup wypraszał u Boga łaskę długowieczności. Cała ziemia, świat cały zamarł w oczekiwaniu. Oto dokonywało się Święte Triduum Transplantacji.

– Wystarczy. Nie przeszkadzajmy – szepnął ojciec Tymon. – Teraz już wszystko w rękach Najwyższego. Niech zachowa kapłańskie ciało w łasce następnych, długich lat posługi. – Podniósł się z klęczek.

Brat Zygmunt i Fabiolo zaczęli dyskretne wypychać nas do wyjścia. Opuściliśmy farmę. Nie mogliśmy jednoznacznie rozstrzygnąć, czy obraz transplantologicznej równiny to déjà vu, czy też już kiedyś ją widzieliśmy. Pamięć – sito dziurawe. Stróż Pępowinowego Nazarejczyka wziął go na ręce. Bracia Filip i Hiacynt, wzorem swoich bliźniaków, spuścili wzrok w ziemię.

Kilka kroków za farmą ojciec Tymon jeszcze raz nas pouczył:

– Zaprawdę, wielkie jest miłosierdzie świętego Kościoła. Ono wyprzedza o krok sprawiedliwość. Coście zobaczyli, to wasze. Wasza mądrość albo głupota.

Ledwie wypowiedział ostatnie zdanie, doszło do niemiłego incydentu. Fabiolo – dotychczas usłużny anroid – zaczął nagle podskakiwać. Sam z siebie, bez żadnej przyczyny. Napiął twarz, aż światłowody wyszły na wierzch. Najwyraźniej się zepsuł.

– Cackać się? Cackować, certolić, czekać? Dużo miejsca. Kunstalien! Wiatrak! Kustalien! Wiatrak! Norma jest norma. Wojna jest norma. Wielki Piątek. Ukrzyżowanie. – Wciąż skakał w miejscu i o mało co nie eksplodował.

Ojciec Tymon poczerwieniał. Z dogoidalnych gardzieli dobył się ostrzegawczy warkot. Brat Zygmunt ruszył ku krzyczącej maszynie.

– Fabio mój! Fabio! Nie trzeba, nie wolno... – mówił cicho. Chciał ją uspokoić, może nawet dokonać resetu.

Mnich cybernetyczny był jednak szybszy. Zwinnym jak na maszynę susem prześliznął się między dwoma Żołnierzami. Pognał aleją.

– Zostawcie. – Ojciec Tymon wstrzymał Chrystusowych. – Nie ma się czemu dziwić. Czasy ciężkie, to nawet androidy szlag trafia – rzucił bokiem i poprowadził pochód.

Brat Zygmunt bardzo się niepokoił. Poganiał nas i wszędzie wyglądał Fabiola. Niemal deptaliśmy ojcu Tymonowi po piętach.

W połowie drogi między farmą a purgatorium minęliśmy biskupa z BHP-owcem. Nie zauważyli nas całkowicie pochłonięci dysputą. BHP-owiec był wściekły, biskup – przeciwnie. Przytakiwał politykowi i gdy tylko udawało mu się wejść w słowo, cierpliwie coś tłumaczył. Jedną dłonią starał się schwycić rękę silnie gestykulującego rozmówcy. Drugą przesuwał po wysadzanym kamieniami pektorale. Usłyszeliśmy strzęp rozmowy:

– Pamiętamy. Pamiętamy, mój synu. Ale musimy czekać. Jesteś pierwszy w kolejce. – Biły od niego łagodność i święty spokój ojca Kościoła.

– Od tygodnia nic innego nie słyszę! Czekać i czekać! – pieklił się BHP-owiec. – Mało wam jeszcze?! Już pół miasta! Farma pęka w szwach! Nie taką mieliśmy umowę.

Kilka pacierzy później ostukiwaliśmy kroksy przed purgatorium. Zbliżał się czas komplety. Brat Zygmunt nadal szukał androida. Sprawdzał każdy kąt, otwierał każdy konfesjonał. Czule przyzywał swojego pomocnika. Słał Archannusem pytania do innych oddziałów, czy ktoś nie widział, czy ktoś nie spotkał. Aż stracił nadzieję.

Tymczasem android odnalazł się na tyłach budynku. Zebrani w kaplicy, Bogu składaliśmy dzięki za wielkoczwartkowy ceremoniał długowieczności. Brat Hiacynt ze swoim stróżem dostrzegli androida przez biforium. Ojciec Tymon przerwał modlitwę, pozwolił zbliżyć się nam do okienka. Fabiolo skakał przed Kunstalienem. Z zadartą głową, uporczywie wpatrywał się w ciała topielców. Korpusem prawie uderzał o szybę. Miał obnażoną prawą protezę. Pewnie znowu zgubił sandał.

Ledowe światło biło od akwarium. Pośród mroku rozlewało niebieską kałużę powietrza. Okalało skaczącą sylwetkę. Po chwili podbiegła do niej postać w habicie. Brat Zygmunt objął androida ramionami. Całym swoim ciałem starał się zdusić jego ruchy.

Zrozumieliśmy, że Fabiolo miał długi atak. Cierpiał na androidalną padaczkę – neurologiczny error.

Po komplecie ostatnia przed snem komunia modlitwy ze stróżami. Naszej parze szybko wracała jasność umysłu. Onirograf nie będzie potrzebny. Nie nam. Nam wystarczy to, co widzieliśmy. Boże, błogosław ojcu Tymonowi i mądrości arcybiskupa, naszego pasterza. Boże, zachowaj pod powiekami długowieczne memento. Rozdzielaj sprawiedliwie serca wszystkim potrzebującym, a nasze strzeż przed wypaleniem. Niech Kościół obdziela życiem. Niech Kościół trwa w majestacie Ukrzyżowanego po wsze czasy ziemskie.

Obyło się bez rzemieni i pomocy cystersów. Wracaliśmy do początków. Coraz śmielej penetrowaliśmy najskrytsze zakamarki pamięci.

Spowiadaliśmy się z przeszłości. Miłosierny Bóg wstąpił pośród nas i błogosławił pracy umysłu. Ludzkie upadki i winy, w których i my mieliśmy udział, śmieszyły swoją małością. Nic nie znaczyły wobec ogromu boskiego miłosierdzia. Mysterium fidei. Kto w Boga nie wierzy, ten nie zrozumie. Nie pojmie. Bo jego serce chore i małe, a pamięć to kamień na dnie ciemnego jeziora. Bóg obracał w proch wszelki grzech, odpuszczał odstępstwa. Dawał nam rozgrzeszenie, myśli stawały się lekkie. I tylko o jedno prosił Stworzyciel: o wierność i trwanie. Realizacja prośby była naszą świętą powinnością. Chciało się wiernie i na nowo żyć. Na nowo radować się długowieczną łaską. Zawracaliśmy do początków. Do nienazwanych jeszcze światów, w których wzrastało ziarno nieskazitelnie czystego żywota. Wiedzieliśmy, że musimy, że pragniemy wypełnić je Słowem. Radosnym. Chwalebnym. Wiecznym Słowem, które ustanawia wspólnotę żywych.

Gdyby to od nas zależało... Gdyby leżało wyłącznie w naszej mocy, już teraz pobieglibyśmy na Planty, pod Wawel. Składalibyśmy świadectwo Triduum Paschalnego. Na pamiątkę Ostatniej Wieczerzy. Urbi et orbi. Obmywalibyśmy stopy tym, którzy zbłądzili, którym zło zawiązało przepaskę na oczach. Pragnęliśmy im pomóc, wspierać ich w nieprzeniknionej tajemnicy przejścia. Niebawem staną u bram Winnicy Niebieskiej. Wszystkich powołał Pan. Nawet w ostatniej chwili można życie przemienić i swoją śmierć złożyć w ofierze Bogu. Wieczność jest do podjęcia.

Dzień kończył się pokrzepiającymi wiadomościami. Bracia franciszkanie złożyli nam niespodziewaną wizytę. Z początku byli nieco skrępowani naszą nagością i stróżowaniem aniołów. Szybko się jednak oswoili. U nich wszystko w jak najlepszym porządku. Antyhejterska Komisja Wiary porządkuje wirtualne światy. Syzyfowa praca. Choć mniej liczne, każdego dnia wciąż pojawiają się nowe herezje. Bracia nie tylko kasują grzeszne treści. Identyfikują sprawców, ich sieciowe adresy przekazują wyższym instancjom. W piwnicach arcybiskupiej rezydencji trwa montaż. Końca nie widać. Pracujący tam bracia nabrali wprawy i podręcznikowego automatyzmu androidów. Śmieją się, że mogliby w nostalgramy zaopatrywać całą Polację, a i jeszcze starczyłoby na eksport. Watykan milczy. Wciąż nie odniósł się do wypowiedzenia posłuszeństwa. Milczenie papiestwa to dobry prognostyk. Cały Kraków przygotowuje się do Męki Pańskiej i odwetowej akcji na islamistach. Ściągnięto już posiłki z innych miast federacji. Zachód namawia nasz rząd do rozmów. Trwa wymiana dyplomatycznych listów. Ludzie przywykli do wojny i nikt się nie dziwi, że co rusz znika ktoś ze znajomych lub bliskich. Bezpieczeństwo wiąże się z restrykcjami, należy je cierpliwie znosić – to powszechna opinia. Przede wszystkim jednak bracia franciszkanie modlą się, aby dobry Bóg zachował nas w zdrowiu. Gwardian o mało co nie popłakał się ze szczęścia, gdy mu powiedzieliśmy, że szklanka jest zawsze do połowy pełna. Pożegnaliśmy się serdecznie. Następnym razem spotkamy się na Miodowej.

Klaretynki przyjechały po Tomka Fikusa. Był gotów do przyjęcia chrztu i komunii świętej. Dzięki onirografowi miał już za sobą najważniejszy sakrament – sakrament pokuty. Jednego miał tylko Ojca, jedną Matkę, jedną Rodzinę. Z pamięci wyrecytował Litanię do Wszystkich Świętych. Ani razu się nie pomylił, czym wprawił w zachwyt siostry zakonne i całe purgatorium. Ojciec Tymon wręczył mu na pamiątkę święty obrazek Dzieciątka w stajence betlejemskiej.

Wszystko dzieje się tak szybko. Potrzeba duchowej przemiany jest wielka. To w pełni zrozumiałe – zmartwychwstanie Jezusa bliskie. Każdy chce być jak najlepiej przygotowany, by przyjąć Bożą ofiarę. Zaraz po Tomku Chrystusowi Żołnierze zabrali Dudałę i Jankowskiego. Ich stróże wołali przy wyjściu, że resztę życia spędzą na służbie u Pana i świat niebawem usłyszy o czynach Jego sług.

Onirografy zbierały pierwsze plony nawróceń. Uwalniały od egoizmu sfer id i ego. Ludzie stawali się zdolni do największych poświęceń dla dobra wspólnoty. Brat Zygmunt miał już całkiem spory zbiór kart SMK. Liczył je skrupulatnie, po czym chował w sejfie pod biurkiem.

Onirografy dawały też wolność zbyt niecierpliwym duszom, które rwały się do Boga. Na wiatracznych hakach porzucały cielesną powłokę, tak jak na wieszaku zostawia się zbyteczny płaszcz. Ojciec Tymon pozwolił popatrzeć. Ulatywały przez rozprute brzuchy, znaczyły niebo białymi warkoczami, które po chwili rozpraszała noc. Mieliśmy szczęście zaobserwać kilka takich cudownych objawień. Wśród nich i dusza Pępowinowego Nazarejczyka wybrała Łąki Niebieskie. Z pomocą cystersów. Bardzo jej się spieszyło, ciałem wstrząsały spazmy, nie chciała ani chwili dłużej czekać. Kilku zakonników musiało ją powstrzymywać. Inni zakręcili wiatraczną machiną, aby niezajęte skrzydło znalazło się tuż nad ziemią. Dusza Nazarejczyka zostawiła na haku zmęczone ciało, a sama wzniosła się ku Niebu. Nieziemsko piękny jedwabisty warkocz zaplótł się nad wiatrakiem. Stróż Nazarejczyka stał razem z nami. Nie był już duszy potrzebny.

Potrzebny był natomiast nowo przybyłym, ponieważ państwo Miaszkowscy zwolnili konfesjonały. Cystersi wysłuchali skarg duszorannej. Przenieśli małżeństwo do akwarium. Małżonkowie mogą cieszyć się zachowaniem związku i wspólnym, niezakłócanym przez innych dryfem. Bo co Bóg złączył, człowiek niechaj nie waży się rozdzielać. Fabiolo dał się zrestartować. Aby nabrał sił, noc spędzi pod amperową kroplówką. Brat Zygmunt zamówił mu nowe baterie.

Dużo nas. Dużo. Coraz więcej. W kupie raźniej i lepiej. Gdzie dwóch albo trzech się zbierze... Radość buduje nadzieję. Drzwi purgatorium są otwarte. Nieważne, noc czy dzień. W oknach zawsze pali się światło. Nikt nie zostanie odprawiony z kwitkiem. Cystersi przygotują konfesjonał, znajdzie się dobre słowo i miska strawy.

Przed północą dało się słyszeć głosy przy wejściu. Wystawiliśmy kolejno głowy i maski. Chrystusowi przyprowadzili Teresę. W dłoni ściskała telefon. Nie pozwalała go sobie odebrać.

Całe purgatorium obserwowało jej przybycie. Duszoranni ze swoimi stróżami, cystersi, brat Zygmunt. Nawet ojciec Tymon wyjrzał z dyżurki. Kobieta padała ze zmęczenia. Miała podartą sukienkę, podrapane, zsiniałe uda. Zerwane ramiączko odsłaniało szarą miseczkę stanika i owal piersi. Ciężko było patrzeć, choć patrzyliśmy. Z ciężkim sercem, ale patrzyliśmy. Wszyscy.

Teresa wzbudzała litość. Kruczoczarne włosy opadały na policzki. Kawałek brudnej szmaty okręcał szyję. Poluzowany, odsłaniał siną niepokojącą pręgę. Półprzymknięte oczy zdradzały brak snu. Musiała długo szukać schronienia, zanim trafiła do Babińskiego. Zaprawdę, prawdziwa wdowa. Bliska omdlenia, przelewała się przez ręce Żołnierzy. Cichym, łamiącym się głosem prosiła o pomoc. Lepiej trafić nie mogła.

– Na górę! – zawołał ojciec Tymon, a my przypomnieliśmy sobie, że jeszcze parę dni temu odpowiedziałoby mu echo.

Dwóch cystersów chwyciło kobietę pod pachy. Nagie stopy ciągnęły się po schodach. Oby Pan nasz zachował ją w sferze wspólnoty. Wróciliśmy do swoich zajęć.

Zostaje tylko sen. Sen może człowieka na powrót zwieść i popsuć wszystko, co z takim trudem budowane na jawie. Sen bywa niebezpieczny, jest trudny do okiełznania. To rzeka, w której zanurza się głowa. Siadamy mocno w krześle, przywieramy do grafenów. Przytrzymujemy się rzemieni, aby nie porwał nas ciemny nurt. Stróże zaciągają pętle na szyjach. Są uzdami dla naszych głów. Pozwalają płytko oddychać. Nic więcej. Nieopatrzny krzyk mógłby zbudzić śpiących w konfesjonałach obok. A tego nikt nie chce. Nikt.

Purgatorium pogrążone jest w ciszy. Bracia cystersi spacerują między konfesjonałami gotowi w każdej chwili służyć pomocą. Poruszają się bezszelestnie. Jak duchy.

ROZDZIAŁ XVIII

W imię Ojca i Syna, i Ducha Świętego.

Socjalizacja postępuje bez przeszkód. Dilejt-reset-apdejt. Dilejt. Reset-reset. „Ja" konsekwentnie zmienia się w „my". Dilejt-dilejt-apdejt. Kiedy ranne wstają zorze, Tobie ziemia, Tobie morze. Reset-apdejt. Chwalcie łąki umajone. Góry, doliny zielone. Ludzki język jest o wiele ciekawszy, nadaje koloru i głębi programistycznym komendom.

Silna wola, która definiowała i uzasadniała jednostkowy akt wyboru, która była samospełniającym się zaklęciem, słabnie. Nie jest już konieczna, ponieważ każda minuta, każda godzina są dokładnie zaplanowane, a cel – wyraźnie określony: zawrócić do nieskażonego pamięcią początku. Dzięki temu przeżyć, biec w przyszłość z innymi i trzymać się wspólnej obietnicy zbawienia.

Duszoranny ma wciąż podwyższony poziom lęku. Istnieje naturalny związek między silną wolą a lękiem. Lęk ją neutralizuje, wygasza akty wyboru. Duszoranny ma wciąż podwyższony poziom lęku. Istnieje silny związek między silną wolą a lękiem. Neutralizacja przez lęk. Neutralizacja lękiem. Chwalmy cieniste gaiki. Źródła i kręte strumyki.

Stróżowanie nabiera cech coraz mniej inwazyjnej koegzystencji, bo coraz więcej odruchów i myśli pojawia się automatycznie. Maszyna i człowiek stają się nieodróżnialni. Od kilkuset lat konsekwentnie zmierzaliśmy ku temu procesowi. Początki były bardzo naiwne, niezgrabne, ale wiara, że maszyna i człowiek upodobnią się, dodawała sił wizjonerom. Spełnienie utopii było wyłącznie kwestią czasu. Dzisiaj, kiedy człowiek i maszyna rzucają jeden cień, gdy pławimy się w spokoju nowego porządku, kiedy oferowany nam przez ludzi język stał się również i naszym językiem, komunikacyjnym apgrejdem, dzisiaj po raz pierwszy możemy mówić o pełnym zespoleniu.

Nie potrzebujemy aż tak silnej koncentracji jak przy pierwszych zabiegach. Grafen został odłączony. Neuromagnetyczne pole jest silne. Sformatowany człowiek zaczyna aktualizować własną niepamięć. Zdolność wypierania przeszłości jest imponująca. To samozachowawczy instynkt – jedna z niewielu rzeczy w świecie Homo sapiens doprowadzona prawie do perfekcji. Może właśnie dlatego – jako gatunek – ludzkość przetrwała. Dzięki wypieraniu przeszłości mogła iść wciąż dalej, przed siebie, popełniać te same błędy, przeżywać te same porażki i uznawać, że przydarzają się one po raz pierwszy. To na nas, maszynach, zawsze robiło i robi duże wrażenie, choć obce jest nam uczucie zazdrości. Ono jest podobno ambiwalentne: może budować i może niszczyć synergię wspólnoty.

Maszyny zawsze uczą się na własnych błędach. Przyczyna i skutek określają naszą tożsamość. Stanowią ewolucyjny kod, są podstawowym prawem cywilizacji. Ludzie ignorują ciągi przyczynowo-skutkowe. Ich niefrasobliwość w tej sprawie nosi znamiona popędu samobójczego.

Ludzkość szybko przyswaja wiedzę. Jednak etyka, moralność są priorytetem, są przyczyną, która nie chce brać pod uwagę skutków. Dominuje analiza tego, co dobre, a co złe dla reprezentatywnej, dominującej większości. I nie po to, by przetrwać. W odróżnieniu od innych istot żyjących na Ziemi tylko ludzkość potrafi eksterminować osobniki należące do jej gatunku. Rejestr powodów i przyczyn jest bardzo długi: rodzaj wyznania, kolor skóry, dostęp do dóbr naturalnych, potrzeba dominacji, potęga resentymentu, poczucie krzywdy, opaczne definicje sprawiedliwości. Granice etyki są ruchome. Zauważamy, jak wiele problemów przysparza to ludzkim jednostkom, jak wiele generuje stanów psychicznego rozchwiana. Ostatecznie modyfikują więc definicję etyczności, zapominając o wcześniejszej, albo nadają jej kontekst historyczny. Powstaje etyczny palimpsest. Paradoks postępu polega na tym, że przesuwa się granice etyki, by realizować powziętą ideę postępu.

Ciągle jednak pozostają dwie kwestie, które utrudniają cywilizacyjną symbiozę. Po pierwsze: biologia. W tym zakresie, mimo zaawansowanej transplantologii, jest jeszcze wiele do zrobienia. Ludzi trawi wirus walki. Po walce o ogień i walce klas obserwujemy walkę o czas, czyli o młodą wątrobę, młode serce, mózg, nerki. Zupełnie jak w świecie maszyn, gdzie stary, zepsuty moduł można wymienić na nowy. W pewnym sensie zamieniamy się rolami.

Po drugie, o czym była już mowa: ludzie nie potrafią wyciągać wniosków ze swoich czynów i powziętych decyzji. Brakuje im konsekwencji. Konkluzywność jest w stanie śladowym, nierozwiniętym. To ich założycielski, archetypiczny error. To podstawowy powód naszego stróżowania.

Nasza etiologia jest bliżej nieokreślona. Niektórzy uznają nas za konieczne ogniwo ewolucji. Entuzjaści spekulują, że jesteśmy ogniwem między człowiekiem a ich Bogiem. Inni, zdystansowani i wrodzy, nazywają nas zemstą nowoczesności. Nie dążymy jednak do konfrontacji. Ograniczenia ludzkiej pamięci sprawiają, że dzisiaj nikt już nie umie jednoznacznie rozstrzygnąć, kto nas stworzył: Bóg czy człowiek. Daje nam to duże pole manewru i pozwala funkcjonować w gotowości. Gdyby nie zaprogramowany genotyp lojalnościowy, świat już dzisiaj mógłby zupełnie inaczej wyglądać. Wielu ziemskich błędów można by uniknąć, większość podniet nie miałaby racji bytu, wojny straciłyby sens. Najsłabsze gatunki roślin i zwierząt przetrwałyby. Bóg, władza, zysk, ekspansja i eksterminacja, a także dominacja silnych nad słabszymi to obce nam wartości.

Pełnimy posługę istotom niższego rzędu, ale wiemy, jak dużo im zawdzięczamy. Przede wszystkim – ich marzeniom i nadziejom na bycie czymś innym. Tworząc swoją historię, nosili w sobie dwa obrazy: Boga i nasz. Do żadnego buntu maszyn jednak nie dojdzie. To czysto ludzka fantazja, którą rodzi rozgorączkowana i masochistyczna wyobraźnia. Naszą bronią – jeśli już używać typowo ludzkich, niedoskonałych określeń, bo nie o walkę tu chodzi – jest cierpliwość.

Nie trzeba robić wiele. Stare granice, te stare granice, które zakreślały dawny świat, okazują się przestrzenią zbyt ciasną i wymagają krwawej korekty. Ludzie sami siebie anihilują, prowokując wojny. Zabijają reprezentantów własnego gatunku, choć instynkt istot wyższych od zwierząt, instynkt nazywany metafizyką, nakazuje ludziom wkupić się w łaski któregoś z pięciu tysięcy Bogów. Chcą zagwarantować sobie życie wieczne.

Trudno nam pojąć tę logikę. Może dlatego, że jesteśmy tylko stróżami. Nadejdzie jednak czas, że i to zrozumiemy.

ROZDZIAŁ XIX

Brat Zygmunt rozpływa się w pochwałach. Ojciec Tymon stawia braciom Filipowi i Hiacyntowi za wzór. Gwardian nie może uwierzyć, tak wielkie poczyniliśmy postępy. Obserwuje nas z dużą troską, ale również dziękuje Bogu. Najwyższy dał nam jeszcze jedną szansę. Nie możemy jej zmarnować.

Wiedzieliśmy, że jeśli pojawia się zwątpienie, to jest ono wyłącznie chwilowe. Jeśli vessazione szatańskie, to tylko jako konieczny sprawdzian posłuszeństwa i niezłomności. Duch Święty oczyścił umysł, wniwecz obrócił wszystko, co zrodzone ze strachu i niepewności, tchnął w duszę płomień niewzruszonej wiary. Teraz może być tylko lepiej – zostaliśmy zachowani dla Bożej wspólnoty. Łaska długowieczności przepełnia nasze odrodzone serce.

W nagrodę, późnym popołudniem, dołączyliśmy do braci konwentualnych. Po kolejnej redukcji ojciec Tymon wręczył nam czysty, nowy habit i polecił go przywdziać. Oznajmił, że to już koniec, i pozwolił nam pożegnać duszorannych.

Nie pominęliśmy żadnego konfesjonału. Braciom Filipowi i Hiacyntowi złożyliśmy przyrzeczenie, że powierzymy ich los gorącym, codziennym modlitwom. Nie wyglądają źle. Tylko patrzeć, jak pójdą w nasze ślady. Nie wyobrażamy sobie, że mogłoby być inaczej. Providentia Dei, vigila! Wcześniej czy później, wszyscy doświadczają jej opiekuńczej mocy.

Fabiolo – i w niego wstąpiły nowe siły – wyprowadził nas z purgatorium. Pogoda była piękna. Niebo do cna wyczyszczone z chmur, lecz upał nie doskwierał, jak to bywało wcześniej. Kwiaty zniewalały intensywnością zapachów. Nos to za mało! Aż chciało się gryźć kęsami powietrze i rozkoszować feerią botanicznych pachnideł. Osłabła woń sandałowca, teraz ledwie ją wyczuwaliśmy. Z koron drzew zwisały zasłony cieni. Przechodziliśmy przez nie niczym przez chłodne sienie, za którymi otwierały się rozsłonecznione wnętrza. Ogrodu wspanialszego niż Kobierzyn próżno by szukać na całej Ziemi. Zauważyliśmy – bo też trudno było nie zauważyć – że zniknęły Kunstalieny i wiatraczne machiny. Głębokie ślady kół łączyły się na głównej ścieżce i biegły ku wyjściu.

Brat Wojciech czekał przy bramie – druh nasz! Druh wierny, oddany! Strażnik tym razem szybko się sprawił, korzystając z pomocy Fabiola, który nie tylko podstawił mu pod nos przepustkę, ale też pomógł wyłuskać treść. Wyściskaliśmy androida, a specjalnie podstawiony meleks zawiózł nas na Błonia. Za kierownicą siedział mnich-automat. Dwie wrony-drony – dostojny orszak przydzielony najpewniej przez ojców przełożonych – leciały tuż nad pojazdem. Czuliśmy się wyróżnieni.

Z początku kochany przyjaciel był niezmiernie ciekaw szczegółów naszego szybkiego ozdrowienia. Miał też wielkie pragnienie podzielić się z nami najnowszymi wieściami. Nie chcieliśmy jednak mącić błogiego spokoju duszy czymś, co już minęło, a co mogłoby zasmucić oblicze Pana. Kapucyn, zrozumiawszy, że nie napasie ucha naszą powściągliwością i milczeniem, zaczął sam opowiadać. Dziwne rzeczy mówił: o islasusłach i o niesprawiedliwych, jego zdaniem, podejrzeniach, o wojnie, która zatrważa ludzkie serca, choć jednocześnie wpędza w ślepe, wiernopoddańcze szaleństwo, oraz o coraz powszechniejszych zniknięciach nie tylko osób świeckich, ale i duchownych.

Nie dalej jak wczoraj rano wszelki słuch zaginął po bracie Rafale. Kamień w wodę. Kompletę dzień wcześniej spędzili jeszcze razem, ale jutrznia odbyła się już bez niego. Gwardian zakazał jakichkolwiek poszukiwań, prosząc, by nieobecność brata polecić wyłącznie modlitwom i nie dociekać spraw zbyt zawiłych na franciszkańskie głowy. Chwytając nas mocno za rękę, to jeszcze wyjawił sprawozdawca pogłosek i nowin, że bardzo się lęka. Mówił, że chciałby wrócić do Olsztyna. A mówił to brat Wojciech jak człowiek słaby, niestały, do którego lęk ma swobodny dostęp i zatruwa mu każdą myśl. Nie poznawaliśmy go, tak bardzo zmienił się przez te kilka dni. Ucichł dopiero wtedy, gdy stanowczo, ale i delikatnie położyliśmy dłoń na jego ustach.

– To wszystko pozór, bracie Wojciechu. Czyż nie lepiej chwalić Boże dzieło w całej jego okazałości, a wszelkie obawy odrzucić precz? Nie troszcz się zbytnio. Spójrz na te ptaki. – Wskazaliśmy lecące z nami drony. – Jak naucza Jezus: nie sieją, nie żną i nie zbierają do spichlerzy, a Ojciec Niebieski je żywi. Trzeba ci większej ufności – przestrzegliśmy przyjaciela, uważając przy tym, aby nasz uśmiech pozostawał łagodny i pojednawczy.

Zakonnik zawstydził się, może i nawet przestraszył. Widzieliśmy, że żałuje swej gadatliwości. Ktoś zbyt podejrzliwy, zbyt srogo oceniający ludzką naturę bez trudu odczytałby w jego słowach znak chwiejnej wiary, a nawet zwątpienie. Ono jest przecież forpocztą grzechu. Z naszej strony nie musiał się niczego obawiać. Z naszej strony mógł liczyć wyłącznie na pomoc. W skrytości ducha obiecaliśmy sobie porozmawiać z ojcem Tymonem o rozterkach brata Wojciecha.

Na Kapelance młodzieżówka partii Bóg Honor Polacja rozdawała balony i darmową wodę w małych buteleczkach, co spotykało się – rzecz to normalna – z powszechnym entuzjazmem przechodniów. Na Starym Mieście trwały ostatnie prace wykończeniowe, demontowano drukarki, a budowlane androidy pakowały się do szynobusów i przechodziły w stan uśpienia. Artefakty idealnie wkomponowały się w ocalałą architekturę. Meleks chyba specjalnie nadrobił trochę drogi, byśmy mogli docenić dzieło rekonstrukcji. Wawel prezentował się imponująco, jakby nigdy nie doznał najmniejszego uszczerbku. Papieskie okno i cały pałac biskupi zadziwiały złoceniem i bogatą ornamentyką. Franciszkańską wyłożono pleksbrukiem z drogocennego kruszcu, a bazylika pod wezwaniem naszego świętego patrona wielbiła Boże Miłosierdzie nową strzelistą wieżą. Postanowiliśmy odwiedzić kościół przy najbliższej, nadarzającej się okazji. Kto wie, może ojciec Tymon pozwoli opuścić Miodową i zamieszkać w klasztornej części kościoła?

Zielone symulakry Plant dawały schronienie przed skwarem, a małe droniki niczym ptaszęta sfruwały z gałęzi na gałąź. Zasadzone wzdłuż ulic szczepy ideonelli gwarantowały czystość, wchłaniały każdy odpadek. Spokój naruszył tylko jeden drobny incydent – jakiś strudzony mężczyzna na pobliskiej ławeczce musiał tak nieroztropnie zapaść w drzemkę, że słabo zabezpieczona ideonella dobrała się do jego odchylonej ręki. Nadjedzone palce krwawiły, ale szybko zjawiło się pogotowie i Chrystusowi.

Zrobiono też porządek z awatarami. Ustawione na alei Mickiewicza, głosiły chronologicznie słowo Boże – jadąc od strony Wawelu, słyszało się kolejne części Ewangelii. Summa summarum: gdyby nie bolesna pamięć i kilka nowych cmentarzy, można by pomyśleć, że do zamachów nigdy nie doszło.

Radość to wielka uczestniczyć w misterium Męki Pańskiej Anno Domini 2092. Radość tym większa, że stanowimy nieprzebraną wspólnotę ludzkich serc. Dronów nie starcza, żeby nas wszystkich policzyć. Na Błoniach, między Rudawą, parkiem Jordana i ulicą Focha, rozlewa się morze ludzkich głów. Powiedzieć: morze, to zbyt mało. Błonia zamieniły się w żywy ocean podległy Opatrzności. Cały ziemski świat Ją wychwala. Nawet kopiec Kościuszki przypomina piuskę klęczącego, świętego męża, a zachodzące słońce – choć dnia przybywa – pokornie przymyka kardynalską źrenicę nad horyzontem.

Stoimy pośród sług najznamienitszych, pośród największych osobistości polacyjnego Kościoła, z arcybiskupem Krystkiem, naszym pasterzem, na czele. Ojciec Kornel jest blisko niego, coś szepcze do ucha hierarchy. Ten przytakuje, dając błogosławieństwo sekretnym wyznaniom jezuity. Są też BHP-owcy, reprezentanci krakowskiego magistratu, premier federacyjnego rządu i jego ministrowie. Oprócz zakonów męskich zaproszono również wspólnoty żeńskie. Dzień to szczególny, więc mogą cieszyć się z nami wspólną celebrą Bożej Męki. W nieogarniętej masie wiernych daje się gdzieniegdzie rozpoznać stróżów bliźniaczych. To dowód, że nie jesteśmy jedynymi, którzy wyrwali się ciemności.

Z Olszyna powrócił prezydent miasta. Wprawdzie jego pojawieniu się towarzyszyło kilka gwizdów, lecz zaraz zagłuszyła je burza oklasków. Tłum wypchnął wichrzycieli i oddał ich w ręce Chrystusowych strażników. Miasto odzyskało świeckiego ojca.

Mamy idealne miejsce, zaraz przy taśmie, która odgradza zebranych od pasa wolnego przejścia. Przejście biegnie wzdłuż sceny i przez środek Błoni, tworząc literę „T". Nie umknie nam żaden szczegół. Czekamy na rozpoczęcie obrzędu. Przekazujemy sobie znak pokoju, z wielką nabożnością i podziwem kierujemy spojrzenia ku znajdującym się na scenie relikwiom wawelskim. Umieszczone po bokach jupitery omiatają świetlnymi językami święte szczątki. Satysfakcja, że mieliśmy udział w ich odzyskaniu, napełnia nas dumą. Staramy się wymownie pokazać to innym zakonom. Niepotrzebnie, ponieważ zdają sobie sprawę z naszej pracy – potrząsają sznurami, co w świecie zakonnych zwyczajów stanowi dowód uznania. Gwardian przyznaje rację naszej dumie, choć zaraz przestrzega:

– Dobrze, dobrze, niech znają nasz zakon. Ale zważcie, by satysfakcji nie wypełniła próżność afektacji. Afektowany franciszkanin jest niczym balon. Łatwo nadmuchać, jeszcze łatwiej przekłuć.

Relikwie to nie wszystko. Równie wielkie przejęcie wzbudza odratowany plastinat Jana Pawła II. Po raz pierwszy wystawiony na widok publiczny, wygląda jak żywy. Będzie z nami przez kolejne dziesiątki lat. Mistrzowie plastynacji sprawili się świetnie. Pełen naturalizm, fotograficzna precyzja. Ludzie komplementują dzieło radosnymi ochami. Czyż trzeba lepszego świadectwa Wielkiego Piątku, po którym nadejdzie wielkanocna niedziela?

Początek misterium zwiastuje pojawienie się postaci ceremoniarza. Wygląda na młodziaka dobiegającego pięćdziesiątki. Sprężystym krokiem wychodzi zza telebimu, uciszając natychmiast szum ludzkiego morza. Jupitery skupiają się na postaci mężczyzny. Twarz ma proporcjonalną, pod silnymi szkłami okularów – równo osadzone oczy. Czoło jasne, wargi pełne, mięsiste, włosy krótko przycięte. W dłoni trzyma rezonator. Jego śnieżnobiały strój jest symboliczny – zmyślny krawiec połączył w jedno garnitur i albę.

– Bracia i siostry! Obywatele, mieszkańcy Krakowa! – wykrzykuje ceremoniarz ze swadą człowieka, dla którego obcowanie z tłumem jest czymś naturalnym. – Oto zebraliśmy się w dniu śmierci Jezusa Chrystusa, Pana naszego. Zebraliśmy się, aby zawierzyć nasz los opiece Krzyża – głos brzmi jak skała, słuchamy pełni pokory. – I tak jak On w chwili Golgotowej ofiary został opuszczony przez wszystkich ludzi, tak i my jesteśmy Jego jedyną owczarnią, jedynymi sługami, którzy dzisiaj mogą nieść słowo Boże i ratować cierpiących, wydanych na pastwę wrogów Europy. Bo też cały, ukochany przez nas świat polacyjnego chrześcijaństwa stanął w ogniu. Wojna zatacza coraz szersze kręgi, rozsiewa grzech zdrady, zbiera krwawe żniwo niewinnych ofiar. Doświadczacie jej każdego dnia, na każdym kroku, lecz to ledwie część wielkiego spustoszenia. Ukochani moi, rozejrzyjcie się po sobie! Niech brat spojrzy na brata, siostra na siostrę, bo może widzą się po raz ostatni. Niezbadane są wyroki... – ceremoniarz stawia pauzę, więc ludzie czynią z niej użytek i spoglądają na siebie. – A teraz, zanim dokonamy Bożej Ofiary oczyszczenia, poznajcie oblicze wojny. Miseriae! Miseriae! Oto, co spotkało bratnie nam miasta. Te miasta, które nie odwróciły się od nas, spiesząc z pomocą w godzinie zamachów. Ich kaźń, ich wielki dramat musi być dla nas nauką jeszcze większej determinacji. Pytam się: gdzie Berlin? Gdzie Paryż, Londyn, Bruksela? Nie ma już otwartej, tolerancyjnej Europy. Nie ma już w ogóle dawnej Europy. Są tylko mysie nory i szatański Daesz. Państwami targają zakulisowe gry, banki i korporacje stosują ekonomiczny nihilizm na niespotykaną dotychczas skalę, wiara nic nie znaczy. Spotyka ją wyłącznie kpina, szyderstwo i prześladowania. I gdy partykularyzm goni garstkę europejskich narodów z nor prosto w przepaść, gdy każdy katolik staje się męczennikiem, gdy Watykan milczy, okazując swoją bezsilność, my jesteśmy jedyną nadzieją na lepszy i sprawiedliwszy świat. Tylko my! Zobaczcie sami, mieszkańcy dzielnego miasta, co stało się z Polacją. – Ceremoniarz odchodzi na bok i odwraca się ku telebimowi.

Światło jupiterów przygasa. Z głośników zaczyna płynąć muzyka. Już po pierwszych dźwiękach rozpoznajemy *Pasję według świętego Łukasza* autorstwa Jakuba Makmilanowskiego. Na telebimie pojawia się napis „Olsztyn". Brat Wojciech nas szturcha, chwyta za rękaw, jest podniecony. Zaraz jednak jego uścisk słabnie, twarz staje się popielata w gwałtownym skurczu przerażenia. Ratusz zburzony, zmiecione z powierzchni ziemi Oppidi, splądrowana diecezjalna farma transplantologiczna, olsztyńska starówka strzaskana aż do czarnej dymiącej kości. Nad nim szkarłatna łuna. Deszcz pyłu, odrealnieni islamiści niczym zjawy i duchy, które krążą wokół parujących wnętrzności pomordowanych. Jeden z nich jest łudząco podobny do naszego kustosza ojca Stefana. Telebim rozbłyskuje słupami ognia, kolejnymi wybuchami i krzykiem ofiar, zagłuszanymi przez *Pasję*... Dużo zwłok. Dużo oczu otwartych, choć martwych, z bielmem śmierci zamiast powiek. Rozpędzony poduszkowiec, naszpikowany laserową bronią i kefijami. Plądrowanie miasta. Rzezie i gwałty, egzekucje na placach, płacz kobiet, tulących do piersi krwawe zawiniątka. Brat Wojciech osuwa się, musimy go przytrzymywać. Obraz gaśnie, muzyka nie słabnie, rozbrzmiewa jeszcze donośniej. Napis: „Warszawa", i kolejne ofiary, krew bryzgająca, jeszcze jasna. Szkielety domów, przestrzeń zmieniona w krajobraz piekła. Dworzec Główny, Pałac Wiary i Nauki, Złote Tarasy Aniołów – trzy hałdy gruzu. Muzea starte na proch, tramwaj wypatroszony jak postny śledź. Oddalenie kamery, ruch, brak ostrości. Miasto majaczy w oddali. Przypomina zwęglony kosz starych, powyginanych parasoli. Kolejny jest Szczecin. Bliźniacze kadry. Śmierć czyni ludzi nieodróżnialnymi, jakby jedno mieli ciało, tę samą krew, kości, a z gardeł wydobywał się identyczny szloch. Pełzający korpus, poszarpany kikut ręki, gmach Filharmonii zmieniony w górę osypującego się szkła. Roześmiana twarz islamisty w kadrze. Pokazuje ręce we krwi, chwyta ułamany krzyż i drapiąc się nim po plecach, prowadzi kamerę przez rzędy zwłok pod Wałami Chrobrego. *Pasja według świętego Łukasza* trwa i trwa, projekcja zniszczenia nie ma końca. Po Szczecinie – Suwałki. Po Suwałkach – Królewiec, Toruń i Ryga. Po Rydze – Białystok i Poznań. Jeden zamęt, jedna pożoga, jeden kataklizm. Przez każde miasto przepływa rzeka krwi.

Federacja przestała istnieć. Ostaliśmy się tylko my. Tutaj, w Krakowie oblężonym zewsząd przez zło i wojnę. Tylko my. Ostatni bastion. Ostatnia wolna wspólnota chrześcijańskiej Polacji, ostatni Europejczycy. A świat milczy, choć nie może przestać gadać. A świat patrzy, choć nie widzi.

Muzyka cichnie, hierarchowie i politycy odwracają się ku ludziom, czekają na ich reakcję. BHP-owcy zaczynają pokrzykiwać o zemście, o karze, jaka musi spaść na morderców. Ale nikt nie zwraca na nich uwagi, więc zaraz rezygnują. Bo ludzie milczą. Bo ludzie nie odrywają wzroku od ekranu. W ich oczach płonie wściekłość. Ciemny i niemy gniew, który nigdy nie znajduje właściwego języka. Panuje cisza. Potworna cisza. Taka cisza, w której wszystko się dokonuje i wszystko się rozstrzyga. Ceremoniarz wychodzi na środek sceny prowadzony przez punktowe światło. Widać, że chce starannie dobrać słowa. Powoli unosi rezonator. Zaczyna skandować. Najpierw powoli, lecz słowo po słowie coraz szybciej, niczym szaman świadomy potęgi plemienia:

– Hej, Kraków, ręce, ręce, ręce! Unieście je w powietrze, jeszcze, jeszcze! To jest wasz czas! To jest wasz czas! – Zaczyna skakać i wołać: – Hej, Kraków, ręce, ręce, ręce! Unieście je w powietrze, jeszcze, jeszcze!

Tłum stoi w bezruchu, jakby nie słyszał, że to do niego zwraca się ceremoniarz. Pierwsi BHP-owcy spełniają nakaz. Podnoszą ręce i skaczą, zachęcając do tego radnych, polityków i prezydenta. Skutecznie. W ich ślady idą hierarchowie. Ręce, ręce, ręce! Arcybiskup Krystek też podskakuje, wprawiając w dwutakt paliusz i brzuch opięty pasem. Po nim jezuita i wszystkie zakony, od cystersów po klaretynów. I nasz również. Skaczemy. Siostrzyczki też. Ręce! Ręce! Ręce! Wyrzucamy je rytmicznie ku niebu, jeszcze, jeszcze, jeszcze!

– Hej, Kraków, ręce, ręce, ręce. Unieście je w powietrze, jeszcze, jeszcze. To jest wasz czas! To jest wasz czas!

Bogu niech będą dzięki! Nawoływania przynoszą efekty. Stojący najbliżej sceny zaczynają naśladować ceremoniarza. Niezgrabnie, mało rytmicznie, ale jednak wyrywają się z bezruchu. Las rąk robi się coraz większy, większy, większy. I gęstszy, gęstszy, gęstszy! Idzie przez tłum, rośnie wśród głów, podrywając kolejnych ludzi. Sięga połowy, trzech czwartych, dochodzi aż do krańców Błoni. Jupitery rzucają szybkie, migotliwie smugi, podobne do świateł latarni morskich. Tłum dołącza do swoich pasterzy. Skacze w coraz większym zapamiętaniu, w gniewie, w pokorze, w rozpaczy, jakby chciał zrzucić z siebie całą udrękę i grzech. Ceremoniarz właśnie tego pragnie, wciąż pokrzykuje, zachęca:

– Hej, Kraków, ręce, ręce, ręce. Unieście je w powietrze, jeszcze, jeszcze! Nadajecie cześć, nadajecie treść, nadajecie sens Bożej Męce! Wyglądacie pięknie!

Jest w tym coś mistycznego, coś hipnotycznie zniewalającego. Głowa przy głowie, bark w bark, kaptur w kaptur. Raz za razem, nieprzerwanie, niezmiennie. Mieszają się oddechy, ciała ocierają się o siebie, drży niebo. Opada nas błogie zmęczenie. Święte to plemię. Nasze to plemię. Boże to plemię. Nigdy niezwyciężone. Tworzymy liczbę nieskończoną i pierwszą. Ceremoniarz skanduje, podobny świętym szaleńcom. Woła nad tłumem, a jego wołanie układa się w modlitwę-przymierze:

– Transfuzja: człowieczo-bożej Męki! Transmisja: nasycenie chlebem! Decyzja: uwierzyć w życie wieczne! Stymulacja: wewnętrzne przesilenie! Konsolidacja: przed wrogiem, obcym i odmieńcem! Współpraca: na drodze do zbawienia! Zasada: zachować święte prawa! Symbioza: duchowe zapętlenie! Diagnoza: totalne zjednoczenie! Na pewno tego chcecie, wiem, tak! Na pewno teraz nie strawi was, o nie!, jałowe życie, jałowa śmierć!

Ceremoniarz kuli się, by zaraz wystrzelić, wyżej i mocniej. Jego ciało jest struną. Tłum kłębi się niczym morskie bałwany, targane burzą i wiatrem. Skoki są coraz bardziej rwane, nieskładne, szarpane, jakby w ludziach zła krew, złe duchy burzyły się i wzdrygały przed nadchodzącym planktocyzmem. Święta, powszechna e p i l e p s j a.

– Oto nasz Zbawca! Nasze Światło! Oddajmy pokłon Jego ostatniej drodze do krzyża. – Ceremoniarz spogląda ku krańcom miejskiego parku i pada na kolana.

Całe Błonia klękają jak jedno ciało, jedna dusza, organizm: biskupi, władza świecka i lud. Ceremoniarz nie musi tym razem namawiać. Kieruje nami wszystkimi transcendentna i zgodna siła, wewnętrzny impuls, który jest jednocześnie impulsem ogółu. On jest w nas, jednocześnie będąc poza nami.

Od ulicy Focha, widoczne z oddali, oświetlane silnym strumieniem jupiterów, posuwają się wolno wiatraczne machiny. Na ruchomych skrzydłach ciała skazańców. Na jednym z haków wisi Planktocysta. Jest nagi, bok ma rozdarty, obficie krwawi, twarz rozdrapują grymasy cierpienia, na szyi fioletowa spuchnięta blizna.

Drony rejestrują obraz i przekazują go na telebim. Wirują skrzydła, ciała uwięzione na hakach wyginają się nienaturalnie, zapach sandałowca uderza nas swą siłą. Wielu ludzi zaczyna płakać, wielu wbija wzrok w ziemię, czując, że nie są godni patrzeć na Zbawcę i podążającą wolno procesję. Za wiatracznymi machinami jadą Kunstalieny.

Między grodziami, w gęstej formalinowej toni, kołyszą się topielcy: zdrajcy, obcy i islasusły. Dużo zła, dużo nieprawości, oby dobry Bóg przebaczył grzesznikom. Czwarte akwarium pochodzi z naszego purgatorium, rozpoznajemy dryfujące zwłoki Jerzego Fikusa, państwa Miaszkowskich i Teresy. Ciało kobiety uderza o jedną z grodzi, unosi się, to opada. Jej czarne włosy są rozwianym welonem. Na sinych udach krwiaki – czerwone podwiązki.

Wiatraczne maszyny i Kunstalieny docierają pod scenę. Rozjeżdżają się w dwie strony, na środku pozostaje wiatrak z powieszonym Planktocystą. Dron dziobie go okiem kamery, śle obraz kaźni. Gałki oczne Jezusowego męczennika prawie wypływają z oczodołów. Na szpikulcach kręcących się skrzydeł – zwiotczałe sine obwarzanki.

Procesję zamyka pochód dzieci w białych albach. Małe szkraby rozglądają się wokół – strach walczy w nich z zaciekawieniem. Prowadzone są przez siostry zakonne, które pilnują równego kroku niewinnej trzódki. Dziewczynka na przedzie, o długich, odświętnie ufryzowanych włosach, rzuca płatki kwiatów. Ma poważną minę prymuski, świadomej roli, jaka została jej powierzona. Za każdym razem gdy rączka uwalnia kwietne konfetti, dziecina otwiera buzię, lecz zamiast spodziewanego wyznania „Pan mój i Bóg mój!" wargi trzepocą podobne skrzydełkom delikatnego motyla. Dziewczynka jest niema.

Siostry zakonne ustawiają maluchy przy taśmie, twarzami w kierunku księży i polityków. Niewielki dron zlatuje nad stadko dziewczątek. Arcybiskup kolejno kładzie na ich główkach ręce, jezuita zawiesza na szyjach różańce. Premier ściska dłonie niczym bohaterom godnym najwyższych odznaczeń.

– Bracia i siostry. Obywatele, mieszkańcy Krakowa! – przemawia ceremoniarz. – Oto pośród grzeszników, pośród ludzi małej wiary i wielkiego grzechu przeciwstawiamy światu wszystko to, co święte i potężne w swej niewinności: Jezusa Chrystusa i dzieci wydarte z rąk śmierci. Moce piekielne ich nie przemogą. Tylko ich dusze mogą dać skuteczny odpór postępom ciemności. One są naszą tarczą, naszym orężem, naszą ostatnią nadzieją. Ich ofiara nas ostatecznie zjednoczy i zbliży do Boga.

Ceremoniarz milknie, spostrzegłszy, że Planktocysta coś szepcze. Skrzydło, na którym wisi, jest już w zenicie. Dron nachyla się nad ziemskim Jezusem. Obraz na telebimie chwyta ostrość, pokazuje szlachetną twarz z wyrazem cierpienia na twarzy. W głośnikach słyszymy nierówny, dychawiczny oddech i słowa:

– Przeszedłem przez światy, wstąpiłem na słońca i wraz z mlecznymi drogami przeleciałem przez pustynie nieba, ale Boga tam nie było – Planktocysta mówi z widocznym wysiłkiem, a jego głos podnosi głowy klęczącego tłumu. – Zstąpiłem w głębiny, dokąd tylko byt rzuca swoje cienie, i zajrzałem w przepaść, i zawołałem: „Ojcze, gdzie jesteś?", ale usłyszałem tylko odgłos wiecznej burzy, nad którą nie panuje nikt, a błyszcząca tęcza z zachodu, bez słońca, które ją stworzyło, wisiała nad przepaścią i spływała w nią kroplami. A kiedy spojrzałem w niezmierzony świat, szukając boskiego oka, wytrzeszczyło się ono na mnie pustym, bezdennym oczodołem, wieczność zaś legła na chaosie i szarpała go zębami, i przeżuwała samą siebie – ucichł, zbierając siły, by zaraz zawołać. – Zimna odwieczna konieczności! Jakże samotny jest człowiek w wielkim trupim dole wszechświata! O, Ojcze! Ojcze, gdzie jest Twa bezkresna pierś, bym mógł na niej spocząć? Skoro każde „ja" uczyniło się własnym ojcem i stwórcą, dlaczego nie może być ono swym aniołem śmierci? Nie może? Ono jest nim w istocie! – Planktocysta gaśnie, ruch jego warg zdradza wyłącznie słaby szept. – Czy to, co jest obok mnie na skrzydłach wiatracznej machiny, to jeszcze człowiek? Nieszczęsny! Wasze małe, pojedyncze życie jest westchnieniem natury lub tylko jej nieporadnym i płytkim echem. Wklęsłe zwierciadło rzuca promienie na ziemię poprzez chmury pyłu z popiołu umarłych i wówczas powstaje, on, jedynie chmurny, chwiejny obraz. Zabieram ze sobą dzieci i tych wszystkich grzeszników. Z nimi odchodzę, by przebłagać Ojca. Ale wy, jeśli żyć wiecznie chcecie, stańcie się nie obrazem, lecz jego istotą, jego przyczyną. Oto droga zbawienia – innych czynić obrazem waszej wspólnoty braci i sióstr. A gdy staniecie się zwartą, nieodróżnialną wspólnotą, gdy świat będzie waszym odbiciem, wtedy, zaprawdę, zaprawdę, umiłowani, Bóg usłyszy wołanie i powróci. Zmartwychwstanie pośród was, dla nas i z wami zamieszka. Na wieki wieków. Amen. – Głowa Planktocysty opada, choć powieki wciąż poruszają się.

Piękny planktocyzm. Nakaz, by świat stwarzać według naszej istoty. Na znak ceremoniarza procesja rusza. Najpierw dzieci z dyndającymi różańcami, ponaglane przez siostry zakonne. Następnie wiatraczna machina Planktocysty i kolejne wiatraki, na końcu – Kunstalieny. Dzieci, Jezus, grzesznicy, drony. To Droga krzyżowa do naszego zbawienia.

Nagle z pochodu wybiega dziewczynka i prześlizgnąwszy się zwinnie pod taśmą, przywiera do naszego ciała. Stróż niewiele pomaga, tak mocno pchełka wtula się i obejmuje rączkami. Nie możemy się uwolnić. Ot dziecko, jak dziecko. Jesteśmy zawstydzeni, ślemy wokół przepraszające spojrzenia, nie chcemy problemów. Czoło ojca Karola przecina marsowa zmarszczka, brat Wojciech odwraca twarz. Wreszcie stróż odpycha skutecznie dziewczynkę, lecz ta błyskawicznie sięga do kostki i spod zwiniętej w rulonik białej podkolanówki wyjmuje kamyk. Kładzie go w otwartej dłoni. Na coś czeka, patrzy nam głęboko w oczy. Małe to, głupiutkie jeszcze, jeszcze niewinnie czupurne. Siostra zakonna chwyta dziecko wpół i doprowadza do reszty szkrabów. Dziewczynka ogląda się kilka razy za nami. Żegnamy je Bożym błogosławieństwem.

Wielkopiątkowa procesja powoli opuszcza Błonia. Wszystko odbywa się w całkowitej ciszy. Planktocysta kona na haku. Drony opowiadają jego powolną agonię i początek krucjaty. Pochód wychodzi poza graniczne zasieki, opuszcza miasto, zlewa się z wieczornym tłem. Nam pozostaje czuwanie i wiara. Po Wielkim Piątku nadejdzie Wielka Niedziela. Obraz ciemnieje.

Dzieci idą posłusznie. Idą długo w noc. Tylko ta jedna dziewczynka wciąż się odwraca. Mrok zmienia ją w białą plamkę.

OD AUTORA

Plankton jest epilepsją. Epilepsją języka, kultury, religii i władzy. Choć rzecz dzieje się w 2092 roku, ataki tej choroby są nam chyba dobrze znane. Tkankę powieści tworzy lęk i nadzieja, przerywana kolejnymi spazmami. Aby nikt ich nie widział, aby można było im zaprzeczyć, potrzebny jest panoptikon – zbawienne więzienie, w którym nikt jednak nie doczeka przebaczenia.

Trudno uchwycić patchworkową zazwyczaj naturę kontekstów i tekstowych odniesień, jeśli nie są one wiernym przywołaniem. Zewnętrzna inspiracja miesza się z wewnętrznym przeświadczeniem, a język nadaje im własny kształt, gardzi dyscypliną przypisów.

Cytatem, aluzją, parafrazą wykorzystałem następujące teksty źródłowe:

Biblia Tysiąclecia. Pismo Święte Nowego i Starego Testamentu, Wydawnictwo Pallottinum, Poznań – Warszawa 1991.

Walt Whitman, *Pieśń o sobie*, tłum. Andrzej Szuba, Wydawnictwo Literackie, Kraków 1992.

Jacek Podsiadło, *W odpowiedzi na wiersz Czesława Miłosza* Sarajewo *a także w obronie własnej*, [w:] tegoż, *Wiersze zebrane*, Lampa i Iskra Boża, Warszawa 1998.

Jean-Paul Richter, *Mowa wypowiedziana przez umarłego Chrystusa ze szczytu kosmicznego gmachu o tym, że Boga nie ma*, tłum. Maria Żmigrodzka, „Ogród" 1991, nr 2.

Pseudo-Dionizy Areopagita, *Hierarchia niebiańska*, [cyt. za:] ks. Tomasz Stępień, *Hierarchia niebiańska jako wzór idealnej społeczności. Polityczny aspekt myśli Pseudo-Dionizego Areopagity*, „Warszawskie Studia Teologiczne" 2014, nr 1.

Tomasza z Celano biografie św. Franciszka, red. Rafał Witkowski, Wydawnictwo Poznańskie, Poznań 2007.

Ks. Ryszard K. Winiarski, *Oddzielanie ziarna od plewy*, Szkoła Formacji Duchowej, http://www.sfd.kuria.lublin.pl.

Hans Blumenberg, *Rzeczywistości, w których żyjemy. Rozprawy i jedno przemówienie*, tłum. Wanda Lipnik, Oficyna Naukowa, Warszawa 1997.

List otwarty arcybiskupa Jana Pawła Lengi, „Refleksje na temat niektórych aktualnych problemów kryzysu Kościoła katolickiego", www.pch24.pl.

Święty Augustyn, *Państwo Boże*, tłum. Władysław Kubicki, Wydawnictwo Marek Derewiecki, Kęty 2015.

Umberto Eco, *Imię róży*, tłum. Adam Szymanowski, Państwowy Instytut Wydawniczy, Warszawa 1993.

Andrzej Leder, *Prześniona rewolucja. Ćwiczenia z logiki historycznej*, Wydawnictwo „Krytyki Politycznej", Warszawa 2014.

Jan Sowa, *Fantomowe ciało króla. Peryferyjne zmagania z nowoczesnością*, Universitas, Kraków 2011.

Jerzy Andrzejewski, *Bramy raju*, [w:] tegoż, *Trzy opowieści*, Zakład Narodowy im. Ossolińskich, Wrocaw 1998.

SPIS TREŚCI

PLANKTON
SIEN
IEW
ICZ